DANS LE SILENCE DU VENT

LOUISE ERDRICH

DANS LE SILENCE DU VENT

roman

Traduit de l'américain
par Isabelle Reinharez

TERRES D'AMÉRIQUE

ALBIN MICHEL

« Terres d'Amérique »

Collection dirigée par Francis Geffard

À Pallas

1

1988

Des petits arbres avaient attaqué les fondations de notre maison. Ce n'étaient que de jeunes plants piqués d'une ou deux feuilles raides et saines. Les tiges avaient tout de même réussi à s'insinuer dans de menues fissures parcourant les bardeaux bruns qui recouvraient les parpaings. Elles avaient poussé dans le mur invisible et il était difficile de les extirper. Mon père a essuyé la paume de sa main en se la passant sur le front et a maudit leur résistance. Je me servais d'un vieil arrache-pissenlit rouillé au manche plein d'échardes ; mon père maniait un long et fin tisonnier en fer qui devait faire plus de mal que de bien. Comme il piquait à l'aveuglette là où il supposait que des racines avaient pu pénétrer, à coup sûr il ouvrait dans le mortier des trous bien pratiques pour les jeunes plants de l'année à venir.

Chaque fois que je réussissais à dégager un tout petit arbre, je le posais à côté de moi tel un trophée sur l'étroit trottoir qui entourait la maison. Il y avait des pousses de frêne, d'orme, d'érable, de négondo, même un catalpa de bonne taille, que mon père a mis dans un vieux seau de crème glacée en pensant qu'il trouverait peut-être un endroit où le replanter. Pour moi c'était un miracle que les arbrisseaux aient survécu à un hiver passé dans le Dakota du Nord. Ils avaient peut-être eu de l'eau, mais bien peu de lumière et seulement quelques miettes de terre. Pourtant chaque graine était parvenue à plonger profondément l'ardillon d'une racine et à projeter une vrille exploratrice vers l'extérieur.

Mon père s'est mis debout, en étirant son dos douloureux. Ça suffit, a-t-il dit, lui qui d'habitude était un perfectionniste.

Mais je n'avais pas envie de m'arrêter, et quand il est entré dans la maison pour téléphoner à ma mère, partie à son bureau chercher un dossier, j'ai continué à tirer sur les petites racines cachées. Il n'est pas ressorti et j'ai pensé qu'il avait dû s'allonger pour faire la sieste, ce qui maintenant lui arrivait de temps à autre. On aurait pu imaginer qu'à ce moment-là, un garçon de treize ans avait mieux à faire, je me serais arrêté, mais bien au contraire. Alors que l'après-midi s'écoulait et que tout sur la réserve était gagné par le calme et le silence, il m'a paru de plus en plus nécessaire que chacun de ces envahisseurs soit tiré de là jusqu'à l'extrême bout de sa racine, où se concentrait toute la croissance vitale. Et il me semblait tout aussi nécessaire de faire un boulot méticuleux, comparé à tant de mes tâches mal terminées. Aujourd'hui encore, je m'étonne de la vigueur de ma concentration. Je glissais les dents de mon outil le plus près possible le long de la pousse. Chaque petit arbre exigeait une stratégie propre. Il était presque impossible de ne pas le briser avant que ses racines puissent être retirées intactes de leur cachette tenace.

J'ai fini par abandonner, je suis entré en catimini dans la maison et me suis glissé dans le bureau de mon père. J'ai pris l'ouvrage de droit que mon père appelait La Bible. *Le Manuel de droit fédéral indien* de Felix S. Cohen. Mon père l'avait reçu des mains de son père ; la reliure rouille était éraflée, le long dos craquelé, et chacune des pages comportait des commentaires manuscrits. Je tentais de me familiariser avec la langue désuète et les perpétuelles notes de bas de page. Mon père, ou mon grand-père, avait mis un point d'exclamation p. 38, à côté de l'affaire en italiques qui m'avait naturellement intéressé, moi aussi : *États-Unis contre 43 gallons de whisky.* Je suppose que, comme moi, l'un d'eux avait trouvé ce titre ridicule. Malgré tout j'analysais l'idée, introduite dans d'autres affaires et confortée par celle-ci, que nos accords conclus avec le gouvernement étaient semblables à des traités conclus avec des nations étrangères. Que la grandeur et la puissance dont parlait Mooshum, mon grand-père, n'avaient pas entièrement disparu, car elles étaient, du moins dans une certaine mesure que je voulais connaître, encore protégées par la loi.

Je lisais en buvant un verre d'eau fraîche à la cuisine quand mon père s'est réveillé de sa sieste et est entré, en bâillant d'un air déboussolé. Malgré son importance, le *Manuel* de Cohen n'est pas un gros volume, et quand mon père est arrivé je l'ai vite tiré sur mes genoux, sous la table. Mon père a passé sa langue sur ses lèvres sèches et a tournicoté, peut-être en quête de l'odeur du dîner, du fracas des casseroles ou du tintement des verres, d'un bruit de pas. Ce qu'il a dit alors m'a étonné, bien qu'à première vue ses mots semblent insignifiants.

Où est ta mère ?

Sa voix était rauque et froide. J'ai glissé le livre sur une autre chaise, je me suis levé et lui ai tendu mon verre d'eau. Il l'a avalé d'un trait. Il n'a pas répété ces mots, mais nous sommes restés là à nous dévisager d'une façon qui m'a semblé adulte, comme s'il savait qu'en lisant son ouvrage juridique je m'étais immiscé dans son monde. Son regard a tenu bon jusqu'à ce que je baisse les yeux. Je venais d'avoir treize ans. Deux semaines plus tôt, j'en avais encore douze.

À son travail ? ai-je dit, pour qu'il cesse de me regarder. J'avais supposé qu'il savait où elle était, qu'il l'avait appris lorsqu'il avait téléphoné. Je savais qu'elle n'était pas pour de bon à son travail. Elle avait répondu à un coup de fil, et puis m'avait annoncé qu'elle passait à son bureau chercher un ou deux dossiers. Spécialiste des appartenances tribales, elle devait être en train de réfléchir à une requête qu'on lui avait adressée. Elle était à la tête d'un service d'une personne. On était dimanche – d'où le calme. La pause du dimanche après-midi. Même si elle était ensuite passée chez sa sœur Clemence, à l'heure qu'il était maman aurait été de retour pour préparer le dîner. Nous le savions l'un comme l'autre. Les femmes ne se rendent pas compte à quel point les hommes sont attachés à la régularité de leurs habitudes. Nous intégrons leurs allées et venues dans nos corps, leurs rythmes dans nos os. Notre pouls est réglé sur le leur, et, comme chaque dimanche après-midi, nous attendions que ma mère mette nos pendules à l'heure du soir.

Et donc, voyez-vous, son absence a arrêté le temps.

Que devons-nous faire, avons-nous lancé en chœur, ce qui une fois de plus était perturbant. Mais au moins mon père, en me voyant perdu, a pris les choses en main.

Allons la trouver, a-t-il dit. Et même à ce moment-là, en enfilant ma veste à la va-vite, je me suis réjoui qu'il soit si précis – la trouver, pas simplement la chercher, partir à sa recherche. Nous allions sortir et la trouver.

Elle a crevé, a-t-il lancé. Elle a dû raccompagner quelqu'un et crever. Ces fichues routes. On va descendre à pied emprunter la voiture de ton oncle et partir la trouver.

La trouver, de nouveau. J'ai marché à grandes enjambées à ses côtés. Il était rapide et encore énergique une fois lancé.

Il était devenu avocat, puis juge, et s'était également marié sur le tard. Et j'ai aussi été une surprise pour ma mère. Mon vieux Mooshum m'appelait Oups ; c'était le sobriquet qu'il me donnait, et malheureusement d'autres membres de la famille trouvaient ça drôle. Et donc, encore aujourd'hui, on m'appelle parfois Oups. Nous avons descendu la colline jusque chez mon oncle et ma tante – une maison vert pâle du Service de l'Urbanisme et du Logement protégée par des peupliers de Virginie et embourgeoisée par trois petits épicéas bleus. Mooshum vivait là lui aussi, dans un éternel brouillard. Nous étions tous fiers de sa super-longévité. Il était très vieux, mais encore actif dans l'entretien du jardin. Chaque jour, après ses efforts à l'extérieur, il s'allongeait pour se reposer sur un lit de camp installé près de la fenêtre, tel un tas de brindilles, somnolant à peine, émettant parfois un son sec et crachotant qui était probablement un rire.

Quand mon père a averti Clemence et Edward que ma mère avait crevé et que nous avions besoin de leur voiture, comme s'il avait connaissance de cette crevaison mythique, j'ai failli éclater de rire. Il semblait s'être convaincu de la vérité de son hypothèse.

Dans la Chevrolet de mon oncle, nous avons pris en marche arrière l'allée gravillonnée et sommes partis aux bureaux de l'administration tribale. Avons fait le tour du parc de stationnement. Vide. Fenêtres obscures. En ressortant, nous avons viré à droite.

Elle est allée à Hoopdance, je parie, a dit mon père. Elle avait besoin de quelque chose pour le dîner. Peut-être qu'elle nous préparait une surprise, Joe.

Je suis le deuxième Antone Bazil Coutts, mais je me battrais avec quiconque accolerait un Junior à mon nom. Ou un chiffre. Ou m'appellerait Bazil. J'avais décidé que je m'appelais Joe à l'âge de six ans. À huit, je me suis aperçu que j'avais choisi le nom de mon arrière-grand-père, Joseph. Je le connaissais surtout comme étant l'auteur d'inscriptions dans des livres aux pages couleur d'ambre et à la reliure en cuir desséchée. Il avait légué plusieurs rayonnages de ces antiquités. Je n'appréciais pas de ne pas avoir un nom tout neuf qui me distingue de la lignée assommante des Coutts – des hommes responsables, probes, et même héroïques avec désinvolture, qui buvaient sagement, fumaient un cigare de temps à autre, conduisaient une voiture ordinaire, et ne montraient leur force de caractère qu'en épousant des femmes plus intelligentes qu'eux. Je me voyais différent, bien que je ne sache pas encore de quelle manière. Déjà, en refoulant mon anxiété tandis que nous cherchions ma mère, qui était allée à la supérette – rien d'autre, à coup sûr, une petite course à faire – j'avais conscience que ce qui se passait avait quelque chose d'inhabituel. Une mère disparue. Cela n'arrivait pas au fils d'un juge, même d'un juge qui vivait sur une réserve indienne. D'une façon un peu vague, j'espérais que quelque chose allait arriver.

J'étais le genre de gamin qui passait un dimanche après-midi à extirper des petits arbres des fondations de la maison de ses parents. J'aurais dû admettre l'inévitable vérité, que c'était le genre de personne que je deviendrais, en fin de compte, mais je continuais à m'en défendre. Pourtant quand je dis que je voulais qu'il y ait quelque chose, j'entends par là rien de mauvais, mais quelque chose. Un événement exceptionnel. Une vision fugace. Un gros gain au bingo, même si le dimanche n'était pas un jour de bingo et que jouer n'était pas du tout le genre de ma mère. C'était pourtant ce que je désirais, quelque chose qui sorte de l'ordinaire. Pas davantage.

À mi-chemin de Hoopdance, il m'est venu à l'esprit que la supérette était fermée le dimanche.

Mais bien sûr ! Mon père a pointé le menton, ses mains ont agrippé le volant. Il avait un profil qui paraîtrait indien sur une affiche de film, romain sur une pièce de monnaie. Il y avait un stoïcisme classique dans son grand nez aquilin et sa forte mâchoire. Il a continué à rouler car, a-t-il dit, elle aussi avait peut-être oublié qu'on était dimanche. C'est alors que nous l'avons croisée. La voilà ! Elle est passée à côté de nous à toute allure en sens inverse, les yeux rivés à la route, roulant au-delà de la vitesse autorisée, pressée de rentrer nous retrouver à la maison. Mais nous étions là ! Nous avons ri de son visage figé tout en faisant demi-tour au beau milieu de la route, et nous nous sommes lancés dans son sillage.

Elle est furieuse, a lancé mon père en riant, tellement soulagé. Tu vois, je te l'avais dit. Elle a oublié. Elle est allée à la supérette et a oublié que c'était fermé. Furieuse maintenant d'avoir gaspillé de l'essence. Oh, Geraldine !

Il y avait de l'amusement, de l'adoration, de la stupéfaction dans sa voix quand il a prononcé ces mots. Oh, Geraldine ! Rien qu'à entendre ces deux mots, on voyait bien qu'il était et avait toujours été amoureux de ma mère. Il n'avait jamais cessé de lui être reconnaissant de l'avoir épousé et de lui avoir donné un fils tout de suite après, alors qu'il avait fini par se croire le dernier de la lignée.

Oh, Geraldine.

Il a secoué la tête, le sourire aux lèvres tandis que nous roulions, et tout allait bien, plus que bien. Nous pouvions désormais reconnaître que l'absence peu habituelle de ma mère nous avait inquiétés. Nous pouvions brutalement avoir une conscience toute neuve du prix que nous accordions au caractère sacré des petits actes routiniers. Aussi indomptable que j'aie pu me voir dans la glace, dans mes pensées, je tenais à des plaisirs aussi banals.

C'était à elle, maintenant, de s'inquiéter pour nous. Rien qu'un petit peu, a soutenu mon père, qu'on lui rende la monnaie de sa pièce. Nous avons pris notre temps pour ramener la voiture chez Clemence et remonté la colline en savourant à l'avance la question indignée de ma mère. Où étiez-vous donc passés ? Je voyais déjà ses mains, jointures repliées sur les hanches. Son sourire se crisper pour échapper d'un bond à ses sourcils froncés. Elle éclaterait de rire quand on lui raconterait tout.

Nous avons pris le chemin de terre. Sur le bord, en rang strict, maman avait repiqué les plants de pensées qu'elle avait semés dans des briques de lait. Elle les avait sortis tôt dans la saison. La seule fleur qui supportait une gelée. En remontant l'allée, nous avons vu qu'elle était toujours dans la voiture. Assise au volant face à la paroi aveugle de la porte du garage. Mon père s'est mis à courir. Je le voyais comme lui, à la position de son corps – quelque chose de figé, de rigide, de pas normal. Quand il est arrivé à la voiture, il a ouvert la portière côté conducteur. Maman avait les mains cramponnées au volant et regardait devant elle avec l'air de ne rien voir, comme lorsque nous l'avions croisée roulant en sens inverse sur la route de Hoopdance. Nous avions vu son air absorbé et nous avions ri. Elle est furieuse à cause de l'essence gaspillée !

J'étais juste derrière mon père. Attentif, quand même, à enjamber les feuilles et les boutons festonnés des pensées. Il a posé ses mains sur celles de ma mère et détaché ses doigts du volant avec précaution. En la prenant délicatement par les coudes, il l'a soulevée et soutenue tandis qu'elle venait vers lui, en conservant la forme arrondie du siège. Elle s'est affaissée contre lui, le regard au loin. Il y avait du vomi sur le devant de son chemisier et, mouillant sa jupe, mouillant le tissu gris du siège, son sang foncé.

Va chez Clemence, a ordonné mon père. Va là-bas et préviens-les que j'emmène directement ta mère aux urgences à Hoopdance. Demande-leur de nous suivre.

D'une main, il a ouvert la portière arrière et puis, comme s'ils dansaient d'une horrible façon, il a guidé maman jusqu'au bord du siège et l'a très lentement allongée. L'a aidée à se coucher sur le côté. Elle était silencieuse, mais humectait maintenant du bout de sa langue ses lèvres crevassées qui saignaient. Je l'ai vue battre des paupières, un petit froncement de sourcils. Son visage commençait à enfler. J'ai fait le tour de la voiture pour monter à côté d'elle. J'ai soulevé sa tête et glissé ma jambe en dessous. Je suis resté là, le bras en suspens au-dessus de son épaule. Elle était secouée d'une vibration régulière, comme si à l'intérieur on avait abaissé un interrupteur. Elle dégageait une violente odeur, de vomi et de quelque chose d'autre, comme de l'essence ou du pétrole lampant.

Je vais te déposer, a dit mon père, en faisant marche arrière dans un crissement de pneus.

Non, je viens aussi. Il faut que je la tienne. On téléphonera de l'hôpital.

Je n'avais presque jamais défié mon père en paroles ou en actes. Mais là c'est passé inaperçu. Il y avait déjà eu ce regard, étrange, comme échangé entre deux hommes adultes, et je n'y étais pas préparé. Ce qui était sans importance. Je tenais ma mère tout contre moi maintenant, sur le siège arrière de la voiture. J'avais son sang sur moi. J'ai tendu le bras pour attraper le vieux plaid écossais que nous laissions sur la plage arrière. Ma mère tremblait si fort que je craignais qu'elle vole en morceaux.

Dépêche-toi, papa.

Bien.

Et nous avons foncé jusque là-bas. Il a poussé la voiture à plus de 140 à l'heure. Nous avons vraiment foncé.

Mon père avait une voix qui pouvait être tonnante ; on racontait qu'il l'avait acquise. Ce n'était pas un trait qu'il possédait dans sa jeunesse, mais il en avait eu besoin au tribunal. Sa voix a donc tonné et empli le hall des urgences. Quand ma mère a été installée sur un lit à roulettes par les garçons de salle, mon père m'a demandé de téléphoner à Clemence. Et puis d'attendre. Maintenant que sa colère était ce qui emplissait l'air, pure et crépitante, je me sentais

18

mieux. Ce qui avait bien pu arriver allait s'arranger. À cause de sa fureur. Qui était rare et obtenait des résultats. Il a tenu la main de ma mère tandis qu'on roulait son lit jusqu'à la salle des urgences. Les portes se sont refermées derrière eux.

Je me suis assis sur une chaise en plastique moulé orange. Une femme enceinte maigre comme un clou était passée devant la portière ouverte de la voiture, avait regardé ma mère et assisté à toute la scène avant de se présenter à l'accueil. Elle s'est affalée sur un siège, en face de moi, à côté d'une vieille femme bien tranquille, et a pris un vieux numéro de *People*.

Vous, les Indiens, vous n'avez pas votre hôpital, là-bas ? On ne vous en construit pas un neuf ?

Les urgences sont encore en chantier, lui ai-je répondu.

Quand même.

Quand même quoi ? J'ai pris une voix grinçante et sarcastique. Je n'ai jamais été comme tant de garçons indiens, qui baissent les yeux en silence, furieux, sans mot dire. Ma mère m'avait appris d'autres manières.

La femme enceinte a pincé les lèvres et repris la lecture de son magazine. La vieille femme tricotait le pouce d'une moufle. Je me suis approché du téléphone public, mais je n'avais pas du tout de monnaie. Je suis allé au guichet de l'infirmière, j'ai demandé à me servir du téléphone. Nous étions assez près pour que ce soit un appel local et l'infirmière m'a laissé m'en servir. Mais personne n'a répondu. Alors j'ai su que ma tante avait emmené Edward à l'adoration du Saint-Sacrement, qui les faisait sortir de chez eux le dimanche soir. Il racontait que pendant que Clemence priait, il méditait et se demandait comment il était possible que les humains aient évolué et cessé d'être des singes, tout ça pour rester bouche bée devant une gaufrette ronde et blanche. Oncle Edward était professeur de sciences naturelles.

Je suis retourné m'asseoir dans la salle d'attente, aussi loin que possible de la dame enceinte, mais la pièce était vraiment petite, ce n'était donc pas assez loin. Elle feuilletait son magazine. Cher était en couverture. J'arrivais à lire les mots imprimés à côté de sa mâchoire : *Elle a fait de* Éclair de lune *un succès planétaire, son amant a 23 ans et elle est assez coriace pour dire « Si tu me cherches, je te tue ».* Mais Cher n'avait pas l'air coriace. Elle avait l'air d'une poupée en plastique étonnée. La femme osseuse et ventrue a jeté un coup d'œil au-delà de Cher et s'est adressée à la dame qui tricotait.

On dirait que dans le cas de cette pauvre femme c'est une fausse couche ou peut-être – sa voix est devenue sournoise – un viol.

Sa lèvre a découvert ses dents de lapin tandis qu'elle se tournait vers moi. Ses cheveux jaunes et négligés ont trembloté. Je l'ai regardée à mon tour, droit dans ses yeux noisette privés de cils. Et puis d'instinct j'ai fait un truc bizarre. Je me suis approché et lui ai pris le magazine des mains. Sans cesser de la dévisager, j'ai arraché la couverture et laissé tomber le reste. J'ai recommencé à la déchirer. Les sourcils identiques de Cher se sont séparés. La dame qui tricotait a pincé les lèvres, en comptant ses mailles. J'ai rendu les morceaux à la femme. Et puis brusquement j'ai été triste pour Cher. Que m'avait-elle donc fait ? Je me suis levé et j'ai quitté la pièce.

Je suis resté dehors. J'entendais la voix de la femme, haut perchée, triomphante, se plaignant à l'infirmière. Le soleil était presque couché. L'air s'était refroidi, et avec l'obscurité un froid insidieux m'a pénétré. J'ai sauté sur place et agité les bras. Cela m'était égal. Je ne retournerais pas à l'intérieur tant que cette femme ne serait pas partie, ou tant que mon père ne serait pas sorti pour m'annoncer que ma mère allait bien. Je ne pouvais m'ôter de la tête ce que cette femme avait dit. Ces mots s'attaquaient à mes pensées à coups de poignard, comme elle l'avait voulu. Fausse couche. Deux mots que je ne comprenais pas tout à fait mais dont je savais qu'ils avaient un rapport avec les bébés. Et ça c'était impossible, je le savais. Ma mère m'avait raconté, six ans plus tôt, quand je l'avais harcelée pour avoir un petit frère, que le médecin s'était assuré qu'après moi elle ne puisse pas retomber enceinte. Cela ne pouvait pas arriver. Ce qui laissait l'autre mot.

Au bout d'un moment, j'ai vu une infirmière faire passer les portes des urgences à la femme enceinte. J'ai espéré qu'on ne la mettrait pas près de ma mère. Je suis retourné dans le hall et j'ai rappelé ma tante, qui a dit qu'elle allait laisser Edward à la maison pour qu'il s'occupe de Mooshum, et venir tout de suite en voiture. Elle m'a aussi demandé ce qui s'était passé, ce qui n'allait pas.

Maman saigne, ai-je répondu. Ma gorge s'est serrée et je n'ai pas pu en dire davantage.

Elle est blessée ? Elle a eu un accident ?

J'ai réussi à articuler que je ne savais pas et Clemence a raccroché. Une infirmière au visage fermé est sortie et m'a dit d'aller retrouver ma mère. L'infirmière désapprouvait que ma mère ait demandé à me voir. Qu'elle ait insisté, a-t-elle précisé. Je voulais filer devant, mais j'ai suivi l'infirmière le long d'un couloir violemment éclairé, jusque dans une pièce sans fenêtre bordée de vitrines métalliques vertes. On avait plongé la pièce dans la pénombre et ma mère portait une fine chemise de nuit d'hôpital. Un drap lui enveloppait les jambes. Il n'y avait pas de sang, nulle part. Mon père se tenait debout à la tête du lit, la main posée sur la barre métallique. D'abord, lui je ne l'ai pas regardé, rien qu'elle. Ma mère était une belle femme – je l'avais toujours su. Une évidence pour la famille, pour les inconnus. Clemence et elle avaient une peau café au lait et de superbes boucles brillantes. Minces même après leurs enfants. Calmes et directes, des yeux de battantes et une bouche de star de cinéma. Quand le fou rire les prenait, elles perdaient toute dignité, pourtant, et s'étranglaient, grognaient, rotaient, respiraient fort, pétaient, même, ce qui les rendait d'autant plus hysté- riques. En général, elles se faisaient tordre de rire l'une l'autre, mais c'était parfois mon père le responsable. Même là, elles étaient belles.

À présent je voyais le visage de ma mère gonflé par les marques de coups, déformé et enlaidi. Elle a coulé un regard par des fentes entre la chair boursouflée de ses paupières.

Que s'est-il passé ? ai-je demandé bêtement.

Elle n'a pas répondu. Des larmes s'échappaient du coin de ses yeux. Elle les a séchées d'un poing enveloppé de gaze. Je vais bien, Joe. Regarde-moi. Tu vois ?

Et je l'ai regardée. Mais elle n'allait pas bien. Il y avait des écorchures laissées par les coups, et cet horrible air tordu. Sa peau avait perdu son habituelle couleur chaude. Elle était aussi grise que de la cendre. Ses lèvres étaient

cousues de sang séché. L'infirmière est entrée, a relevé la
tête du lit en actionnant une manivelle. Lui a rajouté une
couverture. J'ai baissé la tête et me suis penché vers elle.
J'ai voulu caresser son poignet bandé et le bout de ses
doigts froids et secs. En poussant un cri, elle a vivement
retiré sa main comme si je lui avais fait mal. Elle s'est raidie
et a fermé les paupières. Ce geste m'a terrassé. J'ai levé les
yeux vers mon père, qui m'a fait signe d'approcher. Il a
passé son bras autour de mes épaules, m'a conduit hors de
la chambre.

Elle ne va pas bien, ai-je dit.

Il a baissé les yeux vers sa montre et puis m'a de nouveau regardé. Son visage a reflété la rage vrombissante
d'un homme qui ne parvenait pas à penser assez vite.

Elle ne va pas bien. J'ai parlé comme pour lui révéler
une pressante vérité. Et pendant un instant, j'ai cru qu'il
allait craquer. Je voyais quelque chose monter en lui, mais
il l'a surmonté, a soufflé, et s'est ressaisi.

Joe. Curieusement, il regardait de nouveau sa montre.
Joe, a-t-il dit. Ta mère a été agressée.

Nous étions tous les deux dans le couloir sous un éclai-
rage inégal, bourdonnant, fluorescent. J'ai dit la première
chose qui m'est passée par la tête.

Par qui ça ? Agressée par qui ça ?

Bêtement, nous avons tous les deux eu conscience que
la réaction habituelle de mon père aurait été de corriger
ma phrase fautive. Nous nous sommes regardés et il n'a
rien dit.

Mon père a la tête, le cou et les épaules d'un homme
grand et fort, mais le reste de son corps est tout à fait dans
la moyenne. Même un peu lourd et mou. Si on y réfléchit,

c'est un bon physique pour un juge. Il domine de façon imposante quand il siège au tribunal, mais lors des entretiens dans son cabinet (un placard à balais amélioré), il n'est pas menaçant et les gens lui font confiance. Tonnante, sa voix est également capable de toutes les nuances, et parfois très bienveillante. C'était la bienveillance dans sa voix qui m'effrayait à présent, et la douceur. Presque un murmure.

Elle ne sait pas qui était cet homme, Joe.

Mais va-t-on le trouver ? ai-je demandé de la même voix étouffée.

On va le trouver, a dit mon père.

Et après ?

Mon père ne se rasait jamais le dimanche et quelques poils d'une barbe grise pointaient. Cette chose en lui recommençait à s'accumuler, prête à exploser. Mais non, il a posé les mains sur mes épaules et a parlé avec cette douceur flûtée qui me fichait la frousse.

Je n'arrive pas à voir aussi loin pour l'instant.

J'ai posé mes mains sur les siennes et l'ai regardé dans les yeux. Ses yeux bruns qui mettaient tout de niveau. Je voulais savoir qu'on trouverait, qu'on punirait et tuerait celui qui avait agressé ma mère. Mon père le voyait. Ses doigts se sont plantés dans mes épaules.

On l'aura, ai-je lancé à la hâte. J'étais inquiet tout en le disant, j'avais le tournis.

Oui.

Il a retiré ses mains. Oui, a-t-il répété. Il a tapoté sa montre, s'est mordu la lèvre. Et maintenant si la police voulait bien arriver. Il faut qu'ils prennent une déposition. Ils devraient déjà être là.

Nous avons pivoté pour rentrer dans la chambre.
Quelle police ? ai-je demandé.
Tout est là, a-t-il répondu.

L'infirmière ne voulait pas encore de nous dans la
chambre, et, pendant que nous attendions, la police est
arrivée. Trois hommes ont franchi les portes des urgences
et sont restés discrètement dans le couloir. Il y avait un
policier de l'État, un autre de la ville de Hoopdance, et
Vince Madwesin, de la police tribale. Mon père avait
insisté pour que chacun d'eux prenne la déposition de ma
mère parce qu'on ne savait pas trop où avait eu lieu le délit
– sur le territoire de l'État ou celui de la réserve – ni qui
l'avait commis – un Indien ou un non-Indien. Je savais, de
façon simpliste, que ces questions tournoieraient autour
des faits. Je savais déjà, aussi, que ces questions ne changeraient pas les faits. Mais elles changeraient inévitablement
notre façon d'aller en justice. Mon père m'a effleuré
l'épaule avant de s'éloigner à la rencontre des policiers. Je
me suis adossé au mur. Ils étaient tous un petit peu plus
grands que lui, mais ils le connaissaient et se sont penchés
plus près pour l'entendre. Ils l'ont écouté avec attention,
sans quitter son visage des yeux. Tout en parlant, il regardait de temps en temps par terre et joignait ses mains derrière son dos. Il les observait par en dessous l'un après
l'autre, puis baissait de nouveau les yeux.
Chaque policier est entré dans la chambre, muni d'un
calepin et d'un stylo, et en est ressorti une quinzaine de
minutes plus tard, le visage fermé. Chacun d'eux a serré
la main de mon père avant de filer.
Un jeune médecin du nom de Egge était de garde ce

jour-là. C'était lui qui avait examiné ma mère. Au moment où mon père et moi retournions dans la chambre, nous avons vu que le Dr Egge était revenu.

Je déconseille que le garçon…, a-t-il commencé à dire.

J'ai trouvé drôle que son crâne brillant, dégarni, bombé, ressemble à l'œuf qu'évoquait son nom. Son visage ovale, aux petites lunettes rondes cerclées de noir, me paraissait familier, et je me suis aperçu que c'était le genre de visage que ma mère dessinait sur les œufs à la coque pour que je les mange.

Ma femme a insisté pour que Joe revienne la voir, a affirmé mon père au Dr Egge. Elle a besoin qu'il voie qu'elle va bien.

Le Dr Egge n'a pas pipé. Il a lancé à mon père un petit regard perçant et solennel. Mon père s'est écarté de lui et m'a demandé d'aller dans la salle d'attente vérifier si Clemence était arrivée.

J'aimerais bien revoir maman.

Je viendrai te chercher, a promis mon père d'un ton insistant. File.

Le Dr Egge regardait mon père toujours plus fixement. Je me suis détourné à contrecœur, angoissé. Tout en s'éloignant, le Dr Egge et mon père ont parlé à voix basse. Je ne voulais pas partir, je me suis donc retourné pour les observer avant de passer dans la salle d'attente. Ils se sont arrêtés devant la chambre de ma mère. Le Dr Egge a terminé sa phrase et d'un doigt a repoussé ses lunettes au sommet de son nez. Mon père s'est avancé vers le mur comme s'il allait le traverser. Il y a plaqué son front et ses mains et il est resté là, les yeux fermés.

Le Dr Egge s'est retourné et m'a vu, figé devant les

portes. Du doigt, il a montré la salle d'attente. L'émotion
de mon père, signifiait son geste, était un spectacle que
j'étais trop jeune pour voir. Mais durant les quelques dernières heures j'étais devenu de plus en plus rebelle à l'autorité. Plutôt que de m'éclipser poliment, j'ai couru vers mon
père et écarté le Dr Egge avec de grands gestes. J'ai jeté
mes bras autour du torse mou de mon père, je l'ai serré
contre moi sous sa veste, et me suis sauvagement cramponné à lui, sans rien dire, en respirant simplement à son
rythme, en avalant de grands sanglots d'air.

Bien plus tard, après avoir fait mon droit, être revenu ici
et avoir examiné tous les documents, toutes les dépositions
que j'ai pu trouver, après avoir revécu tous les instants de
cette journée et des journées qui ont suivi, j'ai compris que
c'était à ce moment-là que le Dr Egge avait décrit en détail
à mon père l'étendue des blessures de ma mère. Mais ce
jour-là, tout ce que je savais, après avoir été séparé de mon
père et entraîné plus loin par Clemence, c'était que le couloir était une pente raide. J'ai repassé les portes et laissé ma
tante parler avec mon père. J'étais dans la salle d'attente
depuis à peu près une demi-heure quand elle est entrée et
m'a annoncé que ma mère allait être opérée. Elle m'a tenu
la main. Nous sommes restés les yeux fixés sur un tableau
représentant une femme de pionnier assise sur une colline
brûlée de soleil, son bébé couché près d'elle, à l'ombre d'un
parapluie noir. Nous sommes convenus que ce tableau ne
nous avait jamais beaucoup plu, et que nous allions désormais résolument le détester, même s'il n'y était pour rien.
    Je devrais t'emmener à la maison, t'installer pour dor-
mir dans la chambre de Joseph, a remarqué Clemence.

Demain tu pourras aller en classe en partant de chez nous. Moi, je reviendrai attendre ici.

J'étais fatigué, j'avais mal à la tête, mais je l'ai regardée avec l'air de croire qu'elle était folle. Parce qu'elle était folle de penser que j'irais en classe. Rien ne serait plus comme d'habitude. Ce couloir en pente raide menait à ce lieu – la salle d'attente – où j'attendrais.

Tu pourrais au moins dormir, a dit tante Clemence. Cela ne te ferait pas de mal de dormir. Cela ferait passer le temps, et tu ne serais pas obligé de regarder ce fichu tableau.

C'est un viol ? lui ai-je demandé.

Oui.

Il n'y avait pas que ça, ai-je dit.

Ma famille ne se dérobe pas. Bien que catholique, ma tante n'était pas le genre à qui on aurait donné le bon Dieu sans confession. Quand elle a pris la parole pour me répondre, sa voix était froide et énergique.

Le viol est une relation sexuelle forcée. Un homme peut forcer une femme à avoir une relation sexuelle. C'est ce qui s'est passé.

J'ai hoché la tête. Mais je voulais savoir autre chose.

Est-ce qu'elle va en mourir ?

Non, a aussitôt répondu Clemence. Elle ne mourra pas. Mais parfois…

Elle s'est mordu l'intérieur de la lèvre, et sa bouche a dessiné une ligne froncée. Clemence a regardé le tableau en plissant les paupières.

… c'est plus compliqué, a-t-elle fini par dire. Tu as vu qu'elle était blessée, gravement ? Clemence s'est effleuré la joue, joliment fardée et poudrée parce qu'elle avait été à la messe.

28

Oui, j'ai vu.

Nos yeux se sont emplis de larmes et nous avons chacun détourné le regard, qui s'est posé sur le sac de Clemence dans lequel elle s'est mise à chercher des Kleenex. Nous nous sommes tous les deux autorisés à pleurer un peu, le temps qu'elle les sorte. C'était un soulagement. Puis nous nous sommes essuyé la figure et Clemence a poursuivi.

Certaines fois cela peut être plus brutal que d'autres.

Brutalement violée, ai-je pensé.

Je savais que ces mots allaient de pair. Peut-être bien sortis d'une affaire que j'avais lue dans les livres de mon père, d'un article de journal ou des thrillers en poche que Whitey, mon oncle, gardait précieusement sur son étagère.

De l'essence, ai-je dit. Je l'ai sentie. Pourquoi sentait-elle l'essence ? Est-ce qu'elle était passée chez Whitey ?

Clemence m'a regardé avec des yeux ronds, le Kleenex figé près de son nez, et sa peau a pris une couleur de vieille neige. Elle s'est penchée d'un coup et a posé sa tête sur ses genoux.

Ça va, a-t-elle assuré à travers le mouchoir en papier. Sa voix paraissait normale, indifférente, même. Ne t'inquiète pas, Joe. J'ai cru que j'allais m'évanouir, mais non.

Elle s'est ressaisie et redressée. Elle m'a tapoté la main. Je ne lui ai pas posé d'autre question concernant l'essence.

Je me suis endormi sur un canapé en skaï et quelqu'un a posé sur moi une couverture d'hôpital. J'ai transpiré dans mon sommeil, et quand je me suis réveillé ma joue et mon bras étaient tout collés. Je m'en suis désagréablement détaché pour me redresser sur un coude.

Le Dr Egge, à l'autre bout de la pièce, parlait à

Clemence. J'ai tout de suite vu que ça allait mieux, que ma mère allait mieux, que ce qui avait bien pu se passer pendant l'opération allait mieux, et même si ça allait très mal, pour le moment du moins le tableau ne devenait pas plus sombre. Alors j'ai posé la tête sur le skaï vert et collant, qui maintenant m'a paru agréable, et je me suis rendormi.

2

Le Solitaire

J'avais trois copains. Je continue à en voir deux. L'autre
n'est plus qu'une croix blanche le long de la Montana Hi-
Line. Enfin, c'est là qu'est inscrit son départ physique.
Quant à son esprit, je l'emporte partout avec moi sous la
forme d'une pierre ronde et noire. Il me l'a donnée quand
il a découvert ce qui était arrivé à ma mère. Virgil Lafournais, c'était son nom, ou Cappy. Il m'a raconté que la
pierre était de celles qu'on trouve au pied d'un arbre fou-
droyé, qu'elle était sacrée. Il appelait ça un œuf d'oiseau-
tonnerre. Il me l'a donnée le jour où je suis retourné en
classe. Chaque fois qu'un autre gamin ou un instituteur me
lançait un regard apitoyé ou curieux, je touchais la pierre
que Cappy m'avait donnée.

Cela faisait cinq jours que nous avions trouvé ma mère
assise au volant dans l'allée. J'avais refusé d'aller en classe
avant qu'elle rentre de l'hôpital. Elle était impatiente de
sortir, soulagée d'être à la maison. Ce matin-là, elle m'a
dit au revoir, couchée dans le grand lit de leur chambre à
l'étage.

Cappy et tes autres amis vont s'ennuyer de toi, a-t-elle
assuré.

Il fallait que je retourne en classe, même s'il restait à peine plus de deux semaines avant l'été. Quand elle irait mieux, elle nous préparerait un gâteau, a-t-elle promis, et des hamburgers. Elle avait toujours aimé nous faire à manger.

Mes deux autres copains étaient Zack Peace et Angus Kashpaw. À l'époque, tous les quatre nous étions plus ou moins ensemble à la moindre occasion, même s'il était entendu que Cappy et moi étions plus proches. Sa mère était morte quand il était petit, abandonnant Cappy, son frère aîné, Randall, et son père, Doe Lafournais, à une existence qui s'était enfoncée dans la routine du célibat, et à une maison sans femme et livrée au chaos. Car bien que Doe ait de temps à autre une liaison, il ne s'était jamais remarié. Il était à la fois gardien des bureaux de l'administration tribale et, par intermittence, président de la tribu. La première fois qu'il avait été élu dans les années 1960, il était juste assez payé pour ne plus faire qu'un mi-temps de gardien. Quand il était trop fatigué pour se présenter aux élections, il y ajoutait des heures de veilleur de nuit. Ce n'est que dans les années 1970 que le gouvernement fédéral a mis de l'argent dans l'administration tribale, et nous avons commencé à comprendre comment gérer les choses. Doe était toujours président, un coup oui, un coup non. Voilà comment cela se passait : les gens élisaient Doe dès qu'ils étaient furieux contre le président en exercice. Mais à peine était-il dans la place que l'effervescence commençait, les griefs, la machine à potins, l'inévitable éreintement qui fait partie de la politique de la réserve et qui est le lot de quiconque s'avance trop sous le feu des projecteurs, quel qu'il soit. Quand ça n'allait vraiment plus, Doe refusait de se présenter. Il embarquait ses affaires, sans oublier le papier à lettres qu'il faisait toujours imprimer à ses frais : *Doe Lafournais, président tribal.* Pendant quelques années, chez Cappy nous avions des tonnes de papier pour dessiner. Fatalement, le successeur subissait le même sort. Et pour finir, les électeurs de Doe penauds et implorants le travaillaient au corps jusqu'à ce qu'il entre de nouveau en lice. 1988 était une année où Doe n'était pas en poste, et par conséquent pêchait très souvent avec nous. Nous avions passé la moitié de l'hiver dans sa cabane sur la glace, à prendre des brochets et y apporter de la bière en douce.

La famille de Zack Peace était maintenant séparée pour la seconde fois. Son père, Corwin Peace, était un musicien éternellement en tournée. Sa mère, Carleen Thunder, dirigeait le journal tribal. Son beau-père, Vince Madwesin, était le policier qui avait interrogé ma mère. Zack avait presque dix ans de plus que son petit frère et sa petite sœur, parce que ses parents s'étaient mariés jeunes, avaient divorcé, puis avaient fait une deuxième tentative et découvert qu'ils avaient eu raison la première fois. Zack était doué pour la musique, comme son père, et apportait toujours sa guitare à la cabane. Il disait qu'il connaissait mille chansons.

Quant à Angus, il venait d'un coin de la réserve souffrant d'une irréductible pauvreté. La tribu avait réuni de l'argent pour bâtir une cité subventionnée – de grands immeubles d'habitation bruns de style urbain, en périphérie de la ville. Ils étaient environnés de monticules de terre envahis de mauvaises herbes, ni un arbre ni un buisson. L'argent avait manqué avant qu'on n'ait construit les perrons, les gens se servaient donc de rampes en contreplaqué ou faisaient de l'escalade pour entrer chez eux et des bonds pour en sortir. Sa tante Star avait installé Angus, ses deux frères, les deux enfants de son petit ami et toute une gamme variable de sœurs enceintes et de cousins fêtards ou en désintox, dans un trois-pièces. Tante Star gérait une somme épique de folie. Cela ne facilitait pas les choses qu'en plus de l'absence de perron le bâtiment soit le fruit cauchemardesque de devis beaucoup trop bas.

L'entrepreneur avait lésiné sur l'isolation, de sorte qu'en hiver Star devait laisser le four allumé avec la porte ouverte toute la nuit, et l'eau couler goutte à goutte dans la cuisine, sinon les tuyaux auraient gelé. Il y avait des chiffons bourrés entre les parois et les châssis des fenêtres, parce que le Placoplatre avait rétréci et ne raccordait plus aux fenêtres à guillotine en aluminium bon marché. Qui n'avaient pas tardé à s'effondrer, à perdre leur moustiquaire. Rien ne fonctionnait. La plomberie refoulait sans arrêt. J'étais même devenu le spécialiste du scellement des toilettes à la cire et au ruban adhésif d'étanchéité. Star passait son temps à nous soudoyer à grand renfort de galettes de pain frit pour que nous fassions des réparations ou installions la réception satellite au moyen d'un enjoliveur cabossé ou ce genre de truc.

En fait, quand elle s'est mise à fréquenter son grand amour, Elwin, nous avons réussi le branchement du satellite. Star avait une belle télévision qu'elle avait achetée grâce à son seul et unique gros gain au bingo. Aidés par Elwin, nous avons MacGyverisé du vieux matériel et reçu le signal télé de Fargo, celui de Minneapolis, et même celui de Chicago ou de Denver. Le satellite a été raccordé en septembre 1987, juste à temps pour le lancement des nouvelles saisons de toutes les séries diffusées par les chaînes. Nous avons amélioré la réception au point que nous recevions les programmes distribués sous licence par certaines stations, qui ne cessaient de changer en fonction du temps et du magnétisme des planètes. Il fallait les dénicher, mais je ne crois pas que nous ayons manqué un seul épisode de *Star Trek*. Pas l'ancienne série, mais *La Nouvelle Génération*. Nous adorions *La Guerre des étoiles*, nous avions nos répliques cultes, mais nous vivions dans *LNG*.

Naturellement, nous voulions tous être Worf. Nous voulions tous être des Klingons. Quel que soit le problème, la réponse de Worf était l'attaque. Dans l'épisode intitulé *Justice* nous avons découvert qu'il n'aimait pas trop les relations sexuelles avec les femmes humaines parce qu'elles étaient trop fragiles et qu'il devait faire preuve de retenue. Notre grosse blague quand il y avait des jolies filles c'était : *Hé, fais preuve de retenue.* Dans l'épisode *Dans la peau de Q*, la fille Klingon idéale se jetait au cou de Worf et elle était ridiculement excitée. Worf était irascible, noble, et beau même avec une carapace de tortue sur le front. Après Worf, nous aimions bien Data parce qu'il se moquait des Blancs en se montrant curieux des trucs idiots que l'équipage faisait ou disait, et puis quand la superbe Yar s'était soûlée il s'était déclaré en parfait état de marche et l'avait sautée. Wesley, celui auquel on aurait pu croire que nous allions nous identifier, de notre âge et un génie, pourvu d'une mère insouciante qui le laissait s'attirer des ennuis, ne nous intéressait pas parce que c'était un bébé de la ville blanc et empoté et qu'il portait des pulls ridicules. Nous étions bien sûr amoureux de la bienveillante Deanna Troi, mi-betazoïde, surtout quand la série lui laissait les cheveux longs et bouclés. Ses combinaisons-pantalons étaient décolletées, sa ceinture rouge en V pointait oùvous-savez, et sa grosse tête et son petit corps bien roulé nous rendaient fous. Le commandant Riker était soi-disant dingue d'elle, mais il restait de bois, il était invraisemblable. Pire encore quand une barbe a caché ses joues de baigneur, mais nous voulions tout de même être Worf. Quant au capitaine Picard, c'était un vieux bonhomme, mais un vieux bonhomme français, alors nous l'aimions bien. Geordi nous plaisait aussi, car en fin de compte il souffrait tout le temps parce qu'il portait le viseur, ce qui en faisait également un personnage noble.

Si je raconte tout ça, c'est parce qu'à cause de cette série nous nous étions mis en marge. Nous faisions des dessins, des bandes dessinées, et avions même tenté d'écrire un épisode. Nous allions jusqu'à prétendre que nous avions des connaissances à part. Nous entrions dans l'adolescence et étions inquiets de savoir comment nous allions évoluer. Dans *LNG* nous n'étions pas maigres, rudoyés, pauvres, sans mère, ou morts de trouille. Nous étions cool parce que personne d'autre ne savait de quoi nous parlions.

Le premier jour où je suis retourné en classe, Cappy m'a raccompagné chez moi. Aujourd'hui c'est bizarre de voir des gens se déplacer à pied sur la réserve, sauf sur les parcours de santé dévolus à la marche. Mais à la fin des années 80 les jeunes se déplaçaient encore à pied, et comme Cappy et moi habitions tous les deux à un bon kilomètre de l'école, nous jouions souvent à pile ou face pour décider dans quelle maison nous irions. La sienne était plus animée, parce que Randall était toujours entouré de copains, mais la mienne avait la télévision et une console sur laquelle nous pouvions jouer à Bionic Commando, un jeu dont nous étions fous.

Cappy m'avait donné l'œuf d'oiseau-tonnerre dans le couloir de l'école, et il m'en a parlé en rentrant à la maison. Il a raconté que lorsqu'il l'avait trouvé, l'arbre fumait encore. J'ai fait semblant de le croire. Sans qu'on se le dise, il était clair que Cappy me raccompagnait chez moi mais qu'il n'entrerait pas. De toute façon, je ne l'aurais pas laissé faire. Ma mère ne voulait pas qu'on la voie. Mon père se préparait à prendre un congé exceptionnel et avait fait venir un juge à la retraite, mais il finissait un peu de paperasse au bureau. Il m'avait déjà prévenu qu'il passerait souvent ce jour-là, mais que ma mère serait contente quand je rentrerais.

Nous remontions l'allée quand Clemence est sortie par la porte de devant en disant qu'elle avait reçu un coup de fil d'un voisin l'avertissant que Mooshum était dehors dans le jardin. À voir sa précipitation, j'ai compris qu'il avait laissé son pantalon à l'intérieur. Elle est montée en voiture, a donné un grand coup de volant et a filé. Cappy a tourné les talons pour repartir chez lui quand nous sommes arrivés, et j'ai fait le tour de la maison pour entrer par-derrière. À l'angle, j'ai vu les petits arbres gringalets aux feuilles flétries, toujours alignés sur le ciment. J'ai posé mes livres de classe, je les ai ramassés, un par un, et les ai planqués en bordure du jardin. Au fond, à ce moment-là j'avais de la peine pour les petits arbres et j'étais conscient que j'avais peur de rentrer chez moi. Je n'avais jamais eu une telle impression. Et puis j'ai voulu ouvrir la porte et j'ai découvert qu'elle était fermée.

J'ai d'abord été tellement étonné que j'ai donné un coup de pied dedans, en pensant qu'elle était coincée. Mais la porte de derrière était bel et bien fermée. Et celle de devant se verrouillait automatiquement – ce que Clemence avait dû oublier. J'ai pris la clé dans sa cachette et suis entré à pas lents, silencieux, sans claquer les portes ni flanquer bruyamment mes bouquins sur la table comme je l'aurais fait d'habitude. N'importe quel autre jour ma mère n'aurait pas encore été de retour et j'aurais ressenti le genre d'exultation qu'un garçon ressent quand il rentre en sachant que pendant deux heures la maison sera tout à lui. Qu'il peut se préparer son sandwich comme un grand. Que si la réception télé est bonne, il y a peut-être des rediffusions à regarder après les cours. Qu'il y a peut-être des biscuits ou d'autres sucreries dans le coin, cachés par sa mère, mais pas si bien que ça. Qu'il peut jeter un coup d'œil aux livres rangés sur les étagères dans la chambre de son père et de sa mère et y trouver un bouquin dans le genre de *Hawaï* de James Michener, où il risque d'apprendre des trucs intéressants mais tout compte fait inutiles sur les préliminaires polynésiens – mais là, il faut que je m'arrête. La porte de derrière avait été verrouillée pour la première fois dans mon souvenir, j'avais dû sortir la clé de sous les marches où elle avait toujours été accrochée à un clou, et seulement utilisée quand nous rentrions tous les trois d'un long voyage.

Ce qui était l'impression que j'avais : qu'aller simplement à l'école avait été un long voyage – et que maintenant j'étais rentré.

L'air semblait caverneux dans la maison, confiné, sentait curieusement le renfermé. Je me suis aperçu que c'était parce que depuis le jour où nous avions trouvé ma mère assise au volant dans l'allée, personne n'avait fait de gâteaux, de friture, de cuisine, ni d'aucune façon préparé à manger. Mon père ne faisait que du café, qu'il buvait jour et nuit. Clemence nous avait apporté des ragoûts qui traînaient encore, à moitié entamés, au réfrigérateur. J'ai appelé ma mère doucement, et monté la moitié des marches jusqu'à ce que je voie que la porte de la chambre de mes parents était fermée. Je suis redescendu pour aller à la cuisine. J'ai ouvert le frigo, je me suis servi un verre de lait froid et j'en ai avalé une grande lampée. Il avait largement tourné. J'ai jeté le lait, rincé le verre, que j'ai rempli au robinet, et j'ai bu d'un trait l'eau ferrugineuse de notre réserve jusqu'à ce que le goût aigre ait disparu. Et puis je suis resté planté là, le verre vide entre les mains.

Une partie du mobilier de la salle à manger était visible par la porte ouverte, une table en érable rouan entourée de six chaises. Le salon en était séparé par des étagères basses. Le canapé était placé juste à l'entrée d'une petite pièce tapissée de livres – l'antre de mon père, ou son bureau. Le verre à la main, j'ai senti le silence démesuré de notre petite maison comme quelque chose qui arrive dans le sillage d'une énorme explosion. Tout s'était arrêté. Même le tic-tac de la pendule. Mon père l'avait débranchée quand nous étions rentrés de l'hôpital, le deuxième soir. Je veux une nouvelle pendule, avait-il déclaré. J'étais là à regarder la vieille pendule, dont les aiguilles étaient arrêtées sans raison d'être sur 11 : 22. Le soleil tombait sur le sol de la cuisine en flaques dorées, mais c'était un éclat de mauvais augure, comme la lumière qui perce derrière un nuage de western. L'effroi m'a saisi, un goût de mort comme du lait tourné. J'ai posé le verre sur la table et foncé quatre à quatre en haut de l'escalier. Fait irruption dans la chambre de mes parents. Ma mère était plongée dans un sommeil si lourd que lorsque j'ai voulu me laisser tomber à côté d'elle, elle m'a frappé au visage. C'était un coup assené d'un revers de l'avant-bras qui m'a cueilli à la mâchoire, et étourdi.

Joe, a-t-elle dit, en tremblant. Joe.

J'étais résolu à ne pas lui laisser voir qu'elle m'avait fait mal.

Maman... le lait a tourné.

Elle a baissé le bras et s'est assise.

Tourné ?

Elle n'avait encore jamais laissé tourner le lait au réfrigérateur. Elle avait grandi sans appareil de réfrigération et s'enorgueillissait de l'état de propreté dans lequel elle maintenait son précieux frigo. Elle prenait la fraîcheur de son contenu très au sérieux. Elle avait même acheté des boîtes Tupperware, à une réunion. Le lait a tourné ?

Oui, ai-je répondu. Je t'assure.

On doit aller à la supérette !

Sa paisible retenue avait disparu – une épouvante convulsive est passée sur son visage. Les contusions étaient apparues et ses yeux étaient cernés de noir comme ceux d'un raton laveur. Un vert malsain palpitait autour de ses tempes. Sa mâchoire était indigo. Ses sourcils qui avaient toujours si bien exprimé l'ironie et l'amour étaient à présent resserrés par l'angoisse. Deux traits verticaux, noirs, comme tracés au feutre, plissaient son front. Ses doigts pinçaient le bord du couvre-lit. Tourné !

Ils ont du lait maintenant à la station-service de Whitey. Je peux y aller à vélo, maman.

Ah bon ? Elle m'a regardé en ayant l'air de penser que je l'avais sauvée, que j'étais un héros.

J'ai apporté son sac. Elle m'a donné un billet de cinq dollars.

Prends d'autres choses, a-t-elle dit. Des trucs que tu aimes. Des confiseries. Elle a buté sur les mots et j'ai compris qu'on avait dû lui donner un genre de médicament pour l'aider à dormir.

Notre maison a été construite dans les années 1940, style bon gros bungalow. Le directeur du Bureau des Affaires indiennes, un bureaucrate pontifiant, coquet, qui était anormalement petit et profondément détesté, l'avait occupée autrefois. La maison avait été vendue à la tribu en 1969 et avait servi d'espace de bureaux jusqu'à ce que sa démolition soit programmée pour laisser place aux bureaux actuels. Mon père l'avait achetée et déplacée sur le petit lopin de terre, à proximité de la ville, qui avait appartenu à Shamengwa, le défunt oncle de Geraldine, un bel homme sur une photo démodée présentée dans un cadre. Sa musique manquait à ma mère, mais son violon était enterré avec lui. Whitey avait utilisé ce qui restait du terrain de Shamengwa pour monter sa station-service à l'autre bout de la ville. Mooshum possédait l'ancienne parcelle à six-sept kilomètres de là, où habitait oncle Whitey. Whitey avait épousé une femme plus jeune que lui – une ex strip-teaseuse, grande, blonde, hâlée – qui tenait maintenant la caisse de la station-service. Whitey servait le carburant, faisait les vidanges, gonflait les pneus, effectuait des réparations peu fiables. Sa femme s'occupait de la comptabilité, réapprovisionnait en sachets de fruits secs et de chips les rayons de la petite boutique, et disait aux gens pourquoi ils pouvaient ou ne pouvaient pas faire mettre l'essence sur leur compte. Dernièrement, elle avait acheté une grande glacière à produits laitiers. Elle en avait une plus petite remplie de soda

DANS LE SILENCE DU VENT

goût orange et raisin. Son nom était Sonja, et je l'aimais comme un garçon aime sa tante, mais j'éprouvais autre chose pour ses seins – j'avais pour eux une attirance sans espoir.

J'ai pris mon vélo et mon sac à dos. J'avais un cinq-vitesses noir esquinté avec des pneus de VTT, une attache de gourde et un gribouillage argenté sur la barre : Storm Ryder. J'ai pris la petite route transversale crevassée, j'ai traversé la grand-route, tourné une fois autour de chez Whitey, et me suis arrêté en dérapage contrôlé en espérant que Sonja me regardait. Mais non, elle était à l'intérieur à compter des paquets de saucisses sèches Slim Jims. Elle avait un grand sourire blanc éblouissant et tape-à-l'œil. Elle a levé les yeux et l'a dirigé vers moi quand je suis entré. Une vraie lampe à bronzer. Ses cheveux moussus comme de la barbe à papa étaient gonflés en une tourbillonnante couronne jaune, une longue et luisante queue de cheval s'en échappait et tombait dans son dos. Comme toujours, elle était vêtue de façon spectaculaire – ce jour-là un survêtement bleu layette bordé d'un liseré à paillettes, le haut ouvert aux trois-quarts. J'ai retenu mon souffle à la vue de son tee-shirt, une étoffe plus claire aussi transparente que des ailes de fée. Elle portait d'impeccables et moelleuses chaussures de jogging blanches et avait aux oreilles des cristaux aussi gros que des punaises. Quand elle était habillée en bleu, ce qui lui arrivait assez souvent, ses yeux azur vous balançaient un stupéfiant courant électrique.

Mon chéri, a-t-elle dit, en posant les Slim Jims pour me prendre dans ses bras. Il n'y avait personne à la pompe ni dans le magasin. Elle sentait les Marlboro, le parfum Aviance Night Musk, et son premier whisky de la fin de l'après-midi.

J'avais de la chance : j'étais un garçon que les femmes adoraient. Je n'y étais pour rien, et à vrai dire cela inquiétait mon père. Il faisait de valeureuses tentatives pour contrebalancer les câlins féminins en m'entraînant dans des activités viriles – nous jouions ensemble au baseball, au football, partions camper, allions à la pêche. Souvent, à la pêche. Il m'avait appris à conduire à huit ans. Il craignait que tous ces câlins ne me rendent mollasson, même s'il avait été lui-même adoré, je le voyais bien, ma grand-mère l'adorait (et m'adorait) durant les quelques années qui ont précédé sa mort. Pourtant, j'étais arrivé au cours d'une accalmie dans les annales procréatives de notre famille. Mes cousins Joseph et Evelina étaient à l'université quand je suis né. Les fils de Whitey issus de son premier mariage étaient adultes, et les rapports de Sonja avec sa fille, London, étaient si orageux qu'elle jurait qu'elle ne voudrait jamais d'autre enfant. Il n'y avait pas de petits-enfants dans la famille (pas encore, Dieu merci, disait Sonja). Comme je l'ai expliqué, j'étais né sur le tard, dans la strate vieillissante de la famille, et de parents que l'on prendrait souvent pour mes grands-parents. Il y avait ce fardeau supplémentaire parce que j'avais été une surprise pour mon père et ma mère, et la flambée d'espoirs qui en résultait. Tout me retombait dessus – les inconvénients comme les avantages. Mais l'un des principaux avantages, que j'adorais, c'était la proximité qui m'était accordée avec les seins de Sonja.

Je pouvais me presser contre eux aussi longtemps qu'elle me serrait dans ses bras. Je prenais soin de ne jamais aller trop loin, même si les mains me démangeaient. Pleins, délicats, volontaires, et ronds, les seins de Sonja étaient des seins à vous briser le cœur. Elle les portait haut dans ses tee-shirts pastel largement décolletés. Elle avait encore la taille fine et ses hanches s'évasaient doucement dans des jeans moulants délavés. Sonja se massait le corps avec de l'huile pour bébé, mais toute sa vie elle avait bronzé impitoyablement et son mignon petit nez suédois était balafré par les coups de soleil. Elle adorait les chevaux et Whitey et elle avaient un vieux pie vicieux, un élégant croisement quarter horse/arabe, un appaloosa rouan dénommé Spook avec un œil bleu, et un mustang. Donc mêlées au whisky, au parfum et à la fumée, il émanait souvent d'elle une petite pointe de foin, de poussière, et la senteur des chevaux, qui lorsque vous l'avez respirée une fois vous manque pour toujours. Les humains étaient destinés à vivre en compagnie du cheval. Whitey et elle avaient aussi trois chiennes, féroces, aux noms toujours plus ou moins inspirés par Janis Joplin.

Notre chien était mort deux mois plus tôt et nous n'en avions pas encore pris un autre. J'ai ouvert mon sac à dos et Sonja y a glissé le lait et d'autres trucs que j'avais choisis. Elle a repoussé mes cinq dollars et m'a regardé de sous ses délicats sourcils épilés châtain clair. Elle avait des larmes plein les yeux. Merde, a-t-elle lancé. Qu'on me laisse ce type. Je le démolis.

Je ne savais pas quoi répondre. Les seins de Sonja chassaient de ma tête la plupart des pensées.

Comment va ta maman ? a-t-elle demandé, en secouant la tête et s'essuyant les joues.

J'ai tenté de me concentrer ; ma mère n'allait pas bien, je ne pouvais donc pas dire *bien*. Pas plus que je ne pouvais avouer à Sonja qu'une demi-heure plus tôt j'avais eu peur que ma mère soit morte, que je m'étais précipité sur elle et qu'elle m'avait frappé pour la première fois de ma vie. Sonja a allumé une cigarette, m'a offert une tablette de chewing-gum Black Jack.

Pas fort, ai-je répondu. Nerveuse.

Sonja a hoché la tête. On amènera Pearl.

Pearl était une grande bâtarde haute sur pattes dotée d'une large tête de bull-terrier et de mâchoires comme un étau. Elle avait des couleurs de Doberman, un épais pelage de chien de berger, et un peu de loup. Pearl n'aboyait pas beaucoup, mais lorsqu'elle s'y mettait elle s'énervait rapidement. Elle marchait de long en large et tentait de mordre le vide dès qu'on violait ses invisibles limites territoriales. Pearl n'était pas une chienne de compagnie et je n'étais pas sûr de vouloir d'elle, à l'inverse de mon père.

Elle est trop vieille pour qu'on lui apprenne à rapporter et des trucs comme ça, ai-je protesté, quand il est rentré chez nous ce soir-là.

Nous étions au rez-de-chaussée, en train de manger un plat réchauffé, apporté une fois de plus par Clemence. Mon père avait préparé son habituel pot de café clair qu'il buvait comme de l'eau. Ma mère était dans la chambre, elle n'avait pas faim. Mon père a posé sa fourchette. À sa façon de le faire (c'était un homme qui avait de l'appétit et s'arrêter était en général un renoncement, même si ces jours-ci il ne mangeait pas beaucoup), je l'ai cru fâché. Mais bien que ces derniers temps ses gestes aient été brusques et qu'il ait souvent serré les poings, il n'a pas élevé la voix. Il a parlé d'un ton très calme et raisonnable, et expliqué pourquoi nous avions besoin de Pearl.

Joe, nous avons besoin d'un chien de garde. Il y a un

homme que nous soupçonnons. Mais il a filé. De sorte qu'il pourrait être n'importe où. Ou si ce n'est pas lui, le véritable agresseur pourrait toujours se trouver dans les parages.

J'ai posé une question genre police à la télé :

Quelle preuve avez-vous que c'est ce type-là ?

Mon père a envisagé de ne pas me répondre, je l'ai bien vu. Mais il a changé d'avis. Il a eu du mal à prononcer certains mots.

Le coupable ou le suspect… l'agresseur… a laissé tomber une pochette d'allumettes. Les allumettes venaient du terrain de golf. Celles qu'on donne à l'accueil.

Donc ils commencent par les joueurs de golf, ai-je dit. Ce qui signifiait que l'agresseur pouvait être indien ou blanc. Ce terrain de golf fascinait tout le monde – c'était une sorte d'engouement. C'était un sport soi-disant réservé aux riches, mais ici nous avions un terrain garni d'une herbe en bataille et creusé de trous d'eau naturels. Proposant un tarif promotionnel. Les gens se refilaient les clubs et apparemment tout le monde l'avait essayé – sauf mon père.

Oui, le terrain de golf.

Et pourquoi aurait-il laissé tomber les allumettes ?

D'une main, mon père s'est frotté les yeux et il a de nouveau eu du mal à articuler.

Il voulait, il a essayé, il n'arrivait pas à les gratter.

Une allumette d'une pochette ?

Oui.

Ah. Et il l'a allumée ?

Non… elle était mouillée.

Et après, que s'est-il passé ?

Mes yeux ont soudain commencé à larmoyer et je me suis penché au-dessus de mon assiette.

Mon père a repris sa fourchette. Il a rapidement enfourné le fameux mélange macaroni sauce bolognaise de Clemence. Il a vu que j'avais arrêté de manger et que j'attendais, et il s'est carré sur sa chaise. Il a avalé une autre tasse de café, qu'il buvait dans sa grande chope préférée en porcelaine blanche. Il a porté une serviette à sa bouche, a fermé les yeux, les a rouverts, et m'a regardé bien en face.

Très bien, Joe, tu poses des tas de questions. Tu ordonnes les choses dans ta tête. Tu réfléchis sérieusement à tout ça. Moi aussi. Joe, le coupable n'a pas réussi à enflammer d'allumette. Il est parti chercher une autre pochette. Un moyen quelconque d'allumer un feu. Pendant qu'il était parti, ta mère a réussi à s'enfuir.

Comment ?

Pour la première fois depuis que nous avions arraché les arbres le dimanche précédent, mon père a souri, ou plutôt c'était une variante de sourire, devrais-je dire. Il n'y entrait pas d'amusement. S'il me fallait plus tard le ranger dans la catégorie sourire, je dirais que c'en était un à la Mooshum. Un sourire se remémorant un temps disparu.

Joe, te souviens-tu comme je m'énervais quand ta mère fermait la voiture en oubliant les clés à l'intérieur ? Elle avait – elle a toujours – l'habitude de les laisser sur le tableau de bord. Une fois garée, elle prend ses dossiers ou ses sacs de courses sur le siège côté passager, puis elle pose ses clés sur le tableau de bord, sort, et pousse le verrou de la portière. Elle oublie qu'elle les a laissées à l'intérieur jusqu'à ce qu'elle ait besoin de rentrer à la maison. Elle fouille alors dans son sac et n'arrive pas à les trouver. Oh non, s'écrie-t-elle, encore ! Elle sort, voit ses clés sur le tableau de bord, enfermées à l'intérieur, et elle me téléphone. Tu te souviens ?

Ouais. J'ai failli sourire à mon tour tandis qu'il décrivait cette habitude qu'elle avait, tout le cirque que nous devions faire. Ouais, papa, elle te téléphone. Tu lances un petit juron, et puis tu prends le double et tu fais des kilomètres à pied jusqu'aux bureaux de l'administration tribale.

Un petit juron. D'où sors-tu ça ?

Bah, je ne sais pas.

Il a souri de nouveau, a tendu la main et de ses doigts repliés m'a donné un petit coup sur la joue.

Cela ne m'a jamais beaucoup embêté. Mais un jour il m'est venu à l'idée que ta maman serait vraiment coincée si je n'étais pas à la maison. Nous ne sortons pas beaucoup. Notre emploi du temps est assez ennuyeux. Mais si je n'étais pas là, ou si tu n'étais pas là, pour prendre ton vélo et lui apporter ses clés.

Ce n'est jamais arrivé.

Mais écoute, tu aurais pu être dehors. Ne pas avoir entendu le téléphone. J'ai pensé : Et si elle se retrouvait vraiment coincée quelque part ? Et en pensant à cela, il y a à peu près deux mois j'ai collé un aimant au dos d'une de ces petites boîtes de pastilles de menthe que vend Whitey. J'ai vu quelqu'un qui avait ce genre de porte-clés. J'ai mis une clé de la voiture dans la boîte, que j'ai fourrée sous la carrosserie au-dessus du pneu arrière gauche. Voilà comment elle est arrivée à s'enfuir.

Quoi ? Comment ?

Elle a réussi à passer la main sous la carrosserie ; elle a

attrapé la clé. Le type a tenté de l'attraper. Elle s'est enfermée dans la voiture, et puis elle a démarré et elle est partie.

J'ai inspiré à fond. Je ne pouvais pas m'empêcher de sentir la peur de ma mère qui me déchirait, et j'en avais les jambes coupées.

Mon père s'est remis à manger, et cette fois-ci il était clair qu'il terminerait son repas. Le sujet de ce qui était arrivé à ma mère était clos. Je suis revenu au chien.

Pearl mord, ai-je dit.

Tant mieux, a répondu mon père.

Le type est toujours après elle, alors.

On n'en sait rien. N'importe qui aurait pu prendre ces allumettes. Indien. Blanc. N'importe qui aurait pu les laisser tomber. Mais c'était probablement quelqu'un d'ici.

On ne peut pas savoir si quelqu'un est indien d'après les empreintes digitales. On ne peut pas le savoir d'après le nom. On ne peut même pas le savoir d'après un rapport de la police locale. On ne peut pas le savoir d'après une photo. D'après une photo d'identité judiciaire. D'après un numéro de téléphone. Du point de vue du gouvernement, la seule façon de savoir qu'un Indien est un Indien consiste à examiner son passé. Il doit avoir de lointains ancêtres qui ont signé un quelconque document officiel, ou qui ont été enregistrés en tant qu'Indiens par le gouvernement américain, quelqu'un qui a été déclaré membre d'une tribu. Ensuite il faut examiner le pourcentage de sang, quelle est chez cette personne la quantité de sang indien appartenant à une seule tribu. Dans la plupart des cas, le gouvernement déclarera cette personne indienne si elle a un quart de sang indien – en général, ce sang doit être celui d'une seule tribu. Mais cette tribu doit aussi être reconnue au niveau fédéral. En d'autres termes, être un Indien c'est, d'une certaine façon, un imbroglio de paperasserie bureaucratique.

Par ailleurs, les Indiens se reconnaissent entre eux sans avoir besoin du pedigree fédéral, et cela – comme l'amour, le sexe, avoir ou ne pas avoir de bébé – n'a rien à voir avec le gouvernement.

Il m'a encore fallu une journée pour découvrir que le bruit courait déjà qu'il y avait des suspects – pratiquement n'importe qui ayant un comportement bizarre ou qui n'avait pas été vu, ou bien avait été vu, sortant de chez lui par la porte de derrière chargé de grands sacs-poubelle noirs.

Je l'ai découvert en allant chez mon oncle et ma tante chercher une tourte aux pommes, le samedi après-midi. Ma mère avait dit à mon père qu'elle pensait qu'elle ferait mieux de se lever, de prendre un bain, de s'habiller. Elle continuait à avaler des cachets, mais le Dr Egge lui avait assuré que garder le lit n'y changerait rien. Elle avait besoin d'une activité modérée. Papa avait annoncé qu'il préparait le dîner en suivant une recette. Mais le dessert, c'était trop pour lui. D'où la tourte. Oncle Whitey était attablé devant un verre de thé glacé. Mooshum était assis en face de lui, voûté et frêle, vêtu d'un long caleçon ivoire, une robe de chambre écossaise passée par-dessus. Il refusait d'enfiler des vêtements de ville le samedi parce qu'il avait besoin d'une journée à l'aise, prétendait-il, pour se préparer au dimanche, où Clemence le forçait à mettre un pantalon de costume, une chemise blanche repassée, et parfois une cravate. Lui aussi avait devant lui un verre de thé glacé, mais il lui lançait un regard mauvais.

Pisse de lapin, a-t-il ronchonné.

Exact, papa, a dit Clemence. C'est une boisson de vieux monsieur. C'est bon pour toi.

Ah, du thé des marais, s'est écrié oncle Whitey, en remuant son verre avec délice. C'est bon pour tout ce qui te fait souffrir, papa.

Ça guérit de la vieillesse ? a demandé Mooshum. Ça t'enlève des années ?

Tout sauf ça, a reconnu Whitey, qui savait que dès qu'il serait rentré chez lui, il pourrait siffler une bière et cesser de faire semblant de boire avec Mooshum, qui regrettait le temps où Clemence servait du whisky moelleux. Elle avait fini par se convaincre que c'était mauvais pour lui et s'évertuait à le mettre au régime sec.

Ça descend mal, ma fille, a-t-il lancé à Clemence.

Pourtant, ça te nettoie bien le foie, a dit Whitey.

Tiens, Clemence, sers donc un peu de thé des marais à Joe.

Clemence m'a versé un verre de thé glacé avant de s'en aller répondre au téléphone. On ne cessait de l'appeler pour avoir des nouvelles de sa sœur, ou plutôt des potins.

Peut-être que le pervers est vraiment un Indien, a dit oncle Whitey. Il portait une valise indienne.

Quelle valise indienne ? ai-je demandé.

Des sacs-poubelle en plastique.

Je me suis penché en avant. Alors il est parti ? Mais d'où ? Qui est-ce ? Comment s'appelle-t-il ?

Clemence est revenue et lui a fait les gros yeux.

Awee, s'est exclamé oncle Whitey. Je suppose que je ne suis pas censé parler.

Ni même boire un petit coup de whisky. Ni pisser dans

51

l'évier, ce que je ferai jusqu'à ce qu'elle ne serve plus de thé des marais. On en a les reins qui débordent, a dit Mooshum.

Tu pisses dans l'évier ? ai-je demandé.

Quand on me fait boire du thé, toujours.

Clemence est allée à la cuisine, elle en a rapporté une bouteille de whisky et trois petits verres empilés les uns dans les autres. Elle les a alignés sur la table et en a versé un peu dans les deux premiers. Elle a rempli le troisième à moitié et l'a avalé cul sec. J'en suis resté ébahi. Je n'avais jamais vu ma tante boire un whisky cul sec comme un homme. Elle a gardé un instant son verre vide à la main, en nous fixant du regard, puis l'a posé avec un petit claquement sec et elle est sortie de la maison.

C'était quoi, ça ? a demandé oncle Whitey.

C'était ma fille poussée à bout, a répondu Mooshum. Je plains Edward quand il rentrera. Le whisky aura fait son effet, à ce moment-là.

Parfois le whisky a aussi de l'effet sur Sonja, a dit oncle Whitey, mais j'ai des astuces.

Quel genre d'astuces ? a demandé Mooshum.

De vieilles astuces indiennes.

Enseigne-les à Edward, hein ? Il perd du terrain.

La tourte a commencé à dégager une douce senteur ambrée. J'ai espéré que ma tante n'était pas fâchée au point de l'oublier.

Le terrain de golf. C'est là que c'est arrivé ? J'ai regardé Whitey bien en face, mais il a baissé les yeux et bu une gorgée.

Non, ce n'est pas là.

Où, alors ?

Whitey a levé ses yeux tristes et perpétuellement injectés de sang. Il ne me le dirait pas. Je n'ai pas réussi à soutenir son regard.

La main de Mooshum, si mal fermée sur le verre de thé qu'il en avait renversé sur la table, s'est resserrée. Il a levé le petit verre d'alcool et avalé une bonne gorgée. Ses yeux brillaient. Il n'avait pas saisi notre échange. Son cerveau continuait à se préoccuper des femmes.

Ah, mon fils, parle-nous donc, à Oups et à moi, de ta superbe épouse. Sonja la Rousse. Décris-nous le tableau. Que fait-elle maintenant ?

Whitey a cessé de me regarder. Quand il souriait, on voyait ses dents du bonheur. Sonja la Rousse était le personnage de danseuse exotique de ma tante, il n'y avait encore pas si longtemps. Elle avait porté une armure barbare suggestive, en plaques de plastique cloutées. Des lambeaux de foulards lui tombaient des hanches. L'étoffe transparente semblait avoir été mâchée et griffée par des hommes désespérés ou des loups de compagnie. Zack avait trouvé la photo dans une publication de Minneapolis et me l'avait offerte. Je la gardais tout au fond de mon placard, dans un dossier spécial de ma fabrication marqué DEVOIRS.

Ces temps-ci, Sonja tient la caisse, a répondu mon oncle, le whisky ajoutant son doux rayonnement. Elle passe son temps à additionner des chiffres. Aujourd'hui, elle calcule exactement ce que nous devons réassortir pour la semaine prochaine.

Mooshum a fermé les yeux, gardé le whisky au fond de sa bouche, et hoché la tête en imaginant Sonja penchée sur les comptes. Moi aussi tout à coup je l'ai vue, les seins flottant tels des nuages au-dessus des longues colonnes de petits chiffres impeccables.

Et que fera-t-elle, a demandé Mooshum, rêveur, quand elle aura les totaux et les chiffres du jour, quand elle aura terminé ?

Elle quittera son bureau et sortira armée d'un seau et de la raclette-éponge à long manche. Elle lave la devanture toutes les semaines.

Mooshum ne portait pas son dentier éblouissant, et son sourire affaissé s'est épanoui. J'ai fermé les yeux et vu l'éponge rose de la raclette laisser ruisseler le produit sur la vitre. Sonja a levé le bras, dressée sur la pointe des pieds. Le grand frère de Cappy, Randall, disait que les filles étaient tellement jolies le bras levé, dressées sur la pointe des pieds, qu'il aimait bien rester à les regarder entre les rayonnages de la bibliothèque scolaire. Randall mettait tous les bons livres sur les étagères du haut. Mooshum a soupiré. J'ai vu Sonja presser fort la lame en caoutchouc contre le verre, tirer vers le bas la poussière et les taches en même temps que le liquide, et laisser une scintillante clarté.

Clemence est revenue, brisant là le fil de mes pensées, et j'ai entendu la porte du four grincer. Puis la grille glisser au moment où ma tante en sortait deux tourtes. Je l'ai entendue les mettre à refroidir. La porte du four a claqué et la porte-moustiquaire s'est ouverte en couinant, puis refermée d'un coup sec. Un instant plus tard, le petit goût vif d'une cigarette allumée est entré en flottant à travers la moustiquaire. À ma connaissance ma tante n'avait jamais fumé, mais elle s'y était mise depuis l'hôpital.

La senteur de cette nouvelle habitude acquise par Clemence a dégrisé les deux hommes.

Ils se sont tournés vers moi, et oncle Whitey avait le visage grave quand il a demandé comment se portait ma mère.

Ce soir elle va sortir de sa chambre, lui ai-je annoncé. Je suis censé rapporter une tourte sucrée à la maison. C'est papa qui fait la cuisine.

Mooshum m'a dévisagé, la pointe d'un éclat dur dans le regard, et j'ai su qu'on lui avait raconté quelque chose, au moins, de ce qui était arrivé.

C'est bien, a-t-il remarqué. Et maintenant écoute-moi, Oups. Il faut qu'elle sorte. Ne l'abandonne pas là. Ne la laisse pas trop seule.

Des ombres claires et printanières se déployaient comme de l'eau d'un bord à l'autre de la route. Au-delà du paisible marécage, des moteurs vrombissants s'approchaient et repartaient du comptoir de service au volant du magasin d'alcools. Montant de jardins invisibles dissimulés derrière des bosquets de saules et de merisiers, on entendait les cris vibrants des femmes qui appelaient leurs enfants à la maison. Une voiture a ralenti à côté de moi et d'un signe de tête Doe Lafournais a désigné le siège vide à côté de lui. Doe avait un visage paisible, un nez tordu, de bons yeux. Il avait des bras puissants et restait musclé grâce à de constants gros travaux – outre ses tâches de président et de gardien, il avait construit leur maison en partant de zéro. Ses fils et lui l'avaient aussi bousillée en partant de zéro. La bâtisse était à présent composée de couches superposées d'un bric-à-brac intéressant. Il s'est éloigné quand j'ai secoué la tête et crié qu'on se verrait plus tard – ce soir-là j'irais à la loge à sudation de Randall donner un coup de main. Clemence avait déposé la tourte dans une boîte en carton peu profonde. La vapeur montant des pommes chaudes passait par les fentes pratiquées dans la croûte. La soirée ne devenait pas plus fraîche, mais cela m'était égal. J'étais prêt à transpirer pour manger cette tourte. J'ai tourné dans l'allée et Pearl a surgi des lilas. Un aboiement de reconnaissance a jailli de son large poitrail, et après avoir flairé l'air autour de moi elle m'a accompagné, en restant à une certaine distance, jusqu'à la porte de derrière. Là, elle m'a laissé pour repartir se coucher.

Mon père m'a ouvert. La cuisine surchauffée dégageait une odeur de violente expérience.

Tu arrives pile au bon moment, a-t-il remarqué, et il a posé la tourte sur le plan de travail. Gardons-la comme surprise. La pièce de résistance. Maman va descendre dans une minute, Joe. Va te laver les mains.

Pendant que j'étais dans les petits W.-C. du bureau, j'ai entendu grincer l'escalier. Je suis resté là, à lentement me laver et me sécher les mains. Je n'avais pas tellement envie de voir ma mère. C'était affreux, mais c'était vrai. Même si je comprenais très bien pourquoi elle m'avait frappé, j'étais indigné d'avoir à feindre que ce n'était pas arrivé ou que ce n'était pas grave. Le coup n'avait pas laissé de bleu et ma pommette était juste un peu sensible, mais je n'arrêtais pas de la tâter et de revivre un sentiment d'injustice. Quand j'ai fini de me laver les mains, j'ai replié la serviette, peut-être pour la première fois de ma vie, et je l'ai suspendue avec soin à la barre.

Dans notre coin salle à manger, ma mère se tenait derrière sa chaise, les mains posées nerveusement sur le dossier en bois. Le ventilateur tournait, faisant voler sa robe.

Elle admirait le repas disposé sur la nappe verte unie. Je l'ai regardée et aussitôt j'ai eu honte de mon animosité – son visage était encore crûment marqué. Je me suis affairé. Mon père avait préparé un ragoût. L'opposition d'odeurs qui m'avait frappé lorsque j'étais entré dans la cuisine était due aux ingrédients – navets piquants et tomates en boîte, betteraves et grains de maïs, ail roussi, viande inconnue, et un oignon abîmé. La préparation dégageait une puanteur pénétrante.

Mon père nous a fait signe de nous asseoir. Il y avait des pommes de terre, presque froides et bien trop cuites, se désintégrant dans une casserole qui n'avait pas été vidée de son eau. Il a cérémonieusement rempli à ras bord nos petits bols. Puis nous nous sommes assis, les yeux sur la nourriture. Nous n'avons pas dit les grâces. Pour la première fois, j'ai ressenti l'absence d'un quelconque rituel. Je ne pouvais pas me mettre à manger comme ça. Mon père s'en est aperçu et a parlé avec beaucoup d'émotion, en nous regardant tous les deux.

Il ne faut presque rien pour être heureux, a-t-il déclaré.

Ma mère a pris une bruyante inspiration, et froncé les sourcils. Elle a balayé ce qu'il venait de dire d'un haussement d'épaules, comme si cela l'agaçait. Je suppose qu'elle avait déjà entendu sa citation de Marc-Aurèle, mais en y repensant, je sais aussi qu'elle s'efforçait de se fabriquer une carapace. Pour ne rien sentir. Pour ne pas parler de ce qui était arrivé. L'émotion de mon père la happait.

Sans cérémonie, elle a pris sa cuillère et l'a plongée dans le ragoût. Elle s'est étranglée avec sa première bouchée. J'étais là, immobile. Nous avons tous les deux regardé mon père.

J'ai rajouté des graines de cumin, a-t-il précisé d'une voix douce. Qu'en pensez-vous ?

Ma mère a pris une serviette en papier sur la pile que mon père avait posée au centre de la table, et l'a plaquée sur ses lèvres. Des zébrures violet foncé et le jaune des contusions en voie de guérison déparaient encore son visage. Le blanc de son œil gauche était écarlate et sa paupière tombait un peu, comme elle le ferait désormais, car le nerf avait été touché et la lésion était irréversible.

Qu'en pensez-vous ? a redemandé mon père.

Ma mère et moi, silencieux, sous le choc, considérions ce à quoi nous avions goûté.

Je crois, a-t-elle fini par dire, que je devrais me remettre à la cuisine.

Mon père a baissé les yeux, écarté les mains, l'image d'un homme qui a fait de son mieux. Il a esquissé une moue et attaqué le contenu de son bol, avec un enthousiasme feint qui est devenu laborieux. Il a avalé une bouchée, puis deux. J'étais atterré par sa force de caractère. Je me suis bourré de pain. Sa cuillère a ralenti. Ma mère et moi avons probablement compris au même instant que mon père, qui s'était occupé de ma grand-mère pendant de longues années et savait à coup sûr cuisiner, avait simulé son incompétence. Mais le ragoût et son léger et écœurant bouquet d'oignon pourri était une telle réussite infernale qu'il nous a déridés, tout comme la décision de ma mère de faire la cuisine. Quand j'ai débarrassé l'horrible plat et que la tourte est arrivée sur la table, ma mère a eu un petit sourire, rien qu'un léger mouvement de ses lèvres vers le haut. Mon père l'a coupée en trois parts égales et a posé sur chacune un bloc de glace à la vanille

Blue Bunny. J'ai dû finir celle de ma mère. Elle s'est mise
à taquiner mon père sur son ragoût.

Depuis quand exactement avions-nous ces navets ?

Avant même la naissance de Joe.

Et où as-tu déniché cet oignon ?

C'est mon petit secret.

Et la viande, une bestiole écrasée sur la route ?

Oh, mon Dieu, non. Elle a crevé derrière la maison.

Ça ne m'embêtait pas particulièrement de sauter le dîner,
ce soir-là, parce que je savais qu'après la loge à sudation de
Randall, Cappy et son acolyte, c'est-à-dire moi, mangerions
du haut de gamme. Nous étions les gardiens du feu. Les
tantes de Cappy, Suzette et Josey, qui avaient fait des fils de
Doe leurs chouchous, préparaient toujours le repas. Les
soirs de cérémonie, elle laissait le long du garage un festin
bien rangé dans deux grandes glacières en plastique. Plus
loin, presque dans les bois, le dôme de la loge à sudation
composé de jeunes arbres courbés et liés ensemble, recou-
verts de bâches des surplus de l'armée, attendait avec humidité, attirant les moustiques. Cappy avait déjà allumé le feu.
Les pierres, les grands-pères, chauffaient déjà à blanc au
milieu. Notre boulot consistait à maintenir le feu, passer les
pipes sacrées et les sacs-médecine, apporter les pierres
incandescentes à l'entrée sur des pelles à long manche, fermer et ouvrir les rabats de toile. Nous jetions aussi du tabac
dans notre feu lorsque quelqu'un à l'intérieur de la tente
nous criait de le faire, pour marquer une prière ou une
requête particulière. Quand les nuits étaient fraîches, c'était

un bon boulot – nous restions assis autour de ce feu à bavarder, bien au chaud. Parfois nous faisions rôtir en douce un hot-dog ou un marshmallow piqué sur un bâton, même si ce feu était sacré et qu'une fois Randall nous a surpris. Il a prétendu qu'avec nos hot-dogs nous l'avions détruit, son caractère sacré.

Cappy l'a regardé et a rétorqué : Il est tellement sacré, ton feu, qu'on a fichu en l'air toute sa sainteté rien qu'avec nos malheureuses saucisses ? Je riais sans pouvoir m'arrêter. Randall a levé les bras au ciel et s'est éloigné. Il faisait trop chaud pour faire rôtir quoi que ce soit maintenant, d'ailleurs nous savions qu'à la fin nous mangerions comme des ogres. Manger était notre salaire, et puis conduire de temps en temps les Oldsmobile déglinguées de Randall. En général, c'était un boulot plutôt agréable. Ce soir-là, pourtant, au lieu de se rafraîchir le temps est devenu lourd. Il n'y avait pas de vent. Même avant le coucher du soleil, de susurrants nuages de moustiques s'étaient agglutinés autour de nous. Leurs attaques nous avaient poussés à nous asseoir plus près du feu, pour profiter de la fumée, qui ne parvenait qu'à nous faire transpirer de façon attirante. Les moustiques continuaient tout simplement à nous sucer le sang à travers les couches salées au goût fumé de lotion anti-moustiques.

Les copains de Randall, qui appartenaient tous à un groupe de chanteurs traditionnels ou comme lui étaient danseurs, sont arrivés en rigolant. Il y en avait deux qui étaient défoncés, mais Randall n'a rien remarqué. Il était obsédé par l'idée de tout installer à la perfection – le râtelier à pipes, le quilt au motif étoilé bien posé à côté de l'entrée, la coquille d'abalone où brûler la sauge, les bocaux en verre contenant les plantes cérémonielles, le seau et la louche. On aurait dit qu'il avait dans la tête une petite règle graduée pour aligner ces objets sacrés. Cappy, ça le rendait dingue. Mais d'autres gens appréciaient le style de Randall et il avait des amis aux quatre coins des réserves indiennes – le jour même il avait ouvert le paquet d'un ami pueblo du Nouveau-Mexique contenant un bocal d'une plante-médecine, rangé maintenant parmi les autres. Il fredonnait un chant à bourrer les pipes tout en assemblant la sienne, tellement concentré qu'il n'a pas remarqué qu'il avait la nuque couverte de moustiques se gorgeant de sang. D'une gifle, je les ai chassés.

Merci, a-t-il dit, d'une voix distraite. Je vais prier pour ta famille.

Cool, ai-je répondu, alors que cela me mettait mal à l'aise. Je n'aimais pas qu'on prie pour moi. En me détournant, j'ai senti les prières remonter le long de ma colonne vertébrale. Mais ça aussi c'était Randall, toujours prêt à vous mettre un peu mal à l'aise à cause de la sage supériorité de tout ce qu'il apprenait des anciens, et même de vos propres parents, pour votre bien. Mooshum avait appris à Doe comment monter cette loge sacrée et Doe l'avait transmis à Randall. Cappy a vu ma mine.

Ne t'en fais pas pour ça, Joe. Il prie pour moi aussi. Et il attire plein de filles parce qu'il est homme-médecine. Alors il ne doit pas perdre la main.

Randall avait un profil dur, une peau lisse et une longue queue de cheval nattée. Il fascinait les filles, surtout les Blanches. Une Allemande avait campé dans leur jardin pendant tout un mois, un été. Elle était jolie et portait les premières sandales écolos jamais vues sur notre réserve, et

Randall s'était fait taquiner à ce propos. Quelqu'un avait bien regardé la marque, qui était Birkenstock, et c'était devenu le surnom de Randall.

La chaleur a empiré et nous avons avalé des louches de l'eau sacrée destinée à la loge à sudation. J'enviais les types qui y entraient parce qu'ils allaient avoir tellement chaud que la chaleur du dehors leur semblerait une brise fraîche lorsqu'ils ressortiraient. En plus, la terrible chaleur des grands-pères allait dessécher les moustiques. Les gars sont tous entrés. Cappy et moi avons apporté les pierres à la porte sur des pelles à long manche. Randall les a prises à l'aide d'une paire de bois de cerf et posées dans le trou creusé au centre. Nous leur avons passé toutes leurs affaires et avons refermé le rabat. Ils se sont mis à chanter et nous nous sommes une fois de plus vaporisés de lotion anti-moustiques.

Nous avions fini trois cycles et passé les derniers grands-pères. Nous étions montés à la maison remplir la glacière à eau et nous ressortions, nous étions sur la terrasse en bois à l'arrière, quand il y a eu une explosion. Nous n'avons même pas entendu quelqu'un hurler *La porte*, nous indiquant de l'ouvrir. Le sommet de la loge à sudation est simplement monté en tourbillonnant et s'est soulevé sous l'effort des types luttant pour en sortir. Ils étaient déchaînés et se débattaient dans les bâches. On entendait des hurlements assourdis. Puis ils ont jailli comme ils ont pu – en suffoquant, braillant, et se roulant nus dans l'herbe. Les moustiques ont attaqué en piqué comme des bombardiers. Nous avons foncé, emportant la glacière. Randall et ses potes montraient leurs visages tordus et nous leur avons arrosé la tête. Dès qu'ils ont pu bondir sur leurs pieds, chacun d'eux est parti vers la maison en titubant ou en courant. Au même instant les tantes de Cappy arrivaient en voiture, elles rapportaient d'autres galettes de pain frit pour le festin rituel, et elles ont vu huit Indiens nus traversant le jardin à l'aveuglette. Suzette et Josey sont restées dans la voiture.

Il a fallu un bon moment, tout le monde étant assis dans la maison au milieu des piles d'un foutoir de célibataires, pour que les hommes émergent de leur état de choc et comprennent ce qui s'était passé.

Je crois, a fini par dire Skippy, que c'était ta médecine pueblo. Tu te souviens, juste avant tu en as jeté une grosse poignée sur les pierres, tu as remercié ton copain du Sud-Ouest et puis tu as récité une prière plutôt longuette ?

Une longue, longue prière, Birkenstock. Et ensuite tu as versé une louche d'eau...

Ouuuh, s'est écrié Randall. Mon ami a dit que c'était une médecine pueblo. Je priais pour ses problèmes de cœur avec une Navajo. Cappy, va me chercher ce bocal.

Ne me commande pas.

Bon, s'il te plaît, petit frère, vu que nous sommes tous le cul à l'air et traumatisés, voudrais-tu sortir me chercher ce bocal ?

Cappy est sorti. Il est revenu. Il y avait une étiquette sur le bocal.

Randall, a dit Cappy, le mot médecine est entre guillemets.

Le bocal était rempli d'une poudre brunâtre qui ne nous semblait pas sentir très fort – pas comme la racine-d'ours, le wiikenh ou le kinnikinnick. Randall a pris le bocal et froncé les sourcils. Il l'a reniflé comme un de ces dégustateurs de vin snobinards. Enfin il s'est léché le doigt, l'a plongé dans le bocal, et l'a fourré dans sa bouche. Des larmes ont jailli aussitôt.

Aah ! Aah ! Il a tiré la langue.

Du piment fort, ont dit les autres. Du piment fort spécial pueblo. Ils ont regardé Randall danser autour de la pièce.

Hé, regardez ses pieds qui volent.

On devrait lui donner de la médecine pueblo lors du prochain powwow.

Ouais, t'as raison. Ils ont bu de grandes rasades d'eau. Randall, devant l'évier, tirait la langue sous le robinet.

Randall a déposé ce truc sur les pierres, a dit Skippy, mais quand il a jeté quatre grandes louches d'eau, ça s'est vaporisé dans nos yeux et on a respiré cette merde ! Ça brûlait vachement fort. Hé, qu'est-ce qui lui a pris, à Randall, de nous faire ça ?

Ils se sont tous tournés vers lui, la langue sous le robinet.

J'espère qu'il finira par mettre plus de vêtements, a remarqué Chiboy Snow.

Nous avons repensé aux tantes quand nous les avons entendues quitter l'allée. Nous avons jeté un coup d'œil dehors. Elles avaient laissé deux sacs de galettes de pain frit toutes fraîches. La graisse assombrissait les sacs en papier en taches délicates.

Si vous nous rapportez nos habits, nous a lancé Skippy, et nous passons ce festin, j'vous paye.

Combien ? a demandé Cappy.

Deux dollars chacun.

Cappy s'est tourné vers moi. J'ai haussé les épaules.

Nous avons traîné leurs affaires à l'intérieur, et alors

que nous étions tous en train de manger Randall est venu s'asseoir à côté de moi. Il avait le visage raviné et à vif comme tous les autres gars. Ses yeux étaient rouges et gonflés. Randall avait presque fini l'université et me parlait parfois comme s'il s'adressait à un cas social, ou bien il me traitait comme son petit frère. Ce jour-là, c'était un de ses moments d'intimité familiale. Ses potes étaient déjà en train de rire et de manger. Ils avaient oublié d'être fous de rage contre lui et tout était drôle.

Joe, a-t-il dit, là-dedans j'ai vu quelque chose.

Je me suis rempli la bouche de viande de taco.

J'ai vu quelque chose, a-t-il poursuivi, et il paraissait sincèrement troublé. C'était avant que le piment ait tout fait sauter que j'ai vu ça. Je priais pour ta famille et la mienne et brusquement j'ai vu un homme penché sur toi, un genre de policier, peut-être, qui te regardait, et il avait le visage blanc et les yeux très creux. Il était entouré d'une lueur argentée. Ses lèvres remuaient et il parlait, mais je n'entendais pas ce qu'il disait.

Nous sommes restés silencieux. J'ai arrêté de manger.

Qu'est-ce qu'il faudrait que je fasse, Randall? ai-je demandé à voix basse.

On va donner du tabac en offrande, toi et moi. Et tu devrais peut-être parler à Mooshum. C'était malveillant, Joe.

Ma mère a cuisiné toute la semaine suivante, et même réussi à sortir de la maison, elle est restée assise sur une chaise de jardin effilochée à gratter le cou de Pearl, les yeux fixés sur les taillis de merisiers qui à l'arrière marquaient les limites du jardin. Mon père a passé autant de temps que possible chez nous, mais on l'appelait encore pour finir de remplir certaines de ses obligations. Il retrouvait aussi tous les jours le policier tribal, et s'entretenait avec l'agent fédéral chargé de l'enquête. Un jour, il a fait l'aller et retour à Bismarck pour parler au procureur fédéral, Gabir Olson, un vieil ami. L'ennui avec la plupart des affaires de viol sur les réserves indiennes c'était que même après qu'il y avait eu une accusation, le procureur fédéral refusait souvent d'amener l'affaire devant la justice, pour une raison ou pour une autre. En général, un tas d'affaires autrement importantes. Mon père voulait s'assurer que cela n'arriverait pas.

Les jours passaient donc dans ce faux intermède. Un vendredi matin, mon père m'a rappelé qu'il aurait besoin de mon aide. Je gagnais souvent quelques dollars en allant à vélo à son bureau après la classe et en « mettant le tribunal au lit pour le week-end ». Je balayais le petit bureau de mon père, dépoussiérais à l'aérosol le dessus en verre de sa table de travail. Je redressais et époussetais les diplômes accrochés à son mur – Université du Dakota du Nord, Faculté de droit de l'université du Minnesota – et les plaques attestant son travail dans des instances juridiques. Il avait une liste des endroits où il était habilité à exercer qui allait jusqu'à la Cour Suprême de justice. J'en étais fier. À côté, dans son placard devenu cabinet, je donnais un bon coup de balai. Le président Reagan, joues rubicondes et regard perdu, dents de film de série B, souriait sur son portrait officiel. Reagan était tellement bouché sur la question des Indiens qu'il pensait que nous vivions dans des « *preserves* », autrement dit des conserves. Il y avait une gravure du sceau de notre tribu et une du grand sceau du Dakota du Nord. Mon père avait encadré un exemplaire patiné du Préambule de la Constitution américaine, et aussi la Déclaration des droits.

De retour dans son bureau, je secouais son petit tapis en laine marron. Je rangeais et redressais ses livres, qui comptaient toutes les dernières éditions du vieux *Manuel* Cohen que nous avions à la maison. Il y avait l'édition 1958, publiée pendant la période où le Congrès était résolu à appliquer envers les tribus indiennes la politique de Terminaison, autrement dit la liquidation des réserves – elle restait toujours sur l'étagère, son abandon étant un reproche muet adressé aux rédacteurs. Il y avait le fac-similé de l'édition 1971 et l'édition 1982 – grosse, lourde, usée. À côté de ces volumes, il y avait un exemplaire condensé de notre code tribal. J'aidais aussi mon père à classer tout ce que sa secrétaire, Opichi Wold, n'avait pas rangé. Opichi, dont le nom signifiait merle, était une petite femme maigrelette à la mine sévère et au regard perçant. Elle était les yeux et les oreilles de mon père sur la réserve. Chaque juge y a besoin d'un éclaireur. Opichi réunissait des infos, appelez ça des potins, mais ce qu'elle savait influait souvent sur les décisions de justice de mon père. Elle savait qui pouvait être mis en liberté sous caution, qui se sauverait. Elle savait qui dealait, qui se droguait mais sans plus, qui roulait sans permis, qui était violent, repenti, alcoolique, qui représentait ou non un danger pour ses enfants. Elle était précieuse, même si son système de classement était obscur.

Nous gardions tous les documents à côté, dans une pièce plus grande ceinte de classeurs métalliques brun clair. Quelques dossiers restaient toujours au sommet de ces classeurs parce que mon père avait souhaité les relire, ou qu'il y ajoutait des notes. Ce jour-là, j'ai remarqué que de grosses piles étaient laissées dehors – des dossiers en carton brun aux étiquettes proprement tapées à la machine et collées par Opichi. La plupart contenaient des notes sur des procès, des résumés et des réflexions, des brouillons précédant la publication d'un jugement définitif. J'ai demandé si nous allions les classer, en songeant qu'il y en avait trop pour avoir fini avant l'heure du dîner.

On les emporte à la maison, a dit mon père.

C'était une chose qu'il ne faisait pas. Son bureau à la maison était son refuge loin de tout ce qui se passait au tribunal tribal. Il s'enorgueillissait de laisser l'agitation de la semaine à la place qui était la sienne. Mais ce jour-là nous avons chargé les dossiers sur la banquette arrière. Nous avons mis mon vélo dans le coffre et nous sommes rentrés à la maison.

Je transporterai moi-même ces dossiers après le dîner, a annoncé mon père, en route. J'ai donc su qu'il ne voulait pas que ma mère le voie les introduire chez nous. Une fois la voiture garée, nous avons sorti mon vélo du coffre et je l'ai poussé jusque derrière la maison. Mon père est entré avant moi. En passant la porte de la cuisine, j'ai entendu quelque chose voler bruyamment en éclats. Et puis un brusque cri grave et angoissé. Ma mère était acculée à l'évier, tremblante, respirant fort. Mon père se tenait non loin d'elle, les mains tendues, cherchant à tâtons vainement sa forme dans l'air, comme pour la tenir sans vraiment la tenir. Par terre, entre eux, gisait une cocotte fracassée et dégoulinante.

J'ai regardé mes parents et compris aussitôt ce qui s'était passé. Mon père était entré – maman avait sûrement entendu la voiture, et Pearl n'avait-elle pas aboyé ? – il avait le pas lourd, aussi. Il faisait toujours du bruit, et comme je l'ai indiqué c'était un homme plutôt maladroit. J'avais remarqué que cette dernière semaine il criait toujours un truc idiot en rentrant, du style : Je suis là ! Mais peut-être avait-il oublié. Peut-être avait-il été trop silencieux, cette fois-ci. Peut-être était-il entré dans la cuisine, comme à son habitude, et avait-il enlacé ma mère qui avait le dos tourné. Dans notre ancienne vie, elle aurait continué à s'activer face à la cuisinière ou à l'évier pendant qu'il regardait par-dessus son épaule et lui parlait. Ils seraient restés là tous les deux, composant un petit tableau vivant du retour à la maison. Enfin, il m'aurait appelé pour l'aider à dresser le couvert. Il serait allé se changer en vitesse pendant qu'elle et moi mettions la dernière main au dîner, et puis nous nous serions assis à table tous les trois. Nous n'allions pas à la messe. C'était là notre rituel. Notre façon de rompre le pain, de communier. Et tout commençait par cet instant d'abandon où mon père s'avançait dans le dos de ma mère et où elle souriait à son approche sans se retourner. Mais à présent ils se dévisageaient, impuissants, de part et d'autre du récipient brisé.

C'est le genre d'instant, je le vois maintenant, qui aurait pu tourner de différentes façons. Elle aurait pu rire, elle aurait pu pleurer, elle aurait pu lui tendre les bras. Ou il aurait pu tomber à genoux et feindre d'avoir la crise cardiaque qui plus tard l'a tué. Elle aurait été arrachée à son état de choc. L'aurait aidé. Nous aurions nettoyé le gâchis, préparé des sandwiches, et la vie aurait continué. Si nous nous étions assis à table ensemble ce soir-là, je crois vraiment que la vie aurait continué. Mais une rougeur sombre a

envahi les joues de ma mère et un frisson presque impercep-
tible l'a parcourue. Le souffle court, elle a porté les mains à
son visage blessé. Puis elle a enjambé le gâchis et s'est éloignée à pas prudents. Je voulais qu'elle hurle, qu'elle crie,
qu'elle jette quelque chose. Il aurait mieux valu n'importe
quoi plutôt qu'elle prenne l'escalier dans cette suspension
glacée des sentiments. Elle portait une robe bleue toute
simple, ce soir-là. Pas de bas. Une paire de mocassins noirs
Minnetonka. Tout en montant marche après marche, elle
regardait droit devant elle et sa main tenait fermement la
rampe. Ses pas étaient silencieux. Elle semblait flotter. Mon
père et moi l'avons suivie jusqu'à la porte de la chambre, et
je crois qu'en la regardant nous avons tous les deux eu
l'impression qu'elle s'élevait vers un lieu d'extrême solitude
dont on risquait de ne jamais la ramener.

Nous sommes restés plantés là même après que la porte
s'est refermée avec un déclic. Nous avons enfin fait demi-
tour et sans un mot nous sommes retournés à la cuisine où
nous avons ramassé le ragoût et la cocotte brisée. Ensemble
nous sommes sortis mettre tout ça aux ordures. Mon père
a marqué un temps d'arrêt après avoir refermé la poubelle.
Il a baissé la tête et à ce moment-là j'ai pris conscience qu'il
émanait de lui une affliction qui l'envahirait avec une violence croissante. Quand il est resté là immobile, j'ai vraiment commencé à avoir peur. J'ai posé une main insistante
sur son bras. Je ne pouvais pas dire ce que je ressentais,
mais cette fois-là, au moins, mon père a levé les yeux.

Aide-moi à transporter ces dossiers dans la maison. Sa
voix était dure et pressante. Nous allons commencer ce
soir.

Et c'est ce que nous avons fait. Nous avons vidé la voiture. Puis nous avons préparé à la va-vite quelques vagues sandwiches. (Il en a préparé un avec davantage de soin et l'a posé sur une assiette. J'ai coupé une pomme, disposé les tranches autour du pain, de la viande, des feuilles de salade. Quand ma mère n'a pas répondu au petit coup que j'ai frappé à la porte de la chambre, j'ai tout laissé sur le seuil). Notre dîner à la main, nous sommes entrés dans le bureau de mon père, puis nous nous sommes goinfrés tout en examinant les dossiers, les sourcils froncés. Nous avons jeté nos miettes par terre. Mon père a allumé les lampes. Il s'est installé à sa table de travail et m'a indiqué de faire de même dans le fauteuil de bureau.

Il est là, a-t-il assuré, en désignant d'un signe de tête les lourdes piles.

J'ai compris que j'allais l'aider. Mon père me prenait pour assistant. Il était au courant, bien entendu, de mes lectures clandestines. Instinctivement, j'ai tourné les yeux vers l'étagère du Cohen. Il a de nouveau hoché la tête, a eu un infime haussement de sourcils, et en avançant les lèvres a montré la pile posée près de mon coude. Nous nous sommes mis à lire. Et c'est là que j'ai commencé à comprendre qui était mon père, ce qu'il faisait chaque jour, et ce qu'avait été sa vie.

Au cours de la semaine suivante, nous avons sélectionné plusieurs affaires dans le corpus de son travail. Pendant cette période, qui était la dernière semaine de classe, ma mère a été incapable de quitter sa chambre. Mon père lui montait à manger. Je lui tenais compagnie le soir et lui lisais des pages de *L'Anthologie des plus beaux poèmes pour la famille* jusqu'à ce qu'elle s'endorme. C'était un vieux livre bordeaux, à la couverture déchirée, sur laquelle on voyait des Blancs à l'air ravi lisant des poèmes à l'église, le soir au lit à leurs enfants, murmurant à l'oreille de leur bien-aimée. Maman refusait que je lui lise quoi que ce soit d'édifiant. Je devais lire les interminables poèmes narratifs aux mots précieux et aux rythmes sourds. *Ben Bolt*, *The Highwayman*, *The Leak in the Dike*, et ainsi de suite. Dès que son souffle devenait régulier, je sortais à pas de loup, soulagé. Elle dormait, dormait sans arrêt, comme si c'était pour un marathon du sommeil. Elle mangeait peu. Pleurait souvent, des pleurs grinçants et monotones qu'elle s'efforçait d'étouffer dans des oreillers mais qui résonnaient par-delà la porte de la chambre. Je descendais au rez-de-chaussée, entrais dans le bureau, en compagnie de mon père, et poursuivais la lecture des dossiers.

Nous lisions avec une intense concentration. Mon père avait fini par se convaincre que quelque part dans ses réquisitions, notes, résumés et décisions de justice se trouvait l'identité de l'homme dont l'acte avait pratiquement détaché l'esprit de ma mère de son corps.

3

Justice

16 août 1987
Durlin Peace, plaignant
contre
Le Bingo Palace, Lyman Lamartine, défendeur

Durlin Peace est gardien au Bingo Palace and Casino,
et Lyman Lamartine est son supérieur hiérarchique. Il a
été renvoyé le 5 juillet 1987, deux jours après une dis-
pute avec son patron. Un témoin a affirmé sous serment
que la dispute a été entendue par plusieurs autres
employés et concernait une femme que fréquentaient les
deux hommes.
Le 4 juillet, le barbecue des employés s'est déroulé dans
le patio situé dans l'arrière-cour du Bingo Palace. Pendant
ce barbecue, Durlin Peace, qui plus tôt dans la journée
avait réparé du matériel, a quitté les lieux. Il a été arrêté
en chemin par Lyman Lamartine qui lui a demandé de
vider ses poches. Dans une poche, ont été trouvés six joints
de caoutchouc, d'une valeur d'environ 15 cents pièce.
Lyman Lamartine a alors accusé Durlin Peace de vouloir
détourner les biens de l'entreprise, et l'a renvoyé.

Durlin Peace a déclaré que les joints de caoutchouc lui appartenaient. Les joints de caoutchouc, qui ont été examinés par le juge Coutts, ne présentent aucun signe distinctif, il n'y avait pas de preuve qu'ils appartenaient au Bingo Palace. En l'absence de raison valable justifiant le renvoi de Durlin Peace, il a été ordonné que ce dernier soit rétabli dans ses fonctions au Bingo Palace.

Des joints de caoutchouc ? ai-je demandé.
Oui, et alors ? a dit mon père.
J'ai ramené les yeux sur le dossier.
Ce n'était pas l'une des affaires que nous avions jugées importantes, pourtant je m'en souviens bien. Et voilà les graves sujets auxquels mon père consacrait son temps et sa vie. J'avais, bien entendu, été présent au tribunal quand il s'occupait de ce genre d'affaires. Mais j'avais cru être écarté des sujets plus graves, perturbants, violents ou trop complexes, en raison de mon âge. J'avais imaginé que mon père tranchait de vastes questions juridiques, qu'il travaillait sur les droits issus des traités, la restitution de leurs terres aux Indiens, qu'il regardait des assassins droit dans les yeux, fronçait les sourcils quand les témoins bafouillaient, et faisait taire de brillants avocats à coups d'ironie. Je n'ai rien dit, mais au fil de ma lecture la consternation s'est insinuée lentement et m'a submergé. À quoi servait que Felix S. Cohen ait écrit son *Manuel* ? Où était la grandeur ? le drame ? le respect ? Toutes les affaires que jugeait mon père étaient presque aussi minces, aussi ridicules, aussi insignifiantes. Même si quelques-unes étaient à vous fendre le cœur, ou un composé de tristesse et de stupidité, comme celle de Marilyn Shigaag qui avait

volé cinq hot-dogs dans une station-service et les avait tous mangés sur place, dans les toilettes, aucune n'atteignait la noblesse que j'avais imaginée. Mon père punissait des voleurs de hot-dogs et examinait des joints de caoutchouc à 15 cents pièce.

> *8 décembre 1976*
> *Par-devant le président du tribunal Antone Coutts, ainsi que le juge Rose Chenois et le juge assesseur Mervin « Tubby » Ma'ingan.*
> *Tommy Thomas et consorts, plaignants*
> *contre*
> *Vinland Super Mart et consorts, défendeurs*

> *Tommy Thomas et les autres plaignants de cette affaire étaient des membres d'une tribu chippewa, et Vinland était et est toujours une épicerie station-service détenue par des non-Indiens, qui, quoique essentiellement située sur un terrain privé (ancienne parcelle de la réserve rachetée), est entourée par un terrain sous tutelle tribale. Les plaignants ont fait valoir que, lors des transactions commerciales se déroulant au Vinland Super Mart, une surtaxe de 20 % venait majorer les transactions effectuées avec des membres de la tribu montrant des signes de démence sénile, d'innocence due à l'extrême jeunesse, d'obsession mentale, d'ébriété ou d'égarement.*

> *Les propriétaires, George et Grace Lark, n'ont pas nié qu'en certaines occasions une surtaxe de 20 % était venue majorer les tickets de caisse. Ils se sont défendus en soulignant que c'était une façon de rattraper les pertes causées par le vol à l'étalage. Les défendeurs ont fait valoir que le*

tribunal tribal ne disposait pas d'un droit de juridiction personnelle sur eux ni de compétence d'attribution sur les transactions, qui constituaient le fondement de la plainte des plaignants.

Le tribunal a considéré que la station-service était située sur la parcelle n° 122093, mais que le parking, les poubelles, le trottoir, les pompes, les bouches d'incendie, l'évacuation des eaux usées, le champ d'épandage, les barrières en ciment du parking, les tables de pique-nique et les bacs à fleurs étaient tous situés sur le terrain sous tutelle tribale et qu'afin d'entrer dans le Vinland Super Mart, les clients, à 86 % des membres de la tribu, devaient passer d'abord en voiture, puis à pied, sur le terrain sous tutelle tribale.

Ce tribunal a fait valoir que cette affaire était de sa compétence et, en l'absence de toute preuve déniant la surtaxe, a donné raison aux plaignants.

Mon père avait mis ce dossier de côté.

Cela paraît être une affaire plutôt banale, ai-je remarqué. Je me suis efforcé de ne pas laisser percer la déception dans ma voix.

Dans cette affaire, j'ai pu revendiquer une compétence s'étendant à un commerce non-indien, a dit mon père. Le jugement a été confirmé en appel. Il y avait de la fierté dans sa voix.

C'était gratifiant, a-t-il poursuivi, mais ce n'est pas la raison pour laquelle j'ai ressorti le dossier. Je l'ai choisi pour l'examiner plus à fond à cause des personnes impliquées.

J'ai repris le document.

Tommy Thomas et consorts, ou les Lark ?

Les Lark, bien que Grace et George soient décédés. Linda est toujours vivante. Et leur fils, Linden, qui n'est ni mentionné ni impliqué ici, mais figure dans un autre procès, plus complexe sur le plan émotionnel. Les Lark sont le genre de gens qui parlent sans cesse de leurs rapports avec des « bons Indiens » – qu'ils méprisent en secret et traitent de façon manifeste avec condescendance – afin de prouver leur amour universel pour les Indiens, qu'ils s'attachent à rouler. Les Lark étaient des entrepreneurs incompétents et des voleurs minables, mais ils étaient aussi victimes de leur aveuglement. Alors que leurs critères moraux appliqués au reste du monde étaient stricts, ils savaient toujours trouver des excuses à leurs défauts personnels. Ce sont ces gens-là, en réalité, a dit mon père, des hypocrites à la petite semaine, qui dans des circonstances particulières, si l'occasion se présente, peuvent se montrer capables d'actes monstrueux. Les Lark étaient des adversaires acharnés de l'avortement. Pourtant, à la naissance de leurs jumeaux ils avaient voulu éliminer le plus faible qui (pensaient-ils à l'époque) était difforme, une petite fille. Toute la réserve était au courant parce qu'une des infirmières avait emporté le nouveau-né mal en point. Un membre de la tribu, Betty Wishkob, qui était gardienne de nuit à l'hôpital, avait réussi à adopter l'enfant. Ce qui nous amène à l'autre affaire.

En ce qui concerne la succession de Albert et Betty Wishkob

Albert et Betty Wishkob, tous deux membres enregistrés de la tribu des Chippewas et habitants de la

réserve, sont morts intestat laissant quatre enfants, She-
ryl Wishkob Martin, Cedric Wishkob, Albert Wishkob
Jr. et Linda Wishkob, née Linda Lark. Linda avait été
adoptée officieusement par les Wishkob et élevée en
Indienne au sein de leur famille. À la mort de ses parents
adoptifs, les autres enfants, qui étaient partis s'installer
hors de la réserve, avaient consenti à laisser Linda conti-
nuer à vivre au domicile d'Albert et Betty, sis sur la
parcelle nº 1002874 d'une superficie de 160 arpents et
restituée à la propriété tribale après la Loi de Réorganisa-
tion Indienne de 1934. Le 19 janvier 1986, la mère bio-
logique de Linda Lark Wishkob, Grace Lark, a interjeté
appel pour qu'on l'autorise à exercer sa tutelle sur sa fille
Linda, alors âgée d'une cinquantaine d'années, et à gérer
ses affaires.

Grace Lark faisait valoir qu'une maladie contractée
après que Linda avait subi un traitement médical lourd
avait laissé celle-ci dans un état de sévère dépression et de
confusion mentale. Grace Lark n'a pas caché qu'elle
comptait lotir les 160 arpents dont elle prétendait qu'ils
avaient été légués à Linda après le décès de ses parents
adoptifs.

Le dernier paragraphe était écrit à la main, une
remarque annexe à la seule attention de mon père.

Attendu que Linda n'est pas indienne par le sang,
attendu qu'il n'y a pas de preuve légale que les Wishkob
aient officiellement adopté Linda, attendu que Grace Lark
n'a pas cherché à contacter les trois autres enfants héritiers,
et qu'en outre Linda Lark Wishkob, de l'avis de la cour,

n'était pas seulement mentalement apte mais plus saine d'esprit que bien des gens qui se sont présentés devant ce tribunal, y compris sa mère biologique, la demande a été déclarée irrecevable, le jugement était définitif.

Bizarre, ai-je remarqué.
Et ça le devient davantage, a dit mon père.
Comment est-ce possible ?
Ce que tu vois n'est que la partie visible d'un psycho-drame qui pendant des années a rongé à la fois les Lark, qui ont abandonné leur enfant, et les Wishkob, qui dans leur bonté ont sauvé et élevé Linda. Quand les enfants Wishkob ont eu vent de l'action en justice, une tentative cupide, maladroite, mesquine, pour rafler et tirer profit d'un héritage qui n'a jamais existé et d'un terrain qui ne pourrait jamais être transmis en dehors de la tribu, ils ont été furieux. La sœur aînée par adoption de Linda, Sheryl, est passée à l'action et a appelé au boycottage de la station-service des Lark. Mieux, elle a aidé Whitey à dépo-ser une demande d'aide à la création d'entreprise. Tout le monde va chez Whitey maintenant. Whitey et Sonja ont coulé le commerce des Lark. À la même époque, le fils de Mme Lark, Linden, qui avait perdu son emploi dans le Dakota du Sud, est revenu aider sa mère à tenir le com-merce déclinant. Puis sa mère est morte d'un brutal ané-vrisme. Il tient les Wishkob, sa sœur Linda, Whitey et Sonja, et moi, le juge chargé de l'affaire, pour responsables du décès de sa mère et de sa quasi-faillite, qui semble désormais inévitable.
Mon père a froncé les sourcils en regardant les dossiers, s'est passé une main sur le visage.

Je l'ai vu au tribunal. On dit de lui que c'est un beau parleur, un enjôleur. Mais il n'a pas prononcé un mot pendant le procès.

Pourrait-il être l'… ? ai-je demandé.

L'agresseur, je ne sais pas. Il est inquiétant, c'est certain. Après la mort de sa mère, il a fait un peu de politique. Pendant le procès, il a probablement pris conscience avec agacement des questions de juridiction concernant la réserve de près comme de loin. Il a écrit une lettre extravagante au *Fargo Forum*. Opichi l'a découpée. Je me souviens qu'elle répétait la rengaine habituelle – faisons disparaître les réserves ; il ressortait le vieil argument des ploucs blancs : « On les a battus à plate couture. » Ils n'ont jamais pigé que les réserves existent parce que nos ancêtres ont conclu des transactions conformes à la loi. Mais quelque chose a dû finir par faire son chemin car j'ai appris ensuite que Linden collectait des fonds pour Curtis Yeltow, qui se présentait au poste de gouverneur du Dakota du Sud et partageait ses opinions. J'ai aussi entendu dire – par Opichi, bien sûr – que Linden est engagé dans une section locale de Posse Comitatus. Ce groupe pense que les pouvoirs du plus haut représentant élu du gouvernement devraient être entre les mains du shérif local. Aux dernières nouvelles, Lark habite la maison de sa mère. Il mène une vie très discrète et s'absente souvent. Pour aller dans le Dakota du Sud, pense-t-on. Il est devenu cachottier. Opichi prétend qu'il y a une femme là-dessous, mais qu'on ne l'a vue que quelques fois. Il va et vient à des heures bizarres, mais jusqu'ici aucun signe qu'il revende de la drogue ou viole la loi de quelque manière que ce soit. Je sais bien que la mère avait l'art de pousser à la violence affective. Son entourage s'imprégnait de sa colère. C'était une petite vieille, une Blanche d'allure frêle. Mais sa conviction que tout lui était dû était irrépressible. Elle était venimeuse. Lark a peut-être tourné la page, ou alors absorbé son poison.

Mon père est allé remplir sa tasse à la cuisine. J'ai regardé fixement les dossiers. Peut-être ai-je remarqué à ce moment-là que tous les avis qu'il avait rendus étaient signés au stylo plume, à l'encre d'un lyrique ton d'indigo. Son écriture était méticuleuse, presque victorienne, ce style en pattes de mouche d'un autre âge. J'ai appris depuis que les juges ont deux particularités. Ils ont tous des chiens, et tous une bizarrerie pour qu'on se souvienne d'eux. D'où, je pense, le stylo plume, même si à la maison mon père se servait d'un stylo bille. J'ai ouvert le dernier dossier posé sur le bureau et commencé à le lire.

1er septembre 1974
Francis Whiteboy, plaignant
contre
Asiginak, Police tribale, et Vince Madwesin, défendeurs
William Sterne, avocat de l'appelant, et Johanna Cœur de Bois, avocate des intimés

Le 13 août 1973, une cérémonie de la Tente Tremblante s'est déroulée à la maison-ronde juste au nord de Reservation Lake. La Tente Tremblante est l'une des cérémonies ojibwés les plus sacrées, et ne sera pas décrite ici sinon pour préciser qu'elle sert à guérir les solliciteurs et à répondre à des questions spirituelles.

Ce soir-là plus d'une centaine de personnes étaient présentes, dont plusieurs, en bordure de la foule, buvaient de l'alcool. L'un de ceux-là était Horace Whiteboy, frère de Francis, l'appelant dans cette affaire. Le chef de la cérémonie, Asiginak, avait demandé à Vince Madwesin, de la police tribale, d'assurer la sécurité pendant la cérémonie. Vince Madwesin a prié Horace Whiteboy et les autres de quitter les lieux.

Il est, d'un point de vue culturel, inacceptable, et même injurieux, de boire lors d'une cérémonie de la Tente Tremblante, et Madwesin a agi de façon appropriée en demandant aux buveurs de partir. Plusieurs des buveurs, comprenant qu'ils portaient gravement atteinte à l'étiquette sacrée, ont en effet vidé les lieux. Horace Whiteboy a été vu s'éloignant d'un pas titubant sur la route en compagnie de ces buveurs. Toutefois, ainsi que l'ont affirmé plusieurs témoins, l'esprit dans la tente par l'intermédiaire d'Asiginak a prévenu ceux qui écoutaient que Horace Whiteboy courait un danger.

Horace Whiteboy a été retrouvé mort l'après-midi qui a suivi la cérémonie. Ayant vraisemblablement quitté le groupe marchant sur la route, il a fait demi-tour et essayé de revenir à la maison-ronde. Au pied de la colline, il a vraisemblablement décidé de s'allonger. On l'a retrouvé sous de petits buissons, couché sur le dos, il était mort étouffé par son propre vomi.

Francis Whiteboy, frère d'Horace, accuse d'actes de négligence Asiginak (qui se trouvait dans la tente et avait eu connaissance grâce aux esprits que son frère avait des ennuis) et Vince Madwesin (qui, étant responsable de la sécurité et non rétribué, n'était pas en service).

Le tribunal a considéré que Asiginak avait eu pour seule obligation de permettre aux esprits d'exprimer, par sa présence, ce qu'ils savaient. Obligation dont il s'était acquitté.

Les interventions de Vince Madwesin pour garantir la sécurité de la cérémonie de la Tente Tremblante étaient opportunes, et dans la mesure où il n'était pas en service et non rétribué il n'y a pas lieu à poursuites contre la police tribale. Madwesin avait pour obligation de s'assurer que les personnes en état d'ébriété soient priées de s'en aller. Il n'était pas responsable des actes des buveurs.

Un individu qui boit au point de tomber dans un état de stupeur court le risque de périr de mort accidentelle. La mort dont a été victime Horace Whiteboy, bien que tragique, a été le résultat de ses propres actes. Alors que la compassion à l'égard des alcooliques devrait être de règle, s'occuper d'eux comme on est tenu de s'occuper des enfants n'est pas inscrit dans la loi. Le comportement d'Horace Whiteboy a entraîné sa mort et ses choix personnels ont décidé de son sort.

Le tribunal a statué en faveur des défendeurs.

Pourquoi celui-ci ? ai-je demandé quand mon père est revenu.

Il était tard. Mon père s'est assis, a bu une gorgée de café, a ôté ses lunettes. Il s'est frotté les yeux, et peut-être dans son état d'épuisement a-t-il parlé sans réfléchir.

À cause de la maison-ronde.

La vieille maison-ronde ? C'est là-bas que c'est arrivé ?

Il n'a pas répondu.

Ce qui est arrivé à maman, c'est là-bas que c'est arrivé ?

Toujours pas de réponse.

Il a repoussé les papiers, s'est levé. La lumière a accroché les rides de son visage qui se sont creusées. Il paraissait avoir mille ans.

4

L'éclat d'un murmure

Cappy était un maigrelet aux grandes mains et aux pieds noueux et balafrés, mais il avait des pommettes marquées, un nez droit, de grandes dents blanches, et des cheveux raides et brillants retombant sur un œil brun. Un œil brun fondant. Les filles adoraient Cappy, même s'il avait les joues et le menton tout le temps éraflés et un trou dans un sourcil là où il s'était ouvert le front sur un caillou. Son vélo était un dix vitesses bleu et rouillé que Doe avait déniché à la mission. Comme chez eux les outils ferraillaient sur la moindre surface plane, Cappy l'entretenait plus ou moins. Pourtant, seule la première vitesse fonctionnait. Et les freins lâchaient sans prévenir. Alors quand Cappy était à vélo on voyait un gamin aux allures d'araignée pédalant si vite que ses jambes en devenaient floues, et qui de temps en temps traînait les pieds pour s'arrêter, ou, si cela ne marchait pas, se jetait sur la barre dans un geste suicidaire. Angus avait un vélo BMX rose déglingué qu'il avait eu l'intention de repeindre jusqu'à ce qu'il s'aperçoive que sa couleur empêchait qu'on le lui vole. Le vélo de Zack était neuf, et d'un noir sympa, parce que son père l'avait rapporté après avoir manqué à l'appel pendant deux ans.

Comme nous n'avions pas l'âge de conduire (même si, bien entendu, nous conduisions dès que nous en avions l'occasion), les vélos nous procuraient de la liberté. Nous n'avions pas besoin de compter sur Elwin ou sur les chevaux de Whitey, même si nous les montions aussi, à l'occasion. Nous n'avions pas besoin de demander à Doe ni à la mère de Zack de nous emmener en voiture, une bonne chose le matin qui a suivi la fin de l'école parce que, de toute façon, ils ne nous auraient pas emmenés là où nous voulions aller.

Zack avait confirmé, après avoir écouté la fréquence de la police sur la radio éructante de son beau-père (il faisait ça tout le temps), où avait eu lieu l'agression contre ma mère. C'était à la maison-ronde. Une petite route dans les bois menait à la vieille bâtisse en rondins sur l'autre rive de Reservation Lake. Tôt ce matin-là, je me suis levé et habillé sans bruit. J'ai filé au rez-de-chaussée et fait sortir Pearl. Ensemble, nous avons pissé dehors, dans les buissons derrière la maison. Je ne voulais pas tirer la chasse d'eau bruyante des toilettes. Je suis retourné à l'intérieur à pas de loup, en ouvrant à peine la porte-moustiquaire pour qu'elle ne couine pas, et en la relâchant lentement pour éviter qu'elle claque. Pearl m'a suivi et regardé sans bruit remplir un sac de sandwiches au beurre de cacahuètes. Je les ai glissés dans mon sac à dos avec un bocal de cornichons préparés par ma mère et une bouteille d'eau. J'avais accepté de laisser un mot pour signaler à mon père où j'étais – tout l'été, il me l'avait fait jurer. J'ai écrit le mot LAC sur le bloc-notes qu'il m'avait laissé sur le plan de travail. J'ai arraché une demi-feuille et écrit un autre mot que j'ai fourré dans ma poche. J'ai posé la main sur la tête de Pearl et regardé dans ses yeux pâles.

Garde maman, ai-je dit.

Cappy, Zack et Angus étaient censés me retrouver deux heures plus tard près d'une souche dont nous nous servions – au bord de la grande route, de l'autre côté du fossé. Là, j'ai laissé l'autre mot, les prévenant que j'avais pris les devants. Je m'étais organisé ainsi parce que je voulais arriver seul à la maison-ronde.

C'était un sublime matin de juin. La rosée était encore froide sur les églantiers et la sauge dans les chaumes de l'automne passé, mais je sentais bien que, l'après-midi venu, il ferait chaud. Chaud et clair. Il y aurait des tiques. Il n'y avait presque personne dehors à cette heure matinale. Je n'ai croisé que deux voitures sur la grand-route. J'ai tourné dans Mashkeeg Road, qui était gravillonnée, enserrée par des arbres, et s'avançait à mi-chemin autour du lac. Il y avait des maisons près du lac, masquées par les bois. De temps à autre un chien surgissait, mais je pédalais à toute allure et traversais leur territoire à une vitesse telle que peu d'entre eux ont aboyé et que pas un ne m'a suivi. Même une tique, qui a tournoyé dans les airs en tombant d'un arbre, a heurté mon bras et s'est tout juste rattrapée. Je l'ai chassée d'une chiquenaude et j'ai pédalé encore plus vite jusqu'à ce que j'arrive à la route étroite qui menait à la maison-ronde. Son accès était toujours bloqué par des cônes de chantier et des barils de pétrole peints. J'ai supposé que c'était l'œuvre de la police. J'ai marché à côté de mon vélo, en regardant bien par terre et sous les buissons tout le long du chemin. Les feuilles avaient beaucoup poussé par ici ces dernières semaines. Je cherchais tout ce que d'autres yeux avaient pu rater, comme dans un des romans policiers de Whitey. Je n'ai pourtant rien vu qui ne soit pas à sa place, ou plutôt, comme c'était les bois et que tout était sens dessus dessous et sauvage, je n'ai rien vu qui soit en place. Une zone nettoyée. Un truc qui ne paraissait pas normal ou ne donnait pas l'impression d'être normal. Un bocal vide, une capsule de bouteille, une allumette noircie. L'endroit avait déjà été passé au peigne fin et débarrassé de tout ce qui y était étranger, et j'ai débouché dans la clairière où se dressait la maison-ronde sans rien trouver d'intéressant ni d'utile.

L'herbe n'avait pas encore été tondue, mais le coin où se garaient les voitures était envahi de petites plantes rabougries. Des chevaux avaient arraché toutes les bonnes plantes, et à présent des mauvaises herbes petites et nerveuses crissaient sous les pneus de mon vélo. L'hexagone en rondins, posé au sommet d'une petite butte, était environné d'herbe grasse, vert vif, haute et drue. J'ai lâché mon vélo. Il y a eu un moment de profond silence. Et puis, dans un gémissement sourd, de l'air est passé par les fentes dans les rondins argentés de la maison-ronde. L'émotion m'a fait sursauter. Le cri de désespoir semblait poussé par la bâtisse elle-même. Le son m'a empli et submergé. Finalement, il s'est arrêté. J'ai décidé d'avancer. Pendant que je gravissais la colline, une brise a fait dresser les poils de ma nuque. Mais quand je suis parvenu à la maison-ronde, le soleil est tombé tel une main chaude sur mes épaules. L'endroit semblait tranquille. Il n'y avait pas de porte. Il y en avait eu une, mais le grand rectangle en planches était maintenant arraché et jeté sur le côté. L'herbe poussait déjà dans les jours entre les lattes. Je suis resté sur le seuil. À l'intérieur, il faisait sombre malgré les quatre petites fenêtres fracassées ouvrant sur chaque direction. Le sol était propre – ni bouteilles vides ni papier ni couvertures. Tout avait été ramassé par la police. J'ai perçu une vague odeur d'essence.

Dans l'ancien temps, quand les Indiens ne pouvaient pas pratiquer leur religion – bon, pas si ancien que ça, en fait : avant 1978 – la maison-ronde accueillait les cérémonies. Les gens prétendaient que c'était une salle des fêtes ou bien ils apportaient leur bible aux réunions. À cette époque-là, les phares de la voiture du curé descendant la longue route flamboyaient à la fenêtre sud. Le temps que le curé ou le directeur du Bureau des Affaires indiennes arrivent, les tambours d'eau, les plumes d'aigle, les sacs-médecine, les rouleaux d'écorce de bouleau et les pipes sacrées étaient au milieu du lac dans deux bateaux à moteur. On avait sorti la Bible et les gens lisaient l'Ecclésiaste à haute voix. Pourquoi cette partie-là ? ai-je demandé un jour à Mooshum. Chapitre 1, verset 4, a-t-il répondu. *Une génération passe, et une génération vient; mais la terre subsiste à jamais.* C'est ce que nous pensons, nous aussi, a dit mon grand-père. Parfois nous dansions le quadrille, notre grand prêtre de la cérémonie Midewiwin était un sacré bon meneur.

Il y avait un vieux curé catholique qui se mêlait aux hommes et aux femmes-médecine. Le père Damien avait renvoyé chez lui le directeur du BAI. Les tambours d'eau, les plumes et les pipes étaient réapparus. Le vieux curé avait appris les chants. Aucun religieux ne connaît plus les chants, aujourd'hui.

En me basant sur ce qu'avait rapporté Zack de l'échange entendu à la radio de son beau-père, et sur le silence de mon père après qu'il avait mentionné la maison-ronde, je savais en gros où était la scène du crime. Mais j'ignorais l'endroit exact où il s'était déroulé. À ce moment-là, une certitude m'est venue. Je savais. Il l'avait agressée ici. L'ancien lieu de cérémonie me l'avait dit – me l'avait crié par la voix angoissée de ma mère, ai-je alors songé, et des larmes me sont montées aux yeux. Je les ai laissé couler et m'inonder les joues. Personne n'était là pour me voir, je ne les ai donc même pas essuyées. Je suis resté sur le seuil envahi d'ombre, pensant avec mes larmes. Oui, les larmes peuvent être des pensées, pourquoi pas ?

Je me suis concentré sur la fuite, telle que mon père l'avait décrite. Notre voiture était garée au pied de la butte, au-delà d'un fouillis de buissons. Personne ne monterait par là en empruntant la route, de toute façon. Plus loin il y avait une plage que l'on pouvait atteindre plus facilement en empruntant une route longeant le lac, qui passait par l'autre côté. Bien sûr, le violeur – sauf que je n'ai pas employé ce mot : j'ai employé agresseur –, l'agresseur avait misé sur le fait que cet endroit isolé resterait désert. Ce qui supposait qu'il devait savoir des choses sur la réserve, et supposait aussi davantage de préparation. Les gens venaient picoler la nuit sur cette plage, mais pour y arriver depuis la maison-ronde il fallait franchir une clôture en fil de fer barbelé puis se frayer un chemin dans les broussailles. L'agression avait été commise en gros là où je me tenais. Il l'avait laissée là, pour aller chercher une autre pochette d'allumettes. J'ai refoulé la pensée de ma mère terrorisée se ruant vers la voiture. J'ai imaginé jusqu'où l'agresseur avait dû aller chercher des allumettes, pour qu'en courant il ne soit pas revenu à temps pour la rattraper.

Ma mère s'était relevée, s'était élancée à l'extérieur et avait dévalé la colline jusqu'à sa voiture. Son agresseur avait dû passer par l'autre versant, descendre du côté nord, pour qu'il ne l'ait pas vue. J'ai pris le chemin qu'il avait dû emprunter, dans l'herbe, jusqu'aux barbelés. J'ai soulevé le fil du haut et me suis faufilé en dessous. Une autre clôture descendait jusqu'au lac à travers l'épais enchevêtrement de bouleaux et de peupliers. Je l'ai suivie tout du long jusqu'à la rive et puis j'ai continué à marcher vers l'eau.

Il avait dû avoir une cachette quelque part ou peut-être une autre voiture – garée près de la plage. Il était revenu chercher des allumettes quand les siennes avaient pris l'humidité. C'était sans doute un fumeur. Il avait laissé là d'autres allumettes ou un briquet. Il avait suivi cette clôture jusqu'au lac. Il était arrivé à sa cachette. Avait entendu la portière claquer. Était remonté en courant à la maison-ronde et s'était lancé aux trousses de ma mère. Mais trop tard. Elle avait réussi à démarrer, à écraser l'accélérateur. Elle avait disparu.

J'ai continué à marcher, j'ai traversé l'étroite bande de sable et je suis entré dans l'eau. Mon cœur battait si fort tandis que je suivais l'action dans ma tête que je n'ai pas senti l'eau. J'ai senti l'irrépressible frustration de l'agresseur regardant disparaître la voiture. Je l'ai vu ramasser le bidon d'essence et manquer le lancer sur les feux arrière s'évanouissant au loin. Il avait couru, il était revenu. Soudain, il s'était arrêté, en repensant à ses affaires, à la voiture, à je ne sais quoi d'autre, à ses clopes. Et au bidon. Pas question qu'il soit pris avec le bidon. Malgré le froid de ce mois de mai, l'eau toujours glaciale malgré le dégel, il faudrait qu'il se mouille et laisse le bidon se remplir d'eau. Ensuite, il l'avait certainement balancé le plus loin possible, et moi si je plongeais et passais les mains sur le fond boueux, herbeux, limoneux, grouillant d'escargots aquatiques, il serait là.

Mes amis m'ont trouvé assis devant la porte de la maison-ronde, en plein soleil, encore en train de sécher, le bidon d'essence posé dans l'herbe devant moi. Je me suis réjoui quand ils sont arrivés. J'avais fini par comprendre que l'agresseur avait aussi tenté de mettre le feu à ma mère. Bien qu'on n'ait jamais fait mystère de cet état de choses, ou du moins qu'il était implicite dans la réaction de Clemence à l'hôpital et le récit par mon père de la fuite de ma mère, je m'étais refusé à le comprendre. Le bidon d'essence posé devant moi, je me suis mis à trembler si fort que j'ai claqué des dents. Quand j'étais bouleversé à ce point, parfois je vomissais. Ce n'était pas arrivé dans la voiture, à l'hôpital, ni même pendant mes lectures à ma mère. J'étais peut-être hébété. Maintenant je ressentais dans mes tripes ce qui lui était arrivé. J'ai creusé un trou pour mon vomi et l'ai recouvert d'un petit tas de terre. Je suis resté assis là, sans forces. Lorsque j'ai entendu les voix et les vélos, les pieds traînants de Cappy lui servant de freins, les cris, je me suis levé d'un bond et j'ai commencé à me donner de grandes claques sur les bras. Pas question qu'ils me voient tremblant comme une fille. Quand ils sont arrivés devant moi, j'ai prétendu que c'était à cause de l'eau froide. Angus a remarqué que mes lèvres étaient bleues et m'a proposé une Camel sans filtre.

C'étaient les meilleures cigarettes qu'on puisse voler. D'habitude le chéri de Star fumait des « génériques », mais il avait dû toucher de l'argent. Angus les retirait du paquet d'Elwin, une par une, afin de ne pas éveiller ses soupçons. Pour l'occasion, il en avait pris deux. J'ai coupé ma cigarette en deux avec précaution et l'ai partagée avec Cappy. Zack et Angus ont partagé l'autre. J'ai tiré sur le mégot jusqu'à ce qu'il me brûle les doigts. Nous n'avons pas dit un mot en fumant, et quand nous avons terminé nous avons chassé les brins de tabac de notre langue, à la manière d'Elwin. Le bidon d'essence était d'un vieux rouge terne bordé par une bande dorée en haut et en bas. Il avait un long bec tordu. Écrit en grosses lettres majuscules noires barrant le dessin d'une flamme, jaune vif avec un cœur bleu et une tache blanche au milieu, il y avait un logo éraflé : DANGER.

Je veux attraper ce type, ai-je dit à mes copains. Le voir cramer. Eux aussi avaient les yeux rivés sur le bidon. Ils savaient de quoi il retournait.

Cappy a arraché un éclat de bois à la porte cassée et s'en est servi pour larder le sol de coups. Zack mâchonnait un brin d'herbe. J'ai regardé Angus. Il avait toujours faim. Je lui ai dit que j'avais apporté des sandwiches et j'ai sorti le sachet de mon sac à dos pour les partager.

D'abord, nous avons décollé avec soin les tranches de pain du beurre de cacahuètes. Puis nous avons glissé dedans les fameux petits cornichons croquants de ma mère. Enfin, nous avons refermé les sandwiches. Le jus des cornichons salait le beurre de cacahuètes, ôtait son côté collant de sorte qu'on arrivait à avaler chaque bouchée, et ajoutait la parfaite saveur relevée et aigrelette aux arachides. Les sandwiches terminés, Angus a bu presque toute la saumure et fourré le piment rouge dans sa bouche. Cappy a pris l'aneth et mâché le bout de la tige. Zack a regardé ailleurs – il se montrait délicat parfois, et après il vous surprenait.

Nous avons fait passer la bouteille d'eau, et puis je leur ai raconté que j'avais réfléchi à la façon dont s'était déroulée l'agression. Voilà comment ça s'est passé, ai-je dit sans ciller. Il a fait ça ici. J'ai penché la tête vers la maison-ronde. Il l'a fait à l'intérieur, et puis il a voulu mettre le feu à ma mère. Mais ses allumettes étaient mouillées. Il est descendu vers le lac par l'autre versant de la colline pour en chercher des sèches. Je leur ai expliqué en détail comment ma mère s'était enfuie. J'ai dit que j'avais réfléchi que l'agresseur avait dû laisser des affaires dans les bois, et que j'avais suivi les poteaux de la clôture jusqu'au lac et puis dans l'eau jusqu'à l'endroit où il avait fait couler le bidon. J'ai dit que ce devait être un fumeur parce qu'il était retourné chercher des allumettes, ou peut-être qu'il avait un briquet. Il avait dû laisser quelque chose dans les bois. Si c'était un sac à dos ou d'autres trucs, peut-être même qu'il y avait dormi. Il aurait pu avoir fumé, avoir fait tomber un mégot. Ou avoir déchiqueté la cigarette à la manière de Whitey, en tortillant dans ses doigts les brins du filtre, et roulant le bout du papier en une toute petite boulette. Nous allions chercher des brins, des empreintes, tout matériau étranger, absolument tout.

Nous avons hoché la tête en chœur. Regardé par terre. Cappy a levé la tête, m'a dévisagé tranquillement.

Qu'il en soit ainsi, a-t-il lancé. Starboy ?

O.K., a répondu Angus, dont c'était le surnom, allons voir ce qu'on trouve.

Ce que nous avons trouvé ce sont des tiques. Notre réserve est célèbre pour ses tiques. Nous avons procédé au quadrillage des bois, sillonné le secteur à partir de la clôture en allant vers le sud le long du lac sur une dizaine de mètres. Au printemps, lorsqu'on tombe sur un trou à tiques, là où une énorme colonie a éclos, ça vous grouille dessus. Mais elles grouillent au ralenti. On peut en éjecter quelques-unes, sauf que l'éjection quand on rampe c'est difficile. Nous rampions de trou à tiques en trou à tiques.

Zack a crié une fois, de la panique dans la voix. Il a bondi sur ses pieds et j'en ai aperçu quelques-unes qui étaient projetées dans les airs et retombaient sur Angus et dans les cheveux luisants de Cappy.

Hé, le bébé, la ferme ! a crié Angus. Les puces, c'est sacrément pire.

Ouais, les puces, a dit Zack. Tu te souviens quand ta mère a pulvérisé ta maison à la bombe anti-puces et qu'elle a oublié que tu étais à l'intérieur ?

Pfff, ils ont tout bouclé et pulvérisé de l'anti-puces à mort, a dit Angus, qui a louché sur ce qui ressemblait à un bout d'emballage plastique, puis l'a balancé plus loin. Ils ont oublié que je dormais dans un coin et m'ont laissé là jusqu'au lendemain matin. Toutes les puces sont venues se réfugier sur moi et je n'avais que quatre ans. Elles se sont envoyé une dernière bonne rasade de sang et sont mortes dans mes fringues. J'ai eu de la chance qu'elles ne me sucent pas jusqu'à la dernière goutte.

C'est ton cerveau qu'elles ont sucé jusqu'à la dernière goutte, a dit Zack. Regarde ce que tu viens de me jeter. Il a pris délicatement entre le pouce et l'index le bord d'une capote toute collée et l'a secouée. De toute évidence, elle avait passé l'hiver ici. Des garçons plus âgés faisaient des feux sur la plage.

J'ai tendu le sachet à pain et Zack y a laissé tomber le préservatif pétrifié. Et puis nous en avons trouvé des dizaines d'autres, et tellement de canettes de bière que Angus les a trimballées près d'un rocher et s'est mis à les écraser pour les rapporter chez lui et revendre l'alu. Ce qui de loin ressemblait à des broussailles touffues qui reverdissaient cachait en fait une décharge. Il y avait d'innombrables mégots de cigarettes. Le sachet a été vite rempli de préservatifs et de mégots. Il y avait aussi des emballages de bonbons et du vieux papier toilette froissé en boule. Soit pour les policiers ce secteur était sans rapport avec l'affaire, soit ils avaient abandonné la partie.

Les gens sont dégoûtants, a remarqué Zack. Ça fait vraiment trop de preuves.

Je me suis mis à genoux, le sachet à la main. J'avais des tiques qui grouillaient partout sur moi. J'ai dit que nous devrions laisser tomber et aller les noyer dans le lac. Nous avons donc quitté les bois et nous nous sommes déshabillés en bas sur la plage. Pour la plupart les bestioles n'avaient pas quitté nos vêtements, et elles n'étaient pas encore très nombreuses à s'être fixées dans notre peau, sauf que Angus en avait une collée aux couilles.

Hé, Zack, j'ai besoin d'aide !

Oh, va chier, a dit Zack.

Cappy a éclaté de rire. Pourquoi tu ne la laisses pas jusqu'à ce qu'elle devienne vraiment grosse ? On t'appellera Trois Couilles.

Comme le Vieux Niswi, ai-je lancé.

Il en avait trois pour de bon. C'est vrai. Ma grand-mère le sait, a assuré Zack.

La ferme, a lancé Cappy. Je ne supporte pas d'entendre l'histoire de ta grand-mère qui faisait ça avec un type à trois couilles.

Nous étions dans l'eau à présent, à nous éclabousser, plonger et jouer à nous battre. Après la chaleur, la sueur et les démangeaisons, c'était délicieux. J'ai allongé le bras pour vérifier qu'aucune ne m'avait chopé là où une tique avait chopé Angus. Je suis allé sous l'eau où je suis resté autant que j'ai pu. Quand je suis ressorti, Zack parlait.

Elle a dit qu'elles lui tapotaient le cul comme trois grosses prunes mûres.

Ta grand-mère dit un paquet de trucs, a remarqué Cappy.

Elle m'a tout raconté, a dit Zack.

Il y a des grands-mères indiennes qui font un excès de religion, et d'autres chez qui la religion ne prend pas et qui en sont délivrées quand elles sont vieilles pour scandaliser les jeunes. Zack en avait une appartenant à cette dernière catégorie. Grand-mère Ignatia Thunder. Elle avait fréquenté le pensionnat catholique, mais n'avait fait que l'endurcir, disait-elle, comme elle endurcissait les prêtres. Elle s'exprimait en langue indienne et parlait des secrets des hommes. Lorsque Mooshum et elle se retrouvaient pour évoquer l'ancien temps, mon père disait qu'ils racontaient de telles cochonneries qu'autour d'eux l'air virait au bleu.

Quand l'eau nous a engourdis nous en sommes sortis, et nous nous sommes moqué les uns les autres de nos bites fripées.

97

Zack s'est foutu de moi : Tu ne serais pas un peu petiot pour un Stormtrooper ?

La taille ne compte pas. Tu me juges à ma taille, hein ?

Zack avait une Dark Vador, circoncise, et moi aussi. Celles de Cappy et d'Angus avaient encore leur capuchon, ils étaient donc des Empereurs. Nous avons discuté pour savoir s'il valait mieux être un Empereur ou un Dark Vador – laquelle des deux les filles préféraient. Nous avons fait un feu. Assis tout autour, nus, sur des bûches où étaient déjà gravés les noms d'autres garçons, nous avons sorti des tiques de nos vêtements et les avons balancées dans le feu.

Worf est un Empereur, a affirmé Angus.

C'est certain, a reconnu Cappy.

Nooon, ai-je dit. De toute façon, s'il y en a une qui compte c'est celle de Data, parce qu'on donnerait à un androïde le genre que les filles préfèrent, non ? Et lui il serait obligatoirement un Dark Vador. Je ne le vois pas être autre chose qu'un Dark.

Je crois que tout le monde sur le vaisseau est un Dark, a dit Cappy, sauf Worf.

Mais attends, a dit Zack, un Klingon ? Tu l'imaginerais bien monté, pourtant il n'y a pas de bosse à son uniforme.

Tu mets en doute la puissance Klingon ? a demandé Cappy, en se levant. Il a baissé les yeux. Debout, ma vieille.

Aucune réaction. Nous avons commencé à nous moquer de lui. Cappy s'est marré aussi. Au bout d'un moment nous avons regretté de ne pas avoir une autre cigarette, et puis de nouveau nous avons eu faim. Angus est parti pisser. Il s'est avancé dans le lac, a contourné la clôture, puis est entré dans les bois.

98

Holeee, a-t-il crié.

Et il est ressorti des bois d'un pas énergique avec deux packs de bière Hamm's. Un dans chaque main. Cappy et Zack ont lancé des hourras joyeux. J'ai couru vers lui. Toutes les autres canettes que nous avions écrasées ou les autres bouteilles que nous avions trouvées étaient de la Old Mill ou de la Blatz, la bière à la mode sur la réserve. Malgré l'ours indien de la pub télé Hamm's, qui dansait, jouait du tambour et portait des plumes, nous étions un peuple de buveurs de Blatz.

Lâche ça, ai-je hurlé. Angus s'est figé sur place. D'un geste prudent, il a posé les packs à terre.

Je crois qu'il les a laissés là, ai-je dit. Je crois que c'est une preuve. Il y aura des empreintes digitales.

Euh… je voyais bien que Angus réfléchissait le plus vite possible. Il a parlé vite, aussi. Est-ce que l'eau efface les empreintes digitales ? Je les ai trouvés dans une glacière ouverte. La bière était recouverte d'eau.

Tu as trouvé sa planque, ai-je dit.

Je peux ramasser les bières ? a demandé Angus.

Je suppose que oui.

Je peux en ouvrir une ?

J'ai regardé mes copains. Ouais.

Leurs mains ont jailli et sorti les canettes de leur anneau en plastique.

S'il n'y a pas d'empreintes digitales, alors la preuve principale c'est que c'est un buveur de Hamm's, ai-je remarqué. Faites-en ce que vous voudrez. J'ai pris une bière. La canette était mouillée et glacée. Je l'ai tenue dans mes doigts tout en suivant Angus jusqu'à l'endroit où il avait trouvé la planque. J'ai dit que nous ne devrions pas nous approcher trop près pour ne pas détruire les preuves, que nous ferions peut-être mieux de ramper vers ce machin et de ramasser ce que nous pourrions trouver tout autour.

Ramper ? Encore ? a demandé Angus.

La glacière, en polystyrène bon marché, était posée au pied d'un arbre. Des vêtements étaient entassés à côté.

Cappy a dit qu'il préférerait boire la bière avant pour être un peu pété et ramper ensuite pour recueillir des preuves avant de ressauter dans le lac et noyer ses tiques une fois de plus. Nous avons avalé nos bières.

Ça se laisse boire, a remarqué Angus. Il a essayé d'écraser sa canette sur sa cuisse. Aïe, s'est-il écrié.

Nous nous sommes déployés en éventail et avons rampé en cercle, en nous rapprochant de la glacière. Elle était posée au bord du pré à vaches et il y avait des bouses sèches par-ci par-là. Nous avions sifflé nos bières en vitesse, pour être pétés, en sachant qu'il nous en restait deux chacun qui nous attendaient, bien fraîches, et que nous boirions les suivantes plus lentement, assis autour du feu. Ramper nous a vraiment été moins pénible cette fois, même si Angus a levé une jambe et m'a balancé une perlouze.

Pas de guerre des perlouzes, a dit Zack.

Bah, a fait Angus, en lâchant un autre pet.

Tout à coup, Cappy a lancé une bouse dans le pré comme un Frisbee et a éclaté de rire.

Pourquoi l'Indien ne connaissait-il pas la bouse ?

Personne n'a répondu.

Parce qu'il n'était pas vache.

Ha-ha, a fait Zack. Tu vas bientôt devenir animateur de powwow comme ton père.

Comment dit-on sur une réserve : Mieux vaut l'œuf maintenant que la poule plus tard ?

Indien vaut mieux que deux, tu l'auras, a répondu Angus. Il a soulevé la jambe mais il n'avait plus de gaz.

C'est vrai que chez eux, Doe, Randall et Cappy passaient parfois le temps à inventer des blagues indiennes nulles.

Pendant que nous rampions, j'ai remarqué le tableau que nous composions. Ma peau était d'un brun très pâle. Celle de Cappy était plus brune. Celle de Zack encore plus foncée. Celle d'Angus était blanche mais déjà bronzée. Cappy était en pleine croissance, je venais après, Zack et Angus étaient tous les deux plus petits que moi. À nous tous nous avions tellement de cicatrices qu'il y avait de quoi perdre le compte.

Pourquoi les quatre Indiens nus dans les bois avaient-ils des taches ? a demandé Cappy.

Ne l'encourage pas.

Parce qu'ils étaient tique-tés.

Nul. J'ai rigolé. Pour un beau gars que les filles adoraient, il n'était pas cool, Cappy.

Angus s'éloignait de moi en rampant. J'ai gardé mes distances. Son derrière était plein de marques violettes, là où son frère lui avait tiré dessus à la carabine à air comprimé. Nous nous traînions maintenant au hasard, sans suivre le moindre quadrillage. Il n'y avait presque pas d'ordures de ce côté de la clôture. J'avais supposé que l'agresseur était lui aussi entré dans l'eau, et avait contourné l'extrémité de la clôture pour planquer ses affaires loin du secteur de la plage. Nous nous sommes approchés de la glacière et je me suis servi d'un bâton pour tâter la pile de couvertures et de vêtements.

Les couvertures étaient en polyester minable. Il y avait une chemise qui avait l'air pourrie, une paire de jeans. Tout ça puait comme à l'arrière du Dead Custer Bar.

On devrait peut-être laisser ça aux policiers, ai-je suggéré.

Si on leur dit, alors il faudra dire qu'on était ici, a remarqué Zack. Ils vont piger que j'écoute la radio de Vince et les appels téléphoniques. Je serai dans la merde jusqu'au cou.

Et puis, est intervenu Angus, il y a la bière.

Boire la moitié des preuves, ça ne fait pas bon effet, a reconnu Cappy.

Allez, les gars, on liquide le reste, a proposé Zack.

O.K., ai-je dit.

Nous sommes repartis, nous avons contourné la clôture et remis du bois dans le feu. Ensuite nous sommes descendus en courant au lac et nous avons ressauté dedans pour nous débarrasser des nouvelles tiques. Zack a montré l'endroit où il avait été transpercé par une lance, à l'aisselle. Il avait failli mourir, avait-on dit. Les points de suture avaient guéri et dessinaient comme une toute petite voie ferrée blanche remontant mystérieusement sa côte, courant le long de son bras et en dessous. Nous avons enfilé nos vêtements et nous nous sommes de nouveau sentis normaux. Assis autour du feu, nous avons ouvert ce qui restait des preuves.

Sa troisième couille, elle était aussi grosse que les deux autres ? a demandé Angus à Zack.

Ne recommence pas, a dit Cappy.

Je me demande même s'il faut que nous parlions aux flics, ai-je remarqué. N'empêche, ils sont passés à côté du bidon d'essence. À côté de la glacière. À côté du tas de vêtements.

Ce tas pue. Il sent la pisse.

Il s'est pissé dessus, a dit Angus.

On devrait foutre le feu à tout ça, ai-je lancé.

J'avais la gorge qui brûlait et l'émotion s'emparait de moi, provoquant une douleur tellement lancinante que j'avais envie de pleurer – une fois de plus. Soudain, nous nous sommes figés. À travers le bruissement des feuilles, nous avons entendu au sommet de la colline quelque chose comme le son aigu d'un sifflet en os d'aigle. Le vent avait tourné, et une suite de notes a résonné tandis que l'air passait à flots par les trous dans le torchis de la maison-ronde.

Cappy s'est levé et l'a fouillée du regard.

Angus s'est signé.

Cassons-nous, a dit Zack.

Nous avons écrasé les canettes de Hamm's avec les autres, et, pour les rapporter afin que Angus les vende, nous les avons entassées sur un grand bout de plastique dont nous avons noué les coins. Ensuite nous avons éteint le feu et enterré le reste des ordures. J'ai attaché le bidon d'essence à mon vélo à l'aide d'un lacet et nous sommes partis. Les ombres étaient longues, l'air fraîchissait, et nous avions faim comme des garçons peuvent crever de faim. D'une faim insensée, si bien que tout ce que nous voyions paraissait savoureux et que sur le chemin du retour nous n'étions capables de parler que de bouffe. Où nous pourrions trouver de la bouffe et nous en bourrer la panse, de tonnes de bouffe, au plus vite. C'était notre préoccupation. La mère de Zack serait au bingo. Tante Star était soit pleine aux as soit fauchée, jamais entre les deux, et nous étions samedi. À l'heure qu'il était, elle aurait dépensé ses sous et sans doute pas en nourriture. C'était dur cette semaine-là chez Cappy, encore qu'il était possible que son père ait du ragoût. Mais les ragoûts de célibataire de Doe étaient une loterie. Une fois, il avait mis des pruneaux dans son chili. Une autre fois, il avait laissé traîner de la pâte à pain toute la nuit et une souris y avait creusé un nid. Dans la tranche de Randall il y avait eu la tête, et Cappy avait eu la queue. Personne n'avait pu trouver le milieu. Mes copains n'ont pas parlé d'aller chez moi, pourtant avant nous aurions à coup sûr débarqué à la maison pour faire une razzia. La maison de Whitey et Sonja était sur notre chemin, mais j'avais horreur que mes copains parlent d'elle. Sonja était à moi. Alors j'ai prétendu qu'ils étaient au boulot à la station-service. Notre autre espoir était Grand-mère Thunder. Elle vivait à la maison de retraite dans un logement qui avait une chambre et une vraie cuisine. Elle aimait bien nous préparer à manger ; son placard débordait de provisions que les uns et les autres lui apportaient.

Elle préparera des galettes de pain frit et de la viande, a dit Zack.

Elle a toujours des pêches au sirop, a promis Angus. Sa voix était respectueuse.

Il y a un prix à payer, a remarqué Cappy.

Surtout que personne ne parle de couilles ou ne prononce le mot gland.

Mais qui prononcerait ce mot-là en présence de sa grand-mère ?

Il pourrait venir d'un coup, par erreur.

Coup ? Ne dites pas coup.

Ne parlez même pas de chats. Elle dirait chatte.

D'accord, ai-je lancé. La liste des sujets à ne pas aborder pendant que nous nous empiffrons chez Grand-mère est couilles, chats, chattes, nœuds.

Ne dites jamais pipe non plus.

Ne dites pas *wiinag*, ne dites rien qui rime avec enc… é ni avec le mot queue.

Ne dites pas moule, bout, enfiler, comme enfiler quelque chose. Elle comprendra de travers, croyez-moi.

Ne dites pas allumé, ne dites pas raide.

Ne dites pas chaude ni nichons ni vierge.

Il faut que je descende de vélo, a avoué Angus.

Nous sommes tous descendus. Nous avons posé nos vélos. En évitant de nous regarder nous avons plus ou moins marmonné que nous allions pisser et chacun est parti de son côté, en trois minutes nous nous sommes soulagés de tous ces mots et puis nous sommes revenus, nous avons sauté sur nos vélos et continué à rouler sur la petite route qui passait au-delà de la mission. Arrivés en ville, nous sommes allés à la maison de retraite. Je me sentais coupable d'avoir simplement écrit LAC à mon père, alors dans le hall d'entrée j'ai téléphoné chez moi. Papa a décroché à la première sonnerie, mais quand je lui ai annoncé que j'étais chez Grand-mère Thunder il a eu l'air content et m'a raconté qu'oncle Edward lui montrait le dernier article scientifique de mon cousin Joseph, et qu'ils mangeaient des restes. J'ai demandé, même si je le savais déjà, où était maman.

En haut.

Elle dort ?

Oui.

Je t'aime, papa.

Mais il avait raccroché. Les mots *Je t'aime* ont résonné. Pourquoi avais-je prononcé ces mots et pourquoi dans le téléphone à l'instant même où, je le savais, mon père reposait le combiné ? Avoir prononcé ces mots m'a mis en rage, et que papa n'ait pas répondu m'a un peu roussi l'âme. Un nuage de colère m'est passé devant les yeux. Et puis la faim me donnait le tournis.

Allez viens, a dit Cappy, qui est arrivé derrière moi et m'a fait sursauter, du coup mes yeux se sont une fois de plus remplis de larmes ce jour-là, ce qui était trop.

Ferme-la, ai-je grondé.

Il a levé les mains et s'est éloigné. Je l'ai suivi dans le couloir. Juste avant d'arriver à l'appartement de Grand-mère, je me suis adressé à son dos : Cappy, je suis…

Il s'est retourné. J'ai fourré mes mains dans mes poches et raclé mes semelles. Mon père avait par principe refusé de m'acheter le modèle de baskets dont j'avais envie, à Fargo. Il avait décrété que je n'avais pas besoin de chaussures neuves, ce qui était vrai. Cappy avait les chaussures que je voulais. Lui aussi avançait les mains dans les poches, et il regardait par terre, en dodelinant de la tête. Chose curieuse, il a dit ce que j'étais en train de penser, même s'il a menti.

Tu as les chaussures que je voulais.

Non, ai-je protesté, toi, tu as les chaussures que je voulais.

O. K., a-t-il dit, on échange.

Nous avons échangé nos chaussures. Dès que j'ai enfilé les siennes, je me suis aperçu qu'il chaussait plus grand que moi d'une pointure. Il s'est éloigné, sur des pieds comprimés. Il avait entendu ce que j'avais dit au téléphone.

Nous sommes entrés chez Grand-mère, et comme on s'y attendait la viande était déjà dans la poêle, accompagnée d'un oignon. L'odeur avait un pouvoir merveilleux et mon estomac a bondi. J'avais envie d'attraper tout ce que je pourrais me fourrer dans la bouche. Sur la table il y avait une pile de sandwiches à la confiture, pour nous aider à tenir. J'en ai avalé un. Grand-mère tournait le dos, face à la cuisinière, et sur sa table il y avait un saladier plein de petites pommes séchées et sucrées. Un pommier poussait derrière la maison de retraite et Grand-mère récoltait toujours les pommes. Elle cueillait toutes celles qu'il y avait sur l'arbre, les coupait en tranches fines, les faisait sécher dans son four et les saupoudrait de sucre et de cannelle. J'ai mangé un autre sandwich de pain de mie à la confiture. Elle avait posé les assiettes sur la table, et dessus d'autres serviettes en papier pour absorber la graisse des galettes de pain frit.

Wiisinig, a-t-elle lancé, sans se retourner.

J'ai attrapé quelques tranches de pommes que j'ai posées sur ma langue. J'ai regardé Cappy. Nous avons encore mangé un sandwich à la confiture chacun, en restant là à l'observer, tourmentés par une faim hypnotique, jusqu'à ce qu'elle commence à retirer de la poêle les galettes de pain frit. Et puis nous avons pris une assiette et sommes allés nous planter à côté d'elle. Elle a sorti du saindoux bouillonnant les galettes brûlantes à l'aide d'une pince de cuisine et a déposé les ronds dorés et grumeleux sur nos assiettes. Nous avons dit merci. Elle a salé et poivré la viande. Elle a flanqué dessus une boîte de tomates, une boîte de haricots. Nous sommes restés là, l'assiette tendue. Elle a entassé des cuillerées de ce mélange sur les galettes de pain frit. Sur la table, il y avait un bloc de fromage. Le fromage était congelé, il était donc facile à râper. Nous avions tellement faim que nous nous sommes assis à table aussitôt. Zack et Angus étaient dehors, de l'autre côté des portes coulissantes, dans la cour. Elle a préparé leurs tacos indiens comme les nôtres, les a appelés, ils se sont assis sur le canapé et ont mangé.

Pendant un long moment, personne n'a rien dit. Nous n'avons fait que manger, et encore manger. Grand-mère fredonnait tout en cuisinant. Elle était petite, maigre, et portait toujours une robe à fleurs pastel, des bas couleur chair roulés sur les chevilles comme si c'était une mode, et des mocassins en peau de cerf qu'elle fabriquait elle-même. Les deux tantes de Cappy tannaient des peaux derrière chez elles. Derrière chez elles, ça empestait, mais les peaux étaient parfaites. Tous les étés, elles offraient une peau souple à Grand-mère. Ses mocassins étaient brodés de petites fleurs roses en perles. Elle ramassait ses longs cheveux blancs et fins dans une barrette et portait des boucles d'oreilles blanches en coquillage. Elle avait le visage ratatiné et rusé, et ses yeux étaient de petites billes noires vives et luisantes. Son regard n'était jamais doux ni tendre, mais toujours froid et vigilant. Cela paraissait étrange pour quelqu'un qui cuisinait pour des garçons. Mais voilà, elle avait survécu à bien des morts et d'autres pertes et n'avait plus aucun sentiment. Au fur et à mesure que notre ventre se remplissait, nous mangions plus lentement. Nous voulions tous terminer pile en même temps, nous lester l'estomac et lever l'ancre. Mais Grand-mère Thunder nous a resservis, nous avons recommencé au début et mangé encore plus lentement, toujours sans parler. Quand j'ai fini, je l'ai remerciée et j'ai apporté mon assiette dans l'évier. J'allais lui annoncer qu'il fallait que je rentre chez moi quand Mme Bijiu est entrée sans frapper. La pire de toutes ! Une grosse femme bruyante et frétillante, elle a aussitôt pris ma place à la table et fait : Pfffiuuu !

Eyah, ils ont bien mangé, a remarqué Grand-mère Thunder.

La classe, a dit Angus.

On doit partir maintenant, *Kookum*, a annoncé Zack.

Apijigo miigwech, a dit Cappy. *Minopogoziwag ingiw zaasakok waanag.* Il savait que pour faire vraiment plaisir aux vieilles dames, il devrait parler indien, même s'il n'était pas sûr que les mots soient les bons.

Écoutez-moi donc cet Anishinaabe ! Elles étaient vraiment contentes de lui.

Filez... Grand-mère a agité la main en montrant la porte, heureuse que nous soyons venus la voir.

Celui-là, celui-là, là, a dit Mme Bijiu, en pointant soudain ses lèvres vers moi, féroce. Il est maigre comme une trique !

En entendant ce dernier mot, nous avons été terrassés.

Maigre comme une trique ! La voix de Grand-mère s'est cassée. Elle s'est dressée sur sa chaise. Je vais vous dire, moi, qui a la trique, ces temps-ci !

Nom d'un chien ! s'est écriée Mme Bijiu. Je sais de qui vous parlez. Napoléon. Cet *akiwenzii* vient gratter aux portes la nuit et ce n'est pas moi qui laisse entrer le vieux bonhomme. Il est en forme, remarquez, l'a jamais bu. L'a travaillé dur toute sa vie. Maintenant il baise avec une femme différente toutes les nuits !

Les garçons, écoutez bien, a dit Grand-mère Thunder. Vous voulez apprendre quelque chose ? Vous voulez apprendre comment garder vos petites quéquettes raides toute votre vie ? Ne jamais être en panne ? Soyez sobres comme le vieux Napoleon. L'alcool ça rend plus rapide et ça ne vaut rien. Le pain et le saindoux, ça vous garde raide ! Il a quatre-vingt-sept ans et non seulement il bande facile, mais il peut tenir cinq heures de suite.

Nous voulions filer en douce, pourtant cette dernière information nous a retenus. Chacun de nous pensait peut-être à ses trois minutes dans les bois.

Cinq heures ? a demandé Angus.

Parce qu'il n'a jamais été un coureur de jupons et n'a pas gaspillé la purée, s'est écriée Mme Bijiu. Il n'a jamais trompé sa femme !

C'était ce qu'elle croyait, a dit Grand-mère Thunder, en tirant son mouchoir de sa manche.

Ces deux-là se sont mises à rire si fort qu'elles ont failli s'étrangler et nous avons presque réussi à passer la porte.

Et puis, il ne jure que par sa recette secrète.

Nos têtes ont pivoté.

Regardez-les tourner le cou, se sont exclamées en riant les deux vieilles dames. Est-ce qu'on devrait leur donner la recette secrète de Napoleon ?

Si le pain et le saindoux ne suffisent pas, il prend du piment fort, le frotte sur son… là en bas. Mme Bijiu a fait un certain geste au-dessus de ses cuisses, si vigoureux que nous avons franchi le seuil d'un bond. Les gloussements excités des deux femmes nous ont suivis dans le couloir. J'ai songé à l'effet du piment sur Randall et ses potes. Pas le moindre signe de l'influence de la recette de Napoleon

110

au moment où ils détalaient nus comme des vers sur le chiendent.

Je crois que j'aimerais avoir un avis médical avant d'essayer le piment, ai-je dit pour moi-même. Mais Angus m'a entendu. *Un avis médical* est devenu l'une de ces expressions ridicules et faussement futées qui me valaient des taquineries. Joe a besoin d'un avis médical, Joe, as-tu demandé à ton médecin si ce n'est pas contre-indiqué ? Je savais, au moment où nous longions le couloir, que je n'avais pas fini de l'entendre, comme pour Oups. Juste avant de franchir les portes de la maison de retraite, j'ai demandé aux autres de m'attendre. J'ai retiré les chaussures de Cappy.

Merci, ai-je dit.

Nous avons refait l'échange en sens inverse. Mais je pense que si cela avait dû m'aider, Cappy aurait continué à marcher dans mes vieilles chaussures trop serrées.

Lumière sans fin du mois de juin et silence dans les cours en terre battue – tout le monde reparti au lit ou dans sa cuisine pendant que je remontais tranquillement la route à vélo. Pearl est venue à ma rencontre au moment où je tournais le coin de la maison. Debout, aux aguets, elle m'a regardé fixement et n'a pas aboyé une seule fois. Tu savais que c'était moi, ai-je remarqué. Tu as bien fait. Elle s'est approchée et a remué la queue quatre fois, pas plus. Elle avait un beau panache crème qui ne s'accordait pas avec les poils courts du milieu de son corps – même s'il s'harmonisait avec ses longues et duveteuses oreilles de loup. Elle m'a reniflé les doigts. Je lui ai gratté les oreilles jusqu'à ce que d'une secousse elle repousse ma main. Elle

111

avait faim. J'avais emporté un des sandwiches à la confiture de Grand-mère, en partant, et je le lui ai donné. Dans la maison, j'ai entendu des voix. J'ai rangé mon vélo et me suis glissé à l'intérieur. Oncle Edward était encore là, dans le bureau avec mon père. La cuisine était sens dessus dessous, donc ils avaient dû se préparer un en-cas. Je suis entré sur la pointe des pieds et me suis arrêté à l'extérieur du bureau. Ils parlaient juste assez fort pour que je les entende depuis le canapé. Je pouvais écouter en douce et, s'ils sortaient, faire semblant de dormir. J'ai tout de suite deviné, au tintement des glaçons, aux verres, qu'ils picolaient ensemble. Ce devait être la bouteille de Seagrams V.O. planquée derrière les assiettes sur l'étagère du haut. J'ai tendu le cou pour entendre ce qu'ils allaient raconter.

Depuis des années que nous sommes mariés, jusqu'à maintenant nous n'avons pas une seule fois fait chambre à part, a dit mon père.

Ceci, bien sûr, m'a à la fois dégoûté et fasciné. J'ai retenu mon souffle.

Elle s'isole même de Joe. Ne parle, bien entendu, à aucun de ses collègues de travail. Refuse les visites, même de sa vieille amie de pensionnat, LaRose.

Clemence dit qu'elle coupe les ponts avec elle aussi.

Geraldine. Oh, Geraldine ! Elle a laissé tomber une cocotte pleine, et maintenant ça. Bon, je sais que ce n'était pas le problème. Je lui ai fait peur, j'ai déclenché sa terreur de l'événement.

L'événement. Bazil.

Je sais. Mais je suis incapable d'en parler.

Le silence est revenu. Finalement mon père a dit :

l'agression. Le viol. Moi aussi je dois devenir fou, Edward. Je passe mon temps à ne pas savoir où est Joe.

Tout ira bien pour lui. Elle va s'en sortir, a dit Edward.

Je ne sais pas. Elle s'éloigne peu à peu, hors de ma portée.

Et l'église ? a demandé Edward. Tu crois que ça l'aiderait si Clemence l'emmenait à l'église ? Tu sais ce que j'en pense, bien sûr, mais il y a un nouveau curé qu'elle a l'air d'apprécier.

Je ne crois pas que Geraldine y trouverait du réconfort, après tout ce temps.

Nous savions tous que ma mère avait cessé d'aller à l'église lorsqu'elle était rentrée du pensionnat. Sans jamais expliquer pourquoi. Et Clemence n'avait jamais cherché à l'y emmener, que je sache.

Et alors, tout de même, ce nouveau curé, a demandé mon père.

Intéressant. Beau, je suppose. Si l'on apprécie ce genre de physique. Typique.

De quoi ?

Des films de guerre. Des westerns de série B. Le gars chargé d'une mission vouée à l'échec. Pour couronner le tout, c'est un ancien Marine.

Parfait, un tueur de formation devenu prêtre catholique.

Un silence de mort s'est abattu entre les deux hommes et a duré si longtemps qu'il a soudain paru bruyant.

Mon père s'est levé. Je l'ai entendu aller et venir d'un pas traînant. J'ai entendu le son velouté de l'alcool que l'on verse.

Edward, que savons-nous de ce curé ?

Pas grand-chose.

Réfléchis.

Sers-m'en un autre. Il est du Texas. De Dallas. Là où est mort le martyr catholique qui est au mur de notre cuisine. Dallas. C'est de là qu'il vient, ce curé.

Je ne connais pas Dallas.

Plus précisément, il est d'une petite ville aride aux abords de Dallas. Il a un fusil et je l'ai vu dégommer des chiens de prairie.

Quoi ? C'est bizarre pour un bénédictin. Ils me paraissaient être des gens plus policés et plus avisés que cela.

Exact, en général, mais c'est un nouveau, ordonné prêtre depuis peu. Il n'est pas comme – mais, oh, qui se souvient du père Damien ? Et, ah, il cherche. Ses sermons sont pleins d'interrogations, Bazil. Il m'arrive parfois de me demander s'il est parfaitement équilibré, ou bien alors, s'il se pourrait qu'il soit simplement... intelligent.

J'espère qu'il n'est pas comme le précédent qui avait écrit au journal une lettre torride sur les charmes funestes des femmes indiennes. Tu te souviens comme on en avait ri ? Bon Dieu !

Si seulement il était question de Dieu. Parfois, quand je suis à l'adoration du Saint-Sacrement en compagnie de Clemence, je vois double, comme en ce moment.

Et qu'est-ce que tu vois ?

Je vois deux curés, l'un qui administre l'eau bénite avec un goupillon d'argent, l'autre armé d'une carabine.

Une simple carabine à air comprimé, sans aucun doute.

Une simple carabine à air comprimé, oui. Mais avec ça il était rapide, meurtrier et précis.

Décompte des chiens de prairie ?

Une bonne douzaine. Tous K.O. sur le terrain de jeux.

Les deux hommes ont marqué un temps d'arrêt, ont

réfléchi, puis Edward a continué : Cela ne fait pas pour autant de lui...

Je sais. Mais la maison-ronde. Symbole des vieilles coutumes païennes. Les femmes indiennes. Mettre le feu aux deux en même temps – la tentation et le crime brûlés comme dans un sacrifice par le feu... oh, mon Dieu.

La voix de mon père s'est étranglée.

Allons, allons, Bazil, a dit Edward. Ce ne sont que des mots.

Mais moi je me suis dit que la culpabilité du curé paraissait plausible. Ce soir-là, couché sur le canapé d'où je les écoutais sans qu'ils s'en doutent un seul instant, j'ai pensé que j'avais peut-être entendu la vérité. Tout ce qu'il nous fallait, c'était une preuve.

J'ai dû m'endormir pendant une bonne heure. Oncle Edward et mon père m'ont réveillé au moment où ils entraient dans la cuisine, en entrechoquant leurs verres et en allumant et éteignant les lumières. J'ai entendu mon père ouvrir la porte et dire au revoir à Edward, et entendu Pearl rentrer. Papa lui a parlé d'une voix apaisante. Il n'avait pas du tout l'air soûl. Je l'ai entendu verser à manger dans la gamelle de Pearl. Puis les dents de la chienne croquer et grincer avec application. Il m'a semblé que papa posait une ou deux assiettes dans l'évier, mais arrêtait ensuite de faire la vaisselle. Il a éteint la lumière. Je me suis rencogné dans les coussins du canapé au moment où il passait, mais de toute façon il ne m'aurait pas remarqué.

Mon père fixait de façon tellement intense le haut de l'escalier tout en montant, marche après marche, d'un pas décidé, que j'ai fait sans bruit le tour du canapé pour voir ce qu'il regardait – un rai de lumière sous la porte de la chambre à coucher, peut-être. Du pied de l'escalier, je l'ai observé qui s'avançait d'une démarche traînante vers la porte de la chambre, soulignée de noir. Il s'est arrêté devant, puis a continué. Vers la salle de bains, ai-je pensé. Mais non. Il a ouvert la porte de la petite pièce glacée dont ma mère se servait pour sa couture. Il y avait là un étroit lit de repos, mais réservé aux invités. Aucun de nous n'y avait jamais dormi. Même quand l'un de mes parents avait la grippe ou un rhume, ils dormaient dans le même lit. Ils ne cherchaient jamais à se protéger des maladies de l'autre.

La porte de la pièce à couture s'est refermée. J'ai entendu les bruissements des allées et venues de mon père là-dedans, et espéré qu'il en ressortirait. Espéré qu'il était entré y chercher quelque chose. Mais alors le lit a grincé. Le silence est revenu. Papa était couché là en compagnie de la machine à coudre et des cartons pleins de tissus soigneusement pliés, du panneau perforé qu'il avait vissé au mur et où était accrochée une centaine de couleurs de fils de soie, des ciseaux rangés par taille, du mètre ruban bien enroulé et de la pelote à épingles en forme de cœur.

Je suis monté et me suis déshabillé en somnolant, mais au moment où j'ai posé la tête sur l'oreiller je me suis aperçu que mon père n'avait même pas vérifié si j'étais rentré. Il m'avait complètement oublié. Je suis resté dans mon lit, incapable de dormir, outré. Sans arrêt, j'ai repassé dans ma tête les événements de la journée. Elle avait été bourrée de découvertes et d'informations dangereuses. J'y ai repensé du début à la fin. Ensuite je suis remonté plus loin, au soir de la cocotte qui avait valdingué par terre. À la tension amère des sentiments refoulés alors que ma mère flottait jusqu'en haut des marches, à la sourde anxiété de mon père pendant que nous lisions sous la lampe. De tout mon être, je voulais revenir au temps d'avant tout ce qui était arrivé. Je voulais entrer dans notre cuisine qui sentait bon, m'asseoir à la table de ma mère avant qu'elle ne m'ait frappé et avant que mon père n'ait oublié mon existence, je voulais entendre ma mère rire au point d'en grogner. Je voulais remonter le temps et empêcher maman de retourner à son bureau, ce dimanche-là, chercher ces dossiers. Je n'arrêtais pas de penser qu'il m'aurait été si facile de monter en voiture avec elle, cet après-midi-là. Que j'aurais pu proposer de me charger de cette course. J'étais entré dans le sillon du remords – planté des graines de la rancœur – propre aux jeunes hommes.

Quand j'en suis arrivé à la rancœur, j'en ai éprouvé envers tout ce à quoi je pouvais penser, y compris ce dossier que ma mère était repartie chercher. Ce dossier. Quelque chose me turlupinait. Le dossier lui-même. Personne n'en avait parlé. Pourquoi était-elle retournée chercher un dossier ? Que contenait-il ? J'en revenais à mes pauvres regrets. Mais je lui poserais la question. J'en apprendrais davantage sur ce qui l'avait ramenée là-bas un dimanche. Il y avait eu, cela me revenait maintenant, un coup de téléphone. Il y avait eu un coup de téléphone et le son de sa voix qui y répondait. Et puis elle avait tournicoté, nettoyant des trucs, entrechoquant bruyamment des assiettes, agitée, bien que jusqu'à maintenant je n'aie pas fait le lien.

Ensuite, elle était partie en mentionnant le dossier.

Finalement mon cerveau a ralenti, triant et transformant les pensées en images. J'étais à moitié endormi quand j'ai entendu Pearl s'approcher de la fenêtre de ma chambre. Ses griffes ont cliqueté sur le plancher nu. Je me suis tourné vers la fenêtre et j'ai ouvert les yeux. Pearl se tenait immobile, les oreilles pointées, ses sens concentrés sur quelque chose qui était dehors. J'ai songé à un raton laveur ou à une mouffette. Mais sa façon d'observer, patiente, sans un aboiement, m'a complètement réveillé. Je me suis glissé hors du lit et approché de cette grande fenêtre, l'appui à une trentaine de centimètres à peine du sol. Le clair de lune éclairait le bord des choses, suggérait des images dans les ombres. À genoux à côté de Pearl, j'ai distingué la silhouette.

Elle se tenait au bout du jardin, dans l'enchevêtrement de branches. Sous nos yeux, ses mains les ont écartées et elle a levé les yeux vers la fenêtre de ma chambre. J'ai nettement distingué ses traits – la mine ridée, plus ou moins revêche, les yeux creux sous un front plat, des cheveux drus et argentés – mais je n'aurais su dire si cet être était un homme ou une femme, ni d'ailleurs s'il était vivant, mort, ou quelque part entre les deux. Je n'étais pas vraiment inquiet, mais j'avais le net sentiment que ce que je voyais était irréel. Pourtant il n'était ni humain ni totalement inhumain. Il m'a vu et mon cœur a bondi. J'ai aperçu ce visage de tout près. Un éclat brillait derrière sa tête. Les lèvres remuaient, mais je ne distinguais pas les mots, sauf qu'il semblait répéter toujours les mêmes. Les mains ont reculé et les branches se sont refermées sur lui. La chose était partie. Pearl a tourné trois fois sur elle-même et s'est réinstallée sur la carpette. Je me suis endormi dès que j'ai posé la tête sur l'oreiller, peut-être épuisé par l'effort mental requis pour admettre ce visiteur dans ma conscience.

Mon père avait racheté une vilaine pendule, et elle égrenait de nouveau son tic-tac dans la cuisine silencieuse. Je m'étais levé avant lui. Je me suis fait griller deux tartines et les ai mangées debout, puis j'en ai fait griller deux autres que j'ai posées sur une assiette. Je n'en étais pas encore arrivé aux œufs, et n'avais pas non plus appris à préparer la pâte à crêpes. Cela viendrait plus tard, quand je me serais fait à l'idée que j'avais commencé à vivre une existence séparée de celle de mes parents. Une fois que j'aurais commencé à travailler à la station-service. Mon père est entré alors que j'étais attablé devant ma tartine. Il a marmonné entre ses dents, et n'a pas remarqué que je ne lui répondais pas. Il ne s'était pas encore attaqué à son café. Bientôt il serait ramené à la vie. Il préparait sa mixture à l'ancienne, en versant le café moulu dans une cafetière de camping en émail noir moucheté et en y jetant un blanc d'œuf pour figer le marc. Il a posé une main sur mon épaule un court instant. Je l'ai repoussée d'un geste. Il portait sa vieille robe de chambre bleue en laine ornée du drôle d'écusson doré. Il s'est assis pour attendre son café et a demandé si j'avais bien dormi.

Où ça ? ai-je dit. D'après toi, où est-ce que j'ai dormi cette nuit ?

Sur le canapé, a-t-il répondu, étonné. Tu ronflais comme un sonneur et j'ai posé une couverture sur toi.

Oh.

La cafetière a sifflé et il s'est levé, a tourné le bouton du gaz et s'en est versé une tasse.

Je crois que j'ai vu un fantôme la nuit dernière, ai-je annoncé à mon père.

Il s'est rassis en face de moi et je l'ai regardé dans les yeux. J'étais convaincu qu'il expliquerait l'incident et me démontrerait comment et pourquoi je m'étais trompé. J'étais convaincu qu'il affirmerait, comme étaient censés le faire les adultes, que les fantômes n'existent pas. Mais il s'est contenté de me regarder, les cernes sous ses yeux gonflés, les rides sombres devenues permanentes. Je me suis rendu compte qu'il n'avait pas bien dormi, ou pas du tout.

Le fantôme se tenait tout au bout du jardin, ai-je ajouté. Il avait presque l'air d'une personne réelle.

Oui, ils sont là-dehors, a reconnu mon père.

Il s'est levé et a versé un autre café à monter à ma mère. Au moment où il quittait la pièce, j'ai ressenti une inquiétude qui s'est vite muée en rage. J'ai lancé un regard furieux à son dos. Soit il avait fait exprès de ne pas se soucier d'apaiser mes craintes en me défiant, soit il ne m'avait même pas écouté. Et avait-il vraiment posé une couverture sur moi ? Quand il est redescendu, je lui ai parlé sur un ton agressif.

Fantôme, je t'ai dit fantôme. Comment ça, ils sont là dehors ?

Il a repris du café. S'est assis en face de moi. Comme d'habitude, il a refusé de se laisser perturber par ma colère.

Joe. J'ai travaillé dans un cimetière.

Et alors ?

De temps à autre il y avait un fantôme, voilà tout. Les fantômes étaient là. Parfois ils entraient, et ressemblaient vraiment aux gens. De temps à autre, je reconnaissais dans l'un d'eux une personne que j'avais enterrée, mais dans l'ensemble ils ne ressemblaient pas beaucoup à ce qu'ils avaient été. Mon ancien patron m'avait appris à les repérer.

Ils paraissaient plus décolorés que les vivants, et aussi sans énergie, quoique irritables. Ils se baladaient, désignaient les tombes d'un signe de tête, scrutaient les arbres et les pierres jusqu'à ce qu'ils retrouvent leur sépulture. Et puis ils restaient là, désorientés peut-être. Je ne me suis jamais approché d'eux.

Mais alors comment savais-tu que c'étaient des fantômes ?

Oh, on le sait, c'est tout. N'as-tu pas compris que ce que tu as vu était un fantôme ?

J'ai répondu que si. J'étais toujours furieux. Ah bravo, ai-je lancé. Alors maintenant, on a des fantômes.

Mon père, tellement rigoureux et rationnel qu'il avait d'abord dit non à la communion puis refusé carrément d'assister à la messe, croyait aux fantômes. En fait, il connaissait l'existence des fantômes, savait des choses qu'il ne m'avait jamais confiées. Si oncle Whitey avait raconté ces trucs-là sur des fantômes qui se baladaient et ressemblaient à de vraies personnes, j'aurais compris qu'il me faisait marcher. Mais mon père avait une façon très différente de me taquiner et je savais que, dans le cas présent, il ne me taquinait pas. Parce qu'il prenait mon fantôme au sérieux, je lui ai demandé ce que je tenais vraiment à savoir.

Bon. Alors pourquoi était-il là ?

Mon père a hésité.

À cause de ta mère, probablement. Ils sont attirés par tout ce qui est perturbation. Et puis, il arrive qu'un fantôme soit une personne venue de ton futur. Une personne précipitée à rebours dans le temps, je suppose, par erreur. Je l'ai entendu dire par ma propre mère.

Sa mère, ma grand-mère, était issue d'une famille médecine. Elle avait raconté des tas de choses qui avaient d'abord paru étranges et puis qui s'étaient réalisées plus tard dans la vie.

Elle aurait recommandé de prendre garde à ce fantôme. Qui cherchait peut-être à t'avertir.

Mon père a posé sa tasse de café et je me suis souvenu que la nuit passée il avait dormi à côté de la machine à coudre, et non auprès de ma mère, et que oncle Edward et lui avaient deviné que le curé était un suspect, qu'ils avaient peut-être même deviné plus que je n'en savais parce que je m'étais endormi. Le curé, le bidon d'essence, le tas de vêtements puants et les procès, tout s'est réuni en un écheveau emmêlé. J'ai eu la gorge sèche et je n'ai pas pu avaler. Je suis resté là. Il est resté là. Le fantôme était venu pour ma mère, ou pour m'avertir.

S'il y a quelque chose que je ne tiens pas à savoir, c'est ce qu'un fantôme veut me dire, ai-je remarqué.

Au même moment, il m'est venu à l'idée que Randall avait lui aussi vu un truc dans le même genre, ce qui m'a réconforté. Si ce fantôme, ou je ne sais trop quoi, cherchait Randall, celui-ci pourrait arranger ça grâce à sa médecine. Il ferait une offrande de tabac. Je ferais une offrande de tabac. Le fantôme s'en irait ou pourrait peut-être même aider ma mère. Qui sait ? Elle était là-haut, sur sa table de nuit le café refroidissait. Je savais qu'elle n'y toucherait pas, que la tasse resterait là. Une pellicule luisante se serait formée sur le truc froid et dégoûtant. Elle laisserait un cerne noir dans la tasse. Tout ce que nous apportions à maman revenait, laissait un cerne ou une croûte, refroidissait, se figeait ou durcissait. J'en avais marre de redescendre la nourriture qu'elle gaspillait.

Mon père a penché la tête et posé son front sur son

poing. Il a fermé les yeux. Il y avait le tic-tac de la pendule dans cette cuisine ensoleillée. Autour du cadran de la pendule il y avait comme des rayons de soleil. Mais c'étaient des tortillons en plastique et le truc ressemblait plutôt à une pieuvre dorée. J'ai pourtant continué à regarder la pendule parce que si je baissais les yeux il faudrait que je voie le sommet du crâne de mon père. Voir le cuir chevelu brun coquille d'œuf et la mince touffe de cheveux gris me mettrait hors de moi. Je craquerais, ai-je songé, si je baissais les yeux.

Alors j'ai dit : Hé, papa, ce n'est qu'un fantôme. On peut s'en débarrasser.

Mon père s'est redressé brusquement et de ses deux mains il s'est essuyé le visage. Je sais, a-t-il répondu. Il n'a pas de foutu message et il n'est pas vraiment venu pour elle. Elle va aller mieux, elle va s'en remettre. Elle va retourner travailler la semaine prochaine. Elle en a parlé. Et elle lit des livres, enfin, en tout cas elle lit un magazine. Clemence a fait entrer un peu de lecture facile dans la maison. Le *Reader's Digest*. Mais c'est bien, non ? Le fantôme. Comment ça, nous allons nous en débarrasser ?

Le père Travis. Il peut bénir le jardin ou un truc dans ce genre.

Mon père a bu une gorgée de café et ses yeux m'ont jaugé par-dessus le bord de la tasse. Je voyais maintenant une énergie le gagner. Il redevenait plus ou moins lui-même. Il savait quand on lui racontait des conneries.

Alors tu étais réveillé, a-t-il dit. Tu nous as entendus.

Oui, et j'en sais davantage, ai-je répondu. Je suis allé à la maison-ronde.

5

L'*Enterprise* en folie

Quand la pluie tiède tombe en juin, a affirmé mon père, et que le lilas s'épanouit. Là, elle descendra. Elle adore le parfum du lilas. Un vieux bosquet d'arbustes planté par le délégué agricole de la réserve fleurissait contre l'extrémité sud du jardin. Ma mère a raté sa splendeur. Les faces frêles de ses pensées ont resplendi et puis les églantiers dans les fossés se sont parés d'un rose naïf. Elle les a ratés aussi. Maman avait semé ses fleurs à massif chaque année, d'aussi loin que je m'en souvienne. Elle disposait ses bacs en briques de lait sur le plan de travail de la cuisine et sur les appuis de toutes les fenêtres orientées au sud, en avril – mais les jeunes plants de pensées étaient les seuls qui avaient survécu pour être repiqués dehors. Après cette semaine, nous avions oublié de nous occuper de tous les autres. Nous avions trouvé les tiges grêles desséchées et craquantes. Papa avait jeté les plants et la terre au fond du jardin et brûlé les fonds de briques de lait avec les ordures, détruisant ainsi les traces de notre négligence. On ne peut pas dire qu'elle s'en était rendu compte.

Le matin où j'ai parlé à mon père de la maison-ronde, il a repoussé sa chaise, s'est levé et m'a tourné le dos. Quand il m'a fait face de nouveau, son visage était calme et il m'a dit que nous en reparlerions. Nous allions garnir le jardin de ma mère. Tout de suite. Il avait acheté à grands frais des fleurs à massifs dans une serre délabrée située à une trentaine de kilomètres de la réserve. Des caissettes en carton et des plateaux en plastique étaient posés à l'ombre. Il y avait des pétunias rouges, violets, roses, et rayés. Des soucis jaunes et orange. Il y avait des myosotis bleus, des grandes marguerites, des marguerites d'Afrique mauves, et des tisons de Satan rouge feu. Papa m'a donné des instructions. J'ai repiqué les plants un par un dans les plates-bandes. Maman avait une roue de tracteur peinte en blanc et remplie de terre, et sur la façade de part et d'autre des marches des parterres rectangulaires assortis. J'ai ajouté des lobelias et des ibéris aux pensées, dans les massifs étroits qui bordaient l'allée. J'ai gardé toutes les fragiles étiquettes en plastique pour qu'elle les voie. De temps en temps, tout en travaillant je réfléchissais aux dossiers. Au fantôme. Aux petites bribes confuses. À la maison-ronde. Je commençais à appréhender la discussion avec mon père. Les dossiers, encore. Et l'idée du curé qui me turlupinait, ensuite les Lark, et encore le curé. Derrière la maison s'étendait le potager de maman – toujours recouvert de paille. Après avoir planté les fleurs, je suis passé derrière la maison pour empiler les pots en plastique et ranger les outils.

Garde-les dehors. Nous allons retourner la terre dans le potager de ta mère, a dit mon père.

Pour quoi faire ?

Il s'est contenté de me redonner la pelle que j'avais laissé tomber, et a montré du doigt le bout du jardin où des bulbes d'oignons, des semis de tomates, des sachets de graines de haricots verts et de belles-de-jour attendaient. Nous avons travaillé ensemble une heure de plus. Une fois terminée la moitié du terrain, c'était l'heure du déjeuner. Papa est parti acheter le reste des plants. Je suis entré dans la maison. J'étais censé veiller sur ma mère. J'ai farfouillé dans la cuisine. Il y avait une boîte de pâté de jambon sur le plan de travail, une clé fixée au sommet pour en détacher le couvercle. Je me suis préparé un sandwich, je l'ai mangé, et j'ai bu deux verres d'eau. Il y avait un paquet de biscuits avec de la confiture rouge au centre. J'en ai avalé une poignée. Ensuite j'ai préparé un autre sandwich que j'ai mis sur une assiette et entouré de deux biscuits pour la décoration. Je suis monté à l'étage en emportant l'assiette et un verre d'eau. Pearl avait appris à guetter et à engloutir la nourriture déposée devant la porte de la chambre, maintenant nous l'apportions donc toujours à l'intérieur. J'ai placé l'assiette en équilibre sur le verre d'eau, et j'ai frappé. Il n'y a pas eu de réponse. J'ai frappé plus fort.

Entre, a dit ma mère. Je suis entré. Cela faisait maintenant plus d'une semaine qu'elle avait monté cet escalier, et la chambre avait pris une odeur de renfermé. L'air était chargé de son haleine, comme si elle avait aspiré tout l'oxygène. Elle gardait les stores baissés. J'avais envie de poser le sandwich et de filer à toutes jambes. Mais elle m'a demandé de m'asseoir.

J'ai mis le sandwich et l'eau sur la table de nuit carrée dont j'avais retiré tant de sandwiches rassis, de verres à moitié bus, et de bols de soupe froide. Si elle avait mangé quoi que ce soit je ne l'avais pas vu. J'ai tiré près du lit une chaise légère à l'assise rembourrée. J'ai supposé que

maman voulait que je lui fasse la lecture. Clemence ou mon
père choisissaient les livres – rien de triste ni de bouleversant. C'était donc des romans roses ennuyeux (Harlequin) ou des vieux *Condensés du Reader's Digest* (mieux).
Ou bien les *Plus beaux poèmes.* Papa avait coché « Invictus » et « High Flight », que j'avais lus. Ils avaient provoqué chez ma mère un petit rire sec.

J'ai tendu la main pour allumer la lampe de chevet –
maman refusait qu'on remonte le store, que la lumière
entre à flots par la fenêtre. Avant que j'atteigne l'interrupteur, elle m'a saisi le bras. Son visage était une tache pâle
dans l'air sombre, et ses traits étaient barbouillés de lassitude. Elle ne pesait plus rien, n'était plus que des os
saillants. Ses doigts m'ont broyé le bras. Sa voix était indistincte, comme si elle venait de se réveiller.

Je vous ai entendus tous les deux. Que faisiez-vous
dehors ?

On était en train de creuser.

De creuser quoi, une tombe ? Ton père creusait des
tombes autrefois.

J'ai repoussé son bras d'une secousse et me suis écarté
d'elle. Son allure d'araignée était repoussante, et ses
paroles étaient tellement étranges. Je me suis assis sur la
chaise.

Non, maman, pas des tombes. Je parlais d'un ton prudent. On travaillait la terre de ton potager. Et avant, je
plantais des fleurs. Des fleurs à regarder, pour toi, maman.

À regarder ? À regarder ?

Elle s'est retournée, m'a présenté son dos. Ses cheveux
sur l'oreiller étaient raides et gras, toujours noirs, à peine
quelques fils gris. J'apercevais nettement son épine dorsale

sous la mince chemise de nuit, chaque vertèbre saillait, et ses épaules formaient des bosses. Ses bras se réduisaient à des baguettes.

Je t'ai préparé un sandwich.

Merci, mon chéri, a-t-elle murmuré.

Tu veux que je te fasse la lecture ?

Non, ça va.

Maman, il faut que je te parle.

Rien.

Il faut que je te parle, ai-je répété.

Je suis fatiguée.

Tu es toujours fatiguée, pourtant tu dors tout le temps.

Elle n'a pas répondu.

C'était une simple remarque, ai-je dit.

Son silence m'énervait.

Tu ne peux donc pas manger ? Tu te sentirais mieux. Tu ne peux donc pas te lever ? Tu ne peux donc pas... revenir à la vie ?

Non, a-t-elle répliqué aussitôt, comme si elle aussi y avait réfléchi. Je ne peux pas. Je ne sais pas pourquoi. Je ne peux pas, c'est tout.

Elle me tournait toujours le dos et un léger tremblement a démarré dans ses épaules.

Tu as froid ? Je me suis levé et j'ai remonté la couverture sur ses épaules. Puis je me suis rassis sur la chaise.

J'ai planté les pétunias rayés que tu aimes bien. Tiens ! J'ai sorti de mes poches les petites étiquettes d'identification en plastique, les ai éparpillées sur le lit. Maman, j'ai planté plein de variétés de fleurs différentes. J'ai mis des pois de senteur.

Des pois de senteur ?

Je n'avais pas mis de pois de senteur. Je ne sais pas pourquoi j'ai dit ça. Des pois de senteur, ai-je répété. Des tournesols ! Je n'avais pas non plus mis de tournesols.

Des tournesols, ça devient immense.

Elle s'est retournée dans son lit et m'a dévisagé. Ses yeux étaient enfoncés dans des cernes de peau grise.

Maman, il faut que je te parle.

De quoi, des tournesols ? Joe, ils vont faire de l'ombre aux autres fleurs.

Je devrais peut-être les replanter ailleurs, ai-je reconnu. Il faut que je te parle.

Son visage s'est assombri. Je suis fatiguée.

Maman, est-ce qu'ils t'ont posé des questions sur ce dossier ?

Quoi ?

Elle m'a regardé, saisie d'un effroi soudain, ses yeux rivés à mon visage.

Il n'y avait pas de dossier, Joe.

Mais si. Le dossier que tu es partie chercher le jour où tu as été agressée. Tu m'as dit que tu partais chercher un dossier. Où est-il ?

L'effroi sur son visage s'est mué en peur active.

Je ne t'ai rien dit. Tu l'as imaginé, Joe.

Ses lèvres tremblaient. Elle s'est roulée en boule, a plaqué ses poings rétrécis sur sa bouche et a serré les paupières.

Maman, écoute. Tu ne veux donc pas qu'on l'attrape ?

Elle a rouvert les yeux. C'étaient des gouffres noirs. Elle n'a pas répondu.

Maman, écoute. Je vais le trouver et je vais le faire cramer. Je vais le tuer pour toi.

Elle s'est assise d'un coup, réactivée, comme si elle reve-

nait d'entre les morts. Non ! Pas toi. Surtout pas. Écoute,
Joe, il faut que tu me le promettes. Ne t'en prends pas à
lui. Ne fais rien.

Mais si, maman.

Ce violent sursaut qu'elle a eu a déclenché quelque
chose en moi. J'ai continué à la tarabuster.

Je le ferai. Rien ne peut m'arrêter. Je sais qui c'est et je
vais m'en prendre à lui. Tu ne peux pas m'en empêcher
parce que tu es au lit. Tu ne peux pas sortir. Tu es piégée
ici. Et ça pue. Tu sais que ça pue, ici ?

Je suis allé à la fenêtre et je m'apprêtais à relever le store
quand ma mère m'a parlé. Je veux dire, ma mère d'avant,
celle qui était capable de me dicter ma conduite, elle m'a
parlé.

Arrête, Joe.

Je me suis détourné de la fenêtre. Maman était assise.
Le sang avait entièrement quitté son visage. Sa peau avait
un aspect terreux, privé de soleil. Mais elle m'a regardé et
a parlé d'un ton égal et plein d'autorité.

Maintenant écoute-moi, Joe. Tu ne vas ni me persécu-
ter ni me harceler. Tu vas me laisser penser à ma guise,
ici. Il faut que je guérisse coûte que coûte. Tu vas cesser
de poser des questions et tu ne me donneras aucun souci.
Tu ne t'en prendras pas à lui. Tu ne me terroriseras pas,
Joe. J'ai eu assez peur pour ma vie entière. Tu ne vas pas
ajouter à ma peur. Tu ne vas pas ajouter à mes chagrins.
Tu ne te mêleras pas de ça.

J'étais debout devant elle, de nouveau petit.

Ça quoi ?

Tout ça. Elle a fait un grand geste du bras vers la porte.
Tout ça est une violation. Le trouver, ne pas le trouver.

Qui est-ce ? Tu n'en as aucune idée. Aucune. Tu ne le sais pas. Et tu ne le sauras jamais. Laisse-moi dormir.

D'accord, ai-je dit, et j'ai quitté la chambre.

En descendant l'escalier, mon cœur s'est glacé. J'avais l'impression qu'elle savait qui avait fait ce truc-là. C'était certain, elle cachait quelque chose. Qu'elle sache qui l'avait fait était une sacrée secousse. J'en avais mal aux côtes. Je n'arrivais pas à reprendre mon souffle. Je suis allé droit à la cuisine et puis je suis sorti par la porte de derrière, au soleil. J'ai avalé de grandes goulées de soleil. C'était comme si j'avais été enfermé en présence d'un cadavre déchaîné. J'ai envisagé d'arracher jusqu'à la dernière toutes les plantes que j'avais mises en terre et de piétiner ces fleurs dans le sol. Mais Pearl s'est approchée de moi. J'ai senti ma colère filer à toute allure.

Je vais t'apprendre à rapporter, ai-je annoncé.

Je suis allé au bout du jardin ramasser un bâton. Pearl m'a accompagné au petit trot. J'ai tendu le bras, attrapé le bâton et me suis redressé pour le lancer, mais une masse indistincte est passée à toute vitesse et le bâton m'a été violemment arraché de la main. J'ai tournoyé sur moi-même. Pearl, à quelques pas de moi, tenait le bâton dans sa gueule.

Lâche-le, ai-je ordonné. Ses oreilles de loup se sont couchées. J'étais furieux. J'ai avancé et saisi le bâton pour le lui retirer de la gueule, mais elle a poussé un grognement qui en disait long et j'ai cédé.

Très bien, ai-je dit. Alors c'est comme ça que tu joues.

Je me suis un peu écarté et j'ai ramassé un autre bâton. Je l'ai brandi pour le lancer. Pearl a lâché le sien et a foncé sur moi avec la claire intention de m'arracher le bras. J'ai laissé tomber le bâton. Quand il a été par terre, elle l'a flairé, satisfaite. J'ai fait une nouvelle tentative. Je me suis penché pour reprendre le bâton, et à l'instant même où je refermais mes doigts dessus Pearl s'est approchée de moi et a saisi mon poignet entre ses dents. J'ai lentement relâché le bâton. Elle avait les mâchoires si puissantes qu'elle aurait pu me briser l'os. Je me suis redressé avec prudence, la main vide, et elle m'a lâché le bras. Il y avait des marques de pression, mais pas une seule dent ne m'avait entamé la peau.

Donc tu ne joues pas à rapporte, tout compte fait, ai-je dit.

Mon père a garé la voiture à ce moment-là et a sorti du coffre une autre caissette de plantes de jardinerie hors de prix. Nous les avons emportées derrière la maison et posées le long du potager. Pendant le restant de l'après-midi, nous avons retiré la vieille paille, puis bêché et ratissé la terre noire. Nous l'avons tamisée pour éliminer les vieilles racines et les tiges mortes, nous avons brisé les mottes, de sorte que la terre était fine et légère. Humide loin sous la surface. Riche. J'ai commencé à bien aimer ce que je faisais. La terre a drainé ma rage. Nous avons sorti les plantes prisonnières de leurs pots et démêlé délicatement les racines avant de les installer dans des trous et de tasser la terre autour des tiges. Ensuite nous avons traîné des seaux d'eau, arrosé les jeunes plants, et puis nous sommes restés là.

Mon père a sorti un cigare de sa poche, puis m'a regardé et l'a rangé.

Ce geste m'a de nouveau mis en rage.

Vas-y, fume-le si tu veux, ai-je lancé. Je ne m'y mettrai pas. Je ne serai pas comme toi.

J'ai attendu que sa colère mouche la mienne, mais j'ai été déçu.

Je vais attendre un peu, a-t-il dit. Nous n'avons pas fini de discuter, pas vrai ?

Non.

Sortons les chaises de jardin.

J'ai mis deux chaises de jardin à un endroit où nous pouvions avoir une vue sur notre travail. Pendant que papa était parti, j'ai sorti le bidon d'essence vide de sous les marches et je l'ai glissé sous ma chaise. Papa a rapporté une brique de citronnade et deux verres. J'ai su, au temps qui s'était écoulé, qu'il avait aussi monté un verre à l'étage. Nous nous sommes assis, notre verre de citronnade à la main.

Merde alors, rien ne t'échappe, Joe, a-t-il remarqué au bout d'un moment. La maison-ronde.

J'ai sorti le bidon d'essence de sous ma chaise et l'ai posé par terre entre nous deux.

Mon père l'a regardé fixement.

Où... ? a-t-il demandé.

C'était tout droit à travers bois en partant de la maison-ronde. À quatre ou cinq mètres du bord, dans le lac.

Dans le lac...

Il l'avait jeté là.

Bon sang de bonsoir.

Il a tendu le bras pour toucher le bidon, mais a retiré sa main. L'a posée sur l'accoudoir en aluminium de la chaise. Il a regardé du coin de l'œil les petits plants bien alignés dans le jardin, puis lentement, très lentement, il s'est tourné et m'a regardé sans ciller, de cet œil auquel rien n'échappait que je l'imaginais poser sur les assassins, avant de découvrir qu'il n'avait affaire qu'à des voleurs de hot-dogs.

Si je pouvais te tanner la peau, a-t-il dit, je le ferais. Mais il m'est… je ne pourrais jamais te faire de mal. Et puis, je suis convaincu que si je te tannais vraiment la peau, la tannée n'aurait pas l'effet désiré. En fait, elle risquerait de te monter contre moi. Elle risquerait de t'inciter à agir en cachette. Je vais donc devoir te le demander instamment, Joe. Je vais devoir te demander d'arrêter tout ça. Plus de traque de l'agresseur. Plus de recherches d'indices. Je me rends compte que c'est ma faute parce que je t'ai donné à lire les dossiers des procès. Mais j'ai eu tort de te mêler à cette histoire. Tu es un satané curieux, Joe. Tu m'as sacrément étonné. J'ai peur. Tu pourrais te fourrer dans… s'il t'arrivait quoi que ce soit…

Il ne m'arrivera rien !

J'avais pensé que mon père serait fier. Qu'il pousserait un de ses sifflements de surprise en sourdine. J'avais pensé qu'il m'aiderait à envisager la suite. Comment tendre le piège. Comment attraper le curé. Mais non, j'avais droit à un sermon. Je me suis carré dans ma chaise et j'ai balancé un coup de pied au bidon.

Pour parler à cœur ouvert, Joe. Écoute, c'est un sadique. Ça dépasse les limites, c'est quelqu'un qui n'a pas de… ça dépasse de très loin…

De très loin *ta juridiction*, ai-je lancé. Il y avait une pointe de moquerie juvénile dans ma voix.

Bon, tu comprends un peu ces questions de juridiction, a-t-il remarqué, en percevant mon mépris, avant de l'ignorer. Joe, je t'en prie. À présent, en tant que père, je te demande de laisser tomber. Cela regarde la police, tu comprends ?

135

Laquelle ? La tribale ? Celle de la route ? Le FBI ? Qu'est-ce qu'ils en ont à fiche ?

Écoute, Joe, tu connais Soren Bjerke.

Oui. Je me souviens de ce que tu as dit un jour des agents du FBI qui héritent des réserves indiennes.

Qu'est-ce que j'ai dit ? s'est-il enquis d'une voix prudente.

Tu as dit que s'ils y sont affectés, soit ce sont des bleus soit ils sont brouillés avec leur commandement.

J'ai dit ça, moi ? a demandé mon père. Il a hoché la tête, a failli sourire.

Soren n'est pas un bleu.

D'accord, papa. Alors pourquoi il n'a pas trouvé le bidon d'essence ?

Je ne sais pas.

Moi, je sais. Parce qu'il ne se soucie pas de maman. Pas vraiment. Pas comme nous.

Je m'étais mis dans une colère noire à présent, ou bien replanté dans une colère noire avec chacune des pauvres plantes de serre qui ne réussiraient pas à attirer l'attention de ma mère. Il semblait que tout ce que mon père faisait, ou disait, était destiné à me rendre fou de rage. Je m'étranglais, là, tout seul avec mon père en cette fin d'après-midi paisible. Un gros nuage irrégulier avait gonflé au-dessus de ma tête – tout à coup, je n'avais plus qu'une envie, c'était d'échapper à mon père, à ma mère aussi, de déchirer leur tissu de culpabilité, de protection et d'émotions révoltantes et indéfinissables.

Faut que j'y aille.

Une tique s'est mise à escalader ma jambe. J'ai remonté

le revers de mon pantalon, je l'ai attrapée et sauvagement fendue en deux d'un coup d'ongle.

Très bien, a dit mon père d'un ton calme. Où veux-tu aller ?

N'importe où.

Joe, a-t-il repris d'une voix prudente. J'aurais dû te dire que j'étais fier de toi. Je suis fier de l'amour que tu portes à ta mère. Fier de ta façon de raisonner. Mais comprends-tu que si jamais il t'arrivait quelque chose, Joe, ta mère et moi serions... nous ne pourrions pas le supporter. Tu nous as donné la vie...

J'ai bondi. Des taches jaunes palpitaient devant mes yeux.

C'est vous qui m'avez donné la vie. C'est comme ça que ça marche, normalement. Alors laissez-moi en faire ce que je veux !

J'ai foncé vers mon vélo, sauté dessus et contourné mon père à grands coups de pédales. Il a tenté de m'attraper, mais au dernier moment j'ai fait une embardée et une pointe de vitesse qui m'a mis hors de sa portée.

Je savais que mon père téléphonerait à Clemence et Edward. La station-service était hors de question pour la même raison. Les parents de Cappy et Zack avaient le téléphone. Il ne restait que Angus. J'ai filé chez lui et l'ai trouvé dehors, occupé à aplatir le chargement de canettes de bière de la veille au soir. Il n'y avait pas une seule Hamm's. Angus avait une joue écorchée et une lèvre bouffie. En fait, Star lui flanquait parfois une raclée. Et quand il était soûl, Elwin avait une façon sournoise de le coincer et de lui taper dessus – Elwin avait failli en mourir de rire. Ce qui nous aurait bien plu. Il y avait aussi une bande d'autres types qui n'appréciaient pas la coiffure d'Angus, ou un truc, n'importe quoi. Angus s'est réjoui de me voir.

Encore ces connards ?

Noooon, a-t-il répondu. Et j'ai compris que c'était sa tante ou Elwyn.

Tout en l'aidant à aplatir les canettes à coups de talon sur la terre dure comme de la pierre, derrière le bâtiment, je lui ai répété tout ce que j'avais entendu mon père et Edward raconter sur le curé la veille au soir.

Il suffirait qu'on découvre que le curé boit de la Hamm's, ai-je remarqué. Mais est-ce que les curés boivent ?

Est-ce qu'ils boivent ? Tu parles ! Ils commencent par le vin de messe. Et après, je pense qu'ils se bourrent la gueule tous les soirs.

Chaque fois que Angus écrasait une canette, ses cheveux s'envolaient tel un tapis brun. Angus avait un visage rond et de longs cils innocents. Ses grandes dents luisantes à l'allure dangereuse étaient disposées dans un désordre affolant. Sa lèvre inférieure bouffie dévoilait leur enchevêtrement désespéré.

Je veux aller à la messe, ai-je lancé.

Angus s'est arrêté, le pied en l'air. Quoi ? Tu veux aller à la messe ? Pour quoi faire ?

Est-ce qu'il y en a une ?

Ouais, à cinq heures. On peut y arriver juste à temps.

La tante d'Angus était aussi pieuse que Clemence, mais je n'étais pas sûr qu'elle ait avoué en confession qu'elle cognait sur son neveu.

On pourrait jeter un coup d'œil à ce curé, ai-je proposé.

Le père Travis.

Exact.

Ça roule, mec.

Angus est monté dans l'appartement de sa tante et en a redescendu la selle de sa BMX rose. Il l'a fixée au tube creux à l'aide d'un boulon. Il a fourré la clé plate dans sa poche. Whitey lui avait suggéré cette tactique et donné la clé plate quand on lui avait piqué son deuxième vélo d'occasion acheté à la mission. La prochaine fois qu'un gars te fauchera ton vélo, en tout cas il se fera fraiser le cul, avait promis Whitey. Nous sommes partis, nous avons fait le grand tour pour passer au large de la station-service, et nous sommes arrivés aux portes de l'église du Sacré-Cœur juste avant que la messe commence. J'ai suivi l'exemple d'Angus, fait une génuflexion et me suis assis. Nous avons pris place au premier rang. J'avais eu l'intention d'observer le curé avec un calme froid et objectif – comme, disons, le capitaine Picard scrutait le meurtrier ligonien qui avait kidnappé Yar, le chef de la sécurité. J'ai fait apparaître sur mon visage le regard fixe mais inquisiteur de Picard, au moment où la clochette sonnait pour faire lever les fidèles. Je pensais m'être préparé. Pourtant quand le père Travis est arrivé d'un pas vif, vêtu d'une aube verte qui ressemblait à une vilaine couverture, ma tête m'a paru gonfler et se remplir d'abeilles.

Hé, Starboy, ma tête bourdonne comme une saloperie de ruche, ai-je chuchoté à Angus.

Tais-toi.

Le petit groupe d'une vingtaine de personnes s'est mis à murmurer et Angus m'a glissé dans les mains une feuille

DANS LE SILENCE DU VENT

pliée. Y étaient inscrites une série dactylographiée de répons et les paroles des cantiques. Mes yeux demeuraient rivés au père Travis. Je l'avais déjà vu, évidemment, mais jamais bien regardé. Les garçons le surnommaient La Tronche à cause de ses traits inexpressifs. Les filles l'appelaient le père Quel-Gâchis parce que ses yeux délavés luisaient au-dessus de pommettes dignes des romans à l'eau de rose. Sa peau était sans tache et avait la pâleur laiteuse des roux, excepté le serpent de tissu cicatriciel violacé qui remontait le long de son cou. Il avait de petites oreilles plaquées contre son crâne, une sombre balafre en guise de bouche, et un calot de cheveux couleur renard coupés à la tondeuse qui désertaient ses tempes mais se rejoignaient brutalement au milieu. On ne voyait pas ses dents quand il parlait et son menton carré demeurait immobile, de sorte que seules les lèvres remuaient dans son visage figé et que les mots paraissaient sortir en se tortillant. À présent la régularité mécanique de ses traits, au milieu desquels s'agitait la fente toujours en mouvement d'une bouche, m'a donné suffisamment le tournis pour que je m'assoie. J'ai eu la présence d'esprit de lâcher la feuille, ce qui m'a permis de faire semblant de la récupérer entre mes genoux. Angus m'a balancé un coup de pied.

Si tu recommences, je dégueule, ai-je sifflé. Dès que nous avons pu, en faisant mine de chercher le bout de la file d'attente pour aller communier, nous sommes sortis en douce de l'église et descendus au terrain de jeux. Angus avait une cigarette. Nous l'avons coupée en deux avec soin et j'ai fumé ma part même si elle ramenait la tourbillonnante sensation de détresse. Je devais avoir l'air aussi mal que je l'étais.

J'vais aller chercher Cappy.

Ouais. Pourquoi pas. Dis-lui que je me suis barré de chez mon père et qu'il apporte à manger.

Tu t'es barré ? Angus a froncé les sourcils. J'avais toujours eu la famille idéale – aimante, riche selon les critères de la réserve, stable – la famille dont on ne se barrerait jamais. Terminé. Ses yeux ont brillé de pitié et il a filé sur son vélo. J'ai poussé le mien dans un désordre de buissons et d'arbres maigrelets, tondus au pied, qui marquaient le bout du terrain de l'église. Je l'ai appuyé contre l'arbre et me suis allongé, malgré les tiques. J'ai fermé les yeux. Étendu là, j'ai senti le sol qui attirait mon corps. J'avais réellement l'impression de sentir la pesanteur, que j'imaginais plus ou moins comme un énorme aimant en fusion placé au centre de la terre. Je le sentais me tirer à lui et me vider de mes forces. Je dépassais les limites, les frontières, j'allais là où rien n'avait de sens et où Q en robe de velours rouge était juge de la haute cour. J'ai été pris d'une somnolence aussi soudaine qu'un évanouissement. Puis je me suis réveillé en sentant les vibrations d'une série de pas rapides. J'ai ouvert les paupières et levé les yeux droit sur les lignes fluides d'une étoffe noire, la croix de bois et la cordelière du père Travis. Au-dessus de son torse raide, de sa poitrine large, de la saillie rocheuse de son menton, sous les paupières plates, ses yeux incolores étaient braqués sur moi.

On ne fume pas sur le terrain de jeux, a-t-il lancé. Une des religieuses t'a vu.

J'ai écarté les lèvres et un petit son rauque a jailli. Le père Travis a continué.

Mais tu es le bienvenu à la messe. Et si le catéchisme t'intéresse, je fais cours le samedi matin à 10 h 00.

Il a attendu.

J'ai de nouveau produit un son.

Tu es le neveu de Clemence Milk…

La force d'attraction s'est soudain inversée et je me suis redressé, chargé de l'énergie électrique que produit la motivation.

Oui, ai-je répondu. Clemence Milk est ma tante.

Et puis, miracle, j'ai retrouvé mes jambes sous moi. Je me suis levé. J'ai fait un pas vers le curé, un petit pas, mais vers lui. La formule de mon père a franchi mes lèvres.

Puis-je vous poser une question ?

Vas-y.

Où étiez-vous, entre 3 heures et 6 heures, l'après-midi du 15 mai ?

Quel jour était-ce ?

La bouche sombre est remontée aux commissures.

C'était un dimanche.

Je devais célébrer la messe. Je ne me souviens pas bien. Et puis après la messe c'est l'adoration du Saint-Sacrement. Pourquoi ?

Je demande. Sans raison particulière.

Il y a toujours une raison, a remarqué le père Travis.

Je peux vous poser une autre question ?

Non, a répondu le curé. Une question par jour. Sa cicatrice a soudain pris vie sur le côté de sa gorge. Elle rougeoyait. Tu es un gentil garçon, m'a dit ta tante, tu travailles bien en classe. Tu ne poses pas de problèmes à tes parents. Nous serions très heureux de t'avoir dans notre club de jeunes. Il a souri. J'ai vu ses dents pour la première fois. Elles étaient trop blanches et trop régulières pour être vraies. Si jeune, mais avec des fausses dents ! Et cette cicatrice comme un gros cordon de peinture le long de son cou. Il a tendu la main. Le rendu des traits, œuvre d'un artiste inexpérimenté, s'est résorbé. Trop beau pour être beau, avait dit Clemence. Nous sommes restés plantés là. L'éclat de sa soutane se reflétant dans ses yeux m'a fichu la frousse. Il avait toujours la main tendue. J'ai tenté de rester en arrière, mais ma main s'est avancée toute seule. Il avait la paume fraîche. Le cal lisse et dur, comme celui du papa de Cappy.

Alors, à bientôt. Il a pivoté sur ses talons. Puis il s'est retourné, en souriant à peine.

La cigarette te tuera.

J'ai pris racine jusqu'à ce qu'il passe la porte donnant dans le sous-sol de l'église, tout en haut de la colline. Je me suis adossé contre un arbre et suis resté appuyé là – sans m'avachir. J'étais rempli de cette étrange énergie. Je laissais l'arbre m'aider à réfléchir. J'ai d'abord décidé de ne pas m'en vouloir à mort pour ce qui venait de se passer entre le curé et moi, pour cet instant. J'aurais difficilement pu refuser. Refuser de serrer la main à quelqu'un sur la réserve, c'était comme désirer sa mort. J'avais beau désirer la mort du père Travis Wozniak, et même vouloir le brûler vif, mon désir était subordonné à la preuve formelle qu'il était l'agresseur de ma mère. Coupable. Mon père n'aurait pas admis une conclusion qui ne se baserait pas sur des faits. Je me suis gratté le dos avec l'écorce striée de l'arbre, les yeux fixés sur l'endroit où le prêtre avait disparu. La porte donnant dans le sous-sol de l'église. J'avais l'intention d'obtenir ces faits, et quand mes copains seraient là, j'aurais de l'aide.

Cappy a débarqué en compagnie d'Angus. Il apportait

un sachet à moitié rempli de salade de pommes de terre, et une cuillère en plastique. J'ai confectionné un bol en roulant le bord du sac, et mangé la salade. C'était celle avec de la moutarde dans la mayonnaise, des cornichons et des œufs. Les tantes de Cappy avaient dû la préparer. Ma mère la faisait de cette façon-là. J'ai raclé l'intérieur du sachet à l'aide de ma cuillère. Et puis j'ai parlé à Cappy et Angus de la conversation que j'avais entendue, et expliqué que les soupçons de mon père s'étaient portés sur le curé.

Mon père raconte qu'il a fait le Liban.

Et alors ? a dit Cappy.

C'était un Marine.

Mon père aussi, a riposté Cappy.

Je me disais qu'il faudrait chercher à savoir s'il boit de la bière Hamm's, ai-je déclaré. J'allais le lui demander, mais j'ai pensé que je risquais de dévoiler notre jeu. J'ai quand même obtenu son alibi. Il faut que je le vérifie.

Angus a demandé : Son quoi ?

Son excuse. Il dit qu'il célébrait la messe, ce dimanche après-midi. Il ne me reste qu'à poser la question à Clemence.

Tu crois qu'on devrait déposer quelques Hamm's devant sa porte et voir s'il les boit ? a demandé Angus.

N'importe qui boirait de la bière à l'œil, surtout toi, Starboy, a dit Cappy. Il faut qu'on le surprenne en train de boire de la Hamm's chez lui. Qu'on l'espionne.

Qu'on regarde par la fenêtre d'un curé ?

Oui, a dit Cappy. On va passer à vélo derrière l'église et le couvent et monter jusqu'à l'ancien cimetière. Après on peut se faufiler sous la barrière, pousser nos vélos entre les tombes. L'arrière de la maison du curé donne sur le cimetière, la barrière est cadenassée mais on peut se faufiler par en dessous. Quand il fera nuit, on ira en douce jusqu'à sa baraque.

Est-ce que les curés ont des chiens ? ai-je demandé.

Pas de chiens, a répondu Angus.

Tant mieux, ai-je dit. Mais sur le moment je n'avais pas vraiment peur de me faire choper par le prêtre. C'était le cimetière qui m'inquiétait. J'avais récemment vu un fantôme. Un seul suffisait, et mon père m'avait raconté qu'ils se baladaient dans le cimetière quand il y travaillait. C'était dans ce cimetière que le père de Mooshum, qui s'était battu aux côtés de Louis Riel à Batoche, avait été enterré après avoir trouvé la mort des années plus tard en montant un cheval rapide. C'était là que Severin, le frère de Mooshum, qui avait un bref moment servi la messe ici, était enterré dans une tombe spécialement délimitée par des briques peintes en blanc. L'un des trois qui avaient été lynchés par une foule en colère à Hoopdance y était aussi enterré – on avait rapporté ici le corps du garçon parce qu'il n'avait que treize ans. Mon âge. Et pendu. Mooshum s'en souvenait. Le frère de Mooshum, Shamengwa, dont le nom signifiait papillon monarque, était enterré ici. La première épouse de Mooshum, à côté de qui il serait enterré, était signalée par une pierre tombale couverte d'un fin lichen gris. Sa mère était enterrée en ce lieu, la femme qui avait totalement cessé de parler pendant dix ans après que le petit frère de Mooshum était mort en bas âge. Et il y avait aussi la famille de mon père, la famille de ma grand-mère et la famille de sa mère, dont certains s'étaient convertis. Les hommes étaient enterrés à l'ouest parmi les Indiens traditionalistes. Ils disparaissaient dans le sol. Des petites maisons avaient été bâties au-dessus d'eux pour abriter et nourrir leurs esprits, mais elles s'étaient effondrées avant tout autre chose, dans le néant. Je connaissais les noms de nos ancêtres grâce à Mooshum, à ma mère et à mon père.

Shawanobinesiik, Elizabeth, Southern Thunderbird. Adik, Michael, Caribou. Kwiingwa'aage, Joseph, Wolverine. Mashkiki, Mary, The Medicine. Ombaashi, Albert, Lifted by Wind. Makoons, The Bearling, et Bird Shaking Ice Off Its Wings. Ils avaient vécu et étaient morts trop vite pendant ces années qui avaient encadré la création de la réserve, morts avant d'avoir pu être enregistrés, et en quantité si douloureuse qu'il était difficile de se souvenir d'eux tous sans proférer, ainsi que le faisait parfois mon père lorsqu'il lisait l'histoire locale : *et l'homme blanc débarqua et les précipita sous la terre*, ce qui sonnait à la manière d'une prophétie de l'Ancien Testament mais n'était qu'une simple observation de la vérité. Ainsi, avoir peur de pénétrer dans le cimetière la nuit, c'était craindre non pas les ancêtres affectueux qui y étaient ensevelis, mais le satané choc de notre histoire familiale, que je m'accrochais pour assimiler. L'ancien cimetière regorgeait de ses complications.

Pour s'approcher du cimetière par l'arrière, nous devions passer devant chez une vieille dame qui avait des chiens. On ne savait jamais combien ni quel genre de chiens. Elle nourrissait ceux de la réserve. Sa maison était donc imprévisible et nous faisions toujours un détour pour l'éviter. Tout en nous approchant, nous nous sommes préparés. Cappy avait sa boîte de poivre. J'ai attrapé un gros bâton, en songeant combien Pearl détestait ça, et pourquoi. Angus a écorcé des baguettes de saule pour se fabriquer un fouet. Nous avons mis au point notre plan de bataille et décidé que je passerais en premier armé du bâton et que Cappy fermerait la marche, le poivre à la main. La dame s'appelait Bineshi, elle était minuscule et voûtée comme sa petite maison branlante à charpente de bois. Il y avait deux épaves de voiture dans la cour, où les chiens se prélassaient. Nous pensions que nous aurions des chances d'y arriver si nous prenions suffisamment de vitesse et passions à toute allure. Mais dès que nous avons tourné dans le chemin de terre qui longeait la cour, les chiens ont jailli des épaves. Deux étaient gris et bas sur pattes, trois étaient gros, un était énorme. Ils nous ont foncé dessus, en aboyant avec une violence féroce. Un petit chien gris est arrivé comme une flèche et a attrapé Angus par le revers du pantalon. Angus lui a lancé un habile coup de pied, lui a cinglé la tête de son fouet, et a continué à pédaler.

Ils sentent quand on a peur, a hurlé Cappy. Nous avons rigolé.

Les chiens s'enhardissaient, à présent, comme souvent quand il y en a un qui passe à l'action. Angus a poussé un hurlement épouvantable. Un chien au poil sale et blanchâtre s'est jeté sur son bras, et Angus a lâché ses baguettes pour lui flanquer un coup de poing sur le museau. Le chien n'a pas gémi en se sauvant la queue entre les jambes, mais a bondi de nouveau. Une fois de plus Angus a touché sa cible, mais au moment où le chien partait en vrille sa tête est retombée sur la jambe d'Angus et le cabot lui a déchiré son pantalon.

Débarrassez-moi de lui !

Cappy a fait demi-tour. De la poussière a volé. Il a raclé les pieds dans la terre et s'est arrêté à côté d'Angus, la boîte de poivre ouverte à la main, il en a pris une poignée et l'a jetée à la tête du chien. Qui a glapi et disparu. Mais à présent les autres nous encerclaient, réclamant du sang à cor et à cri, les oreilles rabattues. Ils claquaient des mâchoires et montraient les dents comme des requins terrestres. Pas question de lâcher nos vélos et de partir à fond de train puisqu'il faudrait revenir les chercher. De toute façon, les chiens étaient plus rapides que nous et nous rattraperaient avant que nous ne prenions de la vitesse. Maladroitement, en rangs serrés, nous sommes descendus de nos vélos et les avons poussés devant nous. Cappy a poivré un autre chien. J'en ai tabassé deux. Les chiens poivrés ont récupéré et de nouveau bondi, la bave de la vengeance aux lèvres. Ils ont formé un cercle et avancé, les pattes raides. Cappy a laissé tomber la boîte de poivre sur la route, et elle s'est renversée.

Et merde, a-t-il crié. On va crever.

Il nous faut du feu, a hurlé Angus. J'ai tabassé un chien. Qui avait déboulé. Tout à coup, la tête des chiens a pivoté. Ils ont dressé les oreilles. En meute, ils sont partis en bondissant. Nous avons entendu claquer la porte de la petite maison.

Elle doit leur donner à manger, a dit Cappy.

Maaj ! a crié Angus. Nous avons ressauté sur nos vélos et parcouru le reste du chemin comme des flèches, sans presque sentir que ça montait. Ensuite nous avons dévalé à travers bois et hissé nos vélos par-dessus le grillage. Nous ne risquions rien dans le cimetière. Le crépuscule était presque là. À travers les pins touffus, en contrebas, nous apercevions une lueur fracturée tombant des fenêtres du curé. Nous avons poussé nos vélos dans la descente, vers elle. La peur que j'avais eue de traverser le cimetière était éclipsée par mon soulagement. Les morts sans chiens semblaient sans risque. Nous avons flâné jusqu'à ce qu'il fasse presque nuit, en nous montrant des pierres tombales historiques. Nous avions tous des ancêtres communs, éparpillés çà et là. L'air commençait à prendre vie et un oiseau de pluie chantait sans cesse dans les bois bleutés.

Il est temps, a dit Cappy, quand nous sommes arrivés en bas.

La grille d'entrée n'était pas solidement retenue par la chaîne cadenassée. Nous l'avons ouverte en grand et avons fait passer nos vélos. Timides et prudents, nous les avons poussés jusqu'à l'autre extrémité de l'enclos paroissial. L'herbe était tondue à ras, le chaume rafraîchi par la rosée du soir. Nous nous sommes faufilés sur le côté de la petite maison, une simple baraque de plain-pied, en rondins, modernisée. Le père Travis y vivait seul. Nous nous sommes tapis sous un buisson difforme. Le bourdonnement d'une télévision nous parvenait de l'intérieur de la maison. Nous nous sommes glissés à quatre pattes jusqu'à la façade opposée, sous la fenêtre où le son était plus fort.

J'veux regarder, a chuchoté Angus.

Il va te voir, ai-je dit.

Y a des stores. Angus a levé la tête.

Il est redescendu vite fait.

Il est assis et il regarde !

Il t'a vu ?

J'sais pas.

Nous sommes repartis vers le côté le mieux caché de la maison. Il y a eu des pas à l'intérieur et un brusque jaillissement de lumière à la fenêtre au-dessus de nos têtes. Un silence. La silhouette du curé s'est dessinée derrière le rideau. Nous nous sommes plaqués contre les bardeaux. Juste derrière nos têtes, un doux giclement a commencé.

Cappy a articulé la question en silence Il pisse ? J'ai haussé les épaules parce qu'on aurait plutôt cru que quelqu'un avait ôté le bouchon d'une bouteille et balançait un délicat jet d'eau dans les toilettes. Cela a pris beaucoup de temps et il y a eu des pauses. Ensuite la chasse a fonctionné, le robinet s'est ouvert et refermé, la lumière s'est éteinte, une porte s'est refermée.

C'est un pisseur discret, a remarqué Cappy.

Ben, c'est un curé, a dit Angus.

Ils ont une drôle de façon de pisser ?

Ils font pas l'amour, a répondu Angus. Si on s'en sert pas régulièrement, peut-être que la plomberie finit par rouiller.

Tu es bien placé pour le savoir, a dit Cappy.

Bougez pas, les gars.

J'ai tourné le coin de la maison à pas furtifs et me suis dirigé vers l'éclat bleuâtre de la télé. Quiconque serait entré dans la cour ou serait passé sous les pins noirs m'aurait vu. Je me suis redressé et j'ai pris lentement appui sur le rebord de la fenêtre. Elle était ouverte, pour accueillir la brise de juin. J'apercevais l'arrière du crâne du père Travis. Il était assis devant la télévision dans un fauteuil relax, près de son coude était posée une bière qu'on boit en ville, une Michelob. D'abord je n'ai pas su ce qu'il regardait, et puis j'ai compris que c'était un film. Pas un film qui passait à la télé.

Je me suis laissé retomber sur le sol et je suis reparti à pas de loup.

Il a un magnétoscope !

Qu'est-ce qu'il regarde ?

Cette fois-ci Cappy a filé jeter un coup d'œil, et au bout d'un petit moment il est revenu nous dire que c'était *Alien*, passé en salle à deux heures de route au sud de notre réserve et dont nous avions seulement entendu des histoires hallucinantes parce que nous n'avions aucun moyen d'aller là-bas et qu'en plus nous étions trop jeunes pour entrer. Il n'y avait pas encore d'endroit où louer des vidéos sur la réserve.

Ce doit être à lui, ai-je dit, en oubliant la fenêtre ouverte.

Il a une cassette à lui ? À lui ?

Vos gueules, les gars, a chuchoté Cappy.

Angus s'est adossé aux fondations de la bâtisse et a ramené ses jambes contre sa poitrine. Nous avons réfléchi tous ensemble et parlé à voix basse.

Tu voyais très bien ?

Parfaitement. Il a un quatre-vingt centimètres.

Et voilà, c'est ainsi que nous avons fini par voir *Alien* – debout à la fenêtre derrière le jeune curé que nous soup-çonnions d'un crime innommable. Le père Travis a même monté le son et nous avons pu entendre le film en entier. Quand le générique de fin a commencé à défiler, il a éteint la télé et nous nous sommes baissés en vitesse puis avons filé sans bruit vers l'endroit où devait logiquement se trouver la chambre. Nous étions encore sous le coup d'un choc délicieux. Angus s'est mis sur le dos, a fait sortir son poing de son ventre et a agité les jambes. La lumière s'est allumée dans la salle de bains et il y a eu le bruit de goutte à goutte. Et puis des bruits de brossage de dents et de rinçage de bouche. Ensuite la lumière s'est allumée dans la chambre. Nous nous sommes faufilés le long des fondations. Relevés lentement. Il y avait des rideaux et des stores baissés, mais un espace là où les stores rejoignaient la fenêtre. Les rideaux étaient des panneaux transparents. On y voyait parfaitement bien. Nous avons regardé le père Travis retirer sa soutane de magicien et la suspendre. Il avait de grosses épaules dures et musclées et des pectoraux comme de la pierre. Des cicatrices en folie descendaient en dessinant des boucles le long des deux blocs de muscles de son ventre. Il a enlevé son caleçon et il est resté cul nu, et puis s'est retourné. Ses cicatrices se rejoignaient toutes en un puissant enchevêtrement autour de son pénis et de ses couilles. Son matos était là, mais de toute évidence *recousu à sa place*, a dit plus tard Angus, impressionné, quand il l'a raconté à Zack. En bas ce n'étaient que des tissus cicatriciels – striés, lissés, gris, violets.

Nous avons paniqué et filé. Les lumières se sont éteintes. Nous nous sommes rués vers nos vélos mais le père Travis a passé la porte à une vitesse incroyable et d'un bond assuré a attrapé Angus. Cappy et moi avons continué à courir.

Revenez, vous deux, a lancé le père Travis d'une voix égale qui portait à la perfection. Ou je lui arrache la tête.

Angus a poussé un glapissement. Nous avons ralenti et regardé derrière nous. Il tenait Angus à la gorge.

Il est sérieux !

Récite ton Je Vous Salue Marie, a ordonné le curé.

Je Vous Salue, a dit Angus d'une voix étranglée.

En silence, a dit le père Travis.

La bouche d'Angus s'est mise à remuer. Cappy et moi sommes revenus sur nos pas. Le vent de la nuit s'est levé et autour de nous les pins ont gémi. Les lampes vacillantes de la cour qui éclairaient le parking de l'église n'atteignaient pas le dessous des arbres noirs. Le père Travis a poussé Angus devant lui, vers la maison. S'est posté derrière nous. Il a ordonné à Cappy d'ouvrir la porte, et quand nous avons été à l'intérieur il a poussé un verrou et d'un coup de pied a projeté une chaise contre la porte.

Comme vous le savez, il n'y a pas de sortie par l'arrière, a-t-il annoncé. Alors autant vous mettre à l'aise.

Il a propulsé Angus vers le canapé et nous avons bondi pour nous asseoir de part et d'autre, les mains jointes sur les cuisses. Le père Travis a enfilé une chemise écossaise et attrapé son fauteuil relax. Il l'a retourné pour nous faire face. Et puis il s'est assis. Il était en caleçon et la chemise écossaise était ouverte. Il avait une poitrine gigantesque. J'ai remarqué une série de poids par terre et des haltères dans un coin.

Ça fait un bail, nous a-t-il lancé, à Angus et moi.

Nous étions pétrifiés.

Vous vous êtes rincé l'œil, hein ? Bande d'imbéciles. Et alors ?

Il m'a flanqué un coup de pied dans le tibia, et il avait beau ne pas avoir de chaussure ma jambe s'est engourdie et je suis retombé en arrière.

Dites quelque chose.

Mais nous en étions incapables.

O.K., chien d'Indien, a-t-il lancé à Cappy. Dis-moi pourquoi vous m'espionniez. Ces deux-là je les connais, mais toi je ne te connais pas. Comment t'appelles-tu ?

John Pied de Nez.

Un frisson d'admiration m'a parcouru. Que Cappy soit capable de donner un faux nom à ce moment-là.

Pied de Nez. Qu'est-ce que c'est que ce nom à la manque ?

C'est un vieux nom traditionnel, mon capitaine !

Mon capitaine ? D'où sors-tu ce mon capitaine !

Mon père était Marine, mon capitaine !

Alors tu l'as déshonoré, espèce de petit trouduc. Un fils de Marine qui espionne un curé. C'est comment, le nom de ton père ?

Pareil, mon capitaine !

Alors tu es Pied de Nez Junior ?

Oui, mon capitaine !

Voyons, Pied de Nez Junior, qu'est-ce que tu dis de ça ?

Le père Travis a tendu le bras et arraché Cappy au canapé en le tirant d'un coup par le bout du nez. Cappy est tombé par terre, mais n'a pas crié.

Pied de Nez, ouais ? C'est de là que te vient ton nom à la con ?

Il s'est penché au-dessus de Cappy, qui a levé les poings, mais le prêtre a tendu le bras et l'a repoussé sur le divan.

Très bien, Pied de Nez Junior, quel est ton vrai nom traditionnel du temps jadis ?

Cappy Lafournais.

Ton père, c'est Doe ?

Ouais.

Un type bien. Le curé a pointé un doigt épais sur Angus. Et toi, je sais qui est ta tante.

Et puis il a fourré son doigt sous mon nez. J'avais le souffle coupé.

Je connais ton père, et je crois savoir pourquoi vous êtes là à m'épier, bande de malheureux petits fumiers. Toi. J'ai réfléchi à ta question de tout à l'heure. Pourquoi me demander ce que je faisais le dimanche 15 mai, entre telle et telle heure. Comme si tu me demandais mon alibi. J'ai trouvé ça drôle. Et puis je me suis souvenu de ce qui était arrivé à ta mère. En plein dans le mille.

Nos genoux, nos pieds, nos chaussures étaient devenus passionnants. Nous les observions de près. Nous sentions les yeux en argent martelé du prêtre posés sur nous.

Alors comme ça tu crois que j'ai fait du mal à ta mère, a-t-il demandé à voix basse. Eh bien ? Réponds.

Il m'a flanqué un autre coup de pied. L'engourdissement s'est mué en douleur.

Ouais. Non. Je me suis dit que peut-être.

Peut-être. Et puis la réponse est venue d'un coup, pour ainsi dire, hein ? Im-po-ssiii-bleu. Maintenant vous savez. Et pour votre information, bande de pets foireux, petits merdailleux, sous-raclures de bidet, je ne me servirais pas de ma queue de cette façon même si je le pouvais encore. Bande d'obsédés du gland, j'ai une mère, et une sœur. Et j'avais aussi une petite amie.

Le père Travis s'est laissé aller en arrière. J'ai levé les yeux vers lui. Il nous regardait par en dessous, les mains jointes sur ses cuisses. Ses yeux avaient pris cet éclat de cyborg. Ses pommettes semblaient sur le point de fendre sa peau. Non seulement il avait *Alien* en vidéo, non seulement il avait une atroce et incroyable blessure, mais il nous avait traînés dans la boue, sans avoir recours aux injures habituelles. Et puis il y avait l'agilité avec laquelle il avait attrapé Angus, les poids à côté de la télévision, la Michelob sophistiquée. Presque de quoi donner envie à un gamin d'être catholique.

Vous aviez une petite amie ?

Le visage du père Travis s'est crispé et a viré au gris blanc. J'étais sidéré par le culot de Cappy. Pendant une minute, je l'ai cru mort. Mais Cappy ne s'était pas informé sur un ton railleur ou sarcastique, pas du tout. Cappy était comme ça. Il tenait vraiment à savoir. Il avait posé la question à la façon dont, à présent je le sais, un bon avocat aurait pu interroger un témoin potentiel. Pour en apprendre davantage sur l'autre. Pour entendre son histoire.

Le père Travis est resté un moment sans parler, mais Cappy a conservé sa volonté silencieuse d'écouter.

Oui, a dit le père Travis, finalement. Sa voix était maintenant plus pâteuse, sourde. Vous autres branleurs maigrichons vous ne savez pas encore ce que c'est qu'une femme. Vous croyez peut-être savoir, mais non. J'étais fiancé à une vraie femme. D'une beauté exceptionnelle. Fidèle. Qui n'a jamais flanché. Même pas quand j'ai été blessé. Elle serait restée. C'est moi qui... Et vous, les garçons, vous aimez les filles ?

Oui, a dit Cappy, le seul qui ait osé répondre.

Ne perds pas ton temps avec des traînées, a recommandé le père Travis. T'es au lycée ?

Je vais y entrer, a dit Cappy.

Tant mieux. Il y a une belle fille que personne d'autre n'a remarquée. C'est toi qui vas la remarquer.

D'accord, a dit Cappy.

Voilà, a fait le père Travis. Voilà.

Il a étalé ses mains sur les accoudoirs du fauteuil. Il nous a observés en silence jusqu'à ce que nous levions enfin les yeux pour croiser son regard fermé.

Vous voulez savoir comment c'est arrivé. Vous voulez savoir comment je m'en sors. Vous voulez savoir des choses que vous n'avez pas le droit de savoir. Mais vous n'êtes pas de méchants garçons. Je m'en rends compte. Tu voulais découvrir qui a fait du mal à ta mère, vous vouliez découvrir qui a fait du mal à sa mère. Il m'a dévisagé.

J'étais à l'ambassade des États-Unis en 83 et j'ai eu de la chance. Je suis là, pigé ? Le robinet fonctionne. Il faut que j'en prenne très grand soin. Sinon, infections. Quelques pulsions sexuelles. Totalement sublimées. J'étais au petit séminaire avant de devenir Marine. Et puis un moment de colère. Suis revenu au pays dans cet état, un signe. Ai terminé mes études. Reçu l'ordination. Été expédié ici. Des questions ?

Je lui ai signalé que par ici aucun curé n'avait jamais tiré sur des chiens de prairie.

Les religieuses les gazent. Ça vous plairait d'être gazés dans un tunnel ? Mieux vaut mourir proprement, dehors. Ils meurent d'un coup. Il a claqué des doigts. Ils basculent sur le dos et contemplent le ciel, mmm ? Les nuages.

Il ne nous regardait pas. Il ne regardait plus rien. Il a agité la main pour nous congédier. Nous nous sommes levés à demi. Il était loin. Il a réuni ses mains en pointe et abaissé son front pour le poser sur ses doigts. Nous nous sommes faufilés devant lui pour gagner la porte, sans bruit nous avons repoussé la chaise et tiré le verrou. Nous avons refermé la porte avec précaution et sommes allés prendre nos vélos. Le vent soufflait plus fort. Secouait le chapeau du lampadaire de la cour qui du coup vacillait. Les pins gémissaient. Mais l'air était chaud. Un vent du sud, apporté par Shawanobinesi, l'Oiseau-Tonnerre du Sud. Un vent chargé de pluie.

6

Data et Lore

Le vent est passé sur nous en une ondulante masse de nuages qui ont continué à avancer jusqu'à ce que le ciel se dégage. D'un coup, comme si de rien n'était, mon père et moi avons commencé à parler. Il m'a rapporté qu'il avait eu une intéressante conversation avec le père Travis, et je me suis figé sur place. Mais qui n'avait porté que sur le Texas et l'armée : le père Travis ne nous avait pas mouchardés. Les soupçons qu'avait pu exposer mon père à Edward, ce fameux soir, avaient disparu ou étaient engloutis. J'ai demandé à mon père s'il avait parlé à Soren Bjerke.

Le bidon d'essence ? ai-je demandé.

Pertinent.

Maintenant que le père Travis était innocenté, j'avais réfléchi aux affaires et aux notes d'audience que mon père et moi avions classées. J'ai demandé à mon père si Bjerke avait interrogé les Lark, frère et sœur.

Il a parlé à Linda.

Mon père a froncé les sourcils, la mine tendue. Il s'était promis de ne pas me mêler à tout cela, de ne pas se confier à moi, de ne pas collaborer avec moi. Il savait où cela menait, dans quoi je risquais de me fourrer, mais il était bien loin de tout savoir. Et voilà ce que je n'ai pas compris à l'époque, mais que je comprends aujourd'hui – la solitude. J'avais raison, dans cette histoire il n'y avait que nous trois. Ou nous deux. Personne d'autre, ni Clemence, ni même maman, ne se souciaient autant que nous de ma mère. Personne d'autre ne pensait à elle jour et nuit. Personne d'autre ne savait ce qui lui arrivait. Personne d'autre ne voulait à tout prix autant que nous deux, mon père et moi, retrouver notre vie. Revenir au Temps d'Avant. Il n'avait donc pas le choix, pas vraiment. Somme toute, il fallait qu'il me parle.

Je devrais passer voir Linda Wishkob, a-t-il dit. Elle s'est montrée évasive avec Bjerke. Mais peut-être que... tu veux venir ?

Linda Wishkob était d'une laideur fascinante. À la poste, son visage terreux en coin de bûcheron arrivait au ras du guichet. Elle nous a regardés de ses yeux protubérants d'avorton, ses lèvres rouges et humides étaient des copeaux de chair. Ses cheveux, un calot de bourre de soie brune et raide, ont frémi quand elle a sorti les timbres commémoratifs. Qu'elle a présentés à mon père. Elle me faisait penser à un porc-épic aux yeux exorbités, jusque dans ses petites pattes dodues aux longues griffes. Mon père a choisi une série représentant cinquante États de l'Union, et a proposé à Linda de lui offrir un café.

Il y a du café là-derrière, a fait remarquer Linda. Je peux en boire sans payer. Elle a considéré mon père avec méfiance, alors qu'elle connaissait ma mère. Tout le monde savait ce qui était arrivé mais personne ne savait quoi dire ni quoi ne pas dire.

Peu importe le café, a répondu mon père. J'ai à vous parler. Pourquoi ne pas demander qu'on vous remplace? Vous n'êtes pas débordée.

Linda a ouvert ses lèvres humides pour protester mais n'a pas trouvé d'excuse valable. Quelques instants plus tard, elle avait arrangé la chose avec son supérieur et elle est sortie de derrière son guichet. Nous avons quitté le bureau de poste et traversé la rue pour entrer chez Mighty Al, qui était un boui-boui minuscule. Je n'arrivais pas à croire que mon père allait interroger quelqu'un dans les locaux exigus de Mighty's, où six tables déglinguées étaient tassées les unes contre les autres. Et j'avais raison. Mon père n'a pas posé de questions à Linda, mais s'est mis en devoir d'échanger des propos inutiles sur le temps qu'il faisait.

Mon père était capable de damer le pion à n'importe qui sur ce terrain. Comme partout, dans certains cas c'était le seul sujet à propos duquel les gens d'ici se sentaient à l'aise, et papa pouvait tenir avec sérieux, visiblement sans fin. Quand il en avait fini avec le temps du moment, il restait encore tout le temps qu'il avait fait dans l'histoire écrite, le temps que l'on avait vu ou dont un parent avait été témoin, ou même celui dont on avait entendu parler aux nouvelles. Tous les types de temps épouvantable. Et une fois la question débattue, il y avait tous les temps qu'il risquait de faire à l'avenir. Je l'avais même entendu avancer des hypothèses sur le temps de l'au-delà. Papa et Linda Wishkob ont parlé du temps pendant un bon moment, et puis elle s'est levée et elle est partie.

Tu lui as vraiment fait passer un mauvais quart d'heure, papa.

L'ardoise du menu annonçait Hamburger Soup, à volonté. Nous avons attaqué notre deuxième bol de soupe brûlante : viande hachée, macaronis, tomates en boîte, céleri, oignon, sel et poivre. Elle était particulièrement bonne, ce jour-là. Papa avait aussi commandé le café de Mighty, ce qu'il appelait le choix stoïque. Il était toujours bouilli. Papa en a bu en quantité, le visage impénétrable, une fois notre soupe terminée.

Je voulais avoir une petite idée de comment elle allait, a-t-il expliqué. Des mauvais quarts d'heure, elle en a déjà passé suffisamment, pour de vrai.

Je ne savais pas trop à quoi rimait d'être venu discuter avec Linda, mais apparemment un échange que je ne comprenais pas avait eu lieu.

Papa avait finalement autorisé Cappy à passer chez nous, ce jour-là. C'était un après-midi où régnait une chaleur épuisante, nous jouions donc à l'intérieur à Bionic Commando, aussi silencieusement que possible, sous le ventilateur allumé. Comme d'habitude, ma mère dormait. On a frappé un coup discret à la porte. J'ai été ouvrir et Linda Wishkob était là, ses yeux globuleux, son uniforme bleu moulant, son visage suant, terne, sans maquillage. Ces ongles longs au bout des doigts boudinés m'ont soudain paru menaçants, malgré leur innocent vernis rose.

Je vais attendre qu'elle se réveille, a-t-elle annoncé.

Elle m'a étonné en passant devant moi pour entrer dans le salon. Elle a fait un signe de tête à Cappy et s'est assise derrière nous. Cappy a haussé les épaules, et comme nous n'avions pas joué à notre jeu depuis longtemps et que nous n'allions pas nous arrêter pour une broutille, nous avons continué : depuis des années notre peuple a lutté pour résister à une foule d'êtres cupides et instables, que rien n'arrête. Notre armée a été réduite à quelques guerriers désespérés et nous sommes pratiquement sans armes et affamés. Nous sentons venir la défaite. Pourtant, dans les entrailles de notre communauté, nos savants ont mis au point une arme de guerre inédite. Notre bras bionique s'étend, écrase, se courbe, feinte, se replie. Il transperce le blindage, et ses détecteurs de chaleur décèlent la présence de l'ennemi le mieux défendu. Le bras bionique concentre la puissance d'une armée entière et doit être utilisé par un seul et unique soldat capable de satisfaire à l'épreuve. Je suis ce soldat. Ou Cappy est ce soldat. Le Bionic Commando. Notre mission nous entraîne au pays des mille yeux, où la mort nous attend à chaque coin de rue et derrière chaque fenêtre. Notre destination : le quartier général ennemi. Le cœur de la forteresse imprenable de notre ennemi abhorré. Le défi : impossible. Notre résolution : inflexible. Notre courage : infini. Notre public : Linda Wishkob.

Elle nous observait dans un silence si total que nous l'avons oubliée. C'était à peine si elle respirait ou remuait un muscle. Quand ma mère a quitté sa chambre pour se rendre aux toilettes de l'étage je n'ai rien entendu non plus, contrairement à Linda. Elle est allée à pas feutrés jusqu'au bas de l'escalier, et avant que j'aie pu dire ou faire quoi que ce soit elle a appelé ma mère. Puis elle a commencé à monter les marches. J'ai arrêté de jouer et bondi sur mes pieds, mais le corps rond et souple de Linda était déjà en haut et elle saluait ma mère, comme si celle-ci de toute sa maigreur ne s'écartait pas d'elle en titubant, désorientée, découverte, et envahie. Linda Wishkob n'a pas paru remarquer l'agitation de maman. Avec une sorte de simplicité inconsciente, elle l'a suivie dans sa chambre. La porte est restée ouverte. J'ai entendu grincer le lit. Le raclement de la chaise de Linda. Et puis leurs voix, quand elles se sont mises à parler.

Quelques jours plus tard, il y a finalement eu une longue pluie torrentielle et je suis resté enfermé pour la seconde fois de l'été, à jouer à mes jeux, à faire des bandes dessinées. Angus avait travaillé à son deuxième portrait de Worf, mais Star avait appelé pour lui demander d'emprunter un furet de plombier chez Cappy. Maintenant ils devaient être chez Angus, probablement en train de boire la Blatz d'Elwin et de sortir des trucs visqueux d'une canalisation puante. Mes dessins m'ennuyaient. J'ai songé à piquer en douce le manuel *Cohen*, mais lire les procès et les notes de mon père avait déclenché un désespoir en moi. Par une journée comme celle-ci, j'aurais pu monter m'enfermer dans ma chambre et feuilleter mon dossier caché marqué DEVOIRS. La présence de ma mère au premier avait aboli cette habitude. J'envisageais de patauger jusque chez Angus, ou même de sortir les tomes trois et quatre de Tolkien que mon père m'avait offerts pour Noël, mais je n'étais pas certain d'être assez désespéré pour faire l'un ou l'autre. La pluie était le genre de pluie sans fin, grise, martelant le toit, qui fait que votre maison vous paraît froide et triste même si l'esprit de votre mère ne se meurt pas à l'étage. Je me suis dit que cette pluie risquait d'emporter toutes les plantes du jardin, ce qui bien sûr ne dérangerait pas maman. Je lui ai monté un sandwich, mais elle dormait. J'ai sorti le coffret du *Seigneur des anneaux* de Tolkien. Je m'étais tout juste mis à lire alors que la pluie tombait sans cesse, quand sortant du déluge qui tambourinait, tel un hobbit dégoulinant d'eau, Linda Wishkob est revenue nous rendre visite.

Et elle est montée au premier, en me gratifiant à peine d'un regard. Elle tenait un petit paquet dans les mains, un morceau de son cake à la banane, probablement – elle achetait des bananes noires et son cake était célèbre. Tout un tas de murmures se sont fait entendre là-haut – si mystérieux pour moi. La raison pour laquelle ma mère choisissait de parler à Linda Wishkob aurait pu m'inquiéter, éveiller mon attention, ou du moins m'inciter à me poser des questions. Mais non. Contrairement à mon père. Quand il est rentré et a découvert que Linda était en haut, il m'a chuchoté : On va la piéger.

Quoi ?

Tu seras l'appât.

Merci bien.

À toi elle parlera, Joe. Elle t'aime bien. Elle aime bien ta mère. De moi, elle se méfie. Écoute-les donc, là-haut.

Pourquoi veux-tu qu'elle parle ?

Nous avons besoin de la plus petite information – nous avons besoin de savoir ce qu'elle peut nous apprendre sur les Lark.

Mais c'est une Wishkob.

Adoptée, souviens-toi. Souviens-toi du procès, Joe, le procès que nous avons ressorti.

Je ne pense pas qu'il soit pertinent.

Joli mot.

Mais finalement j'ai accepté, et par chance papa avait acheté de la glace. C'était le mets favori de Linda.

Même un jour de pluie ?

Il a souri. Elle a le sang froid.

Alors quand Linda est redescendue, je lui ai proposé un bol de crème glacée. Elle a demandé quel parfum. Je lui ai répondu que nous avions de la rayée. Napolitaine, a-t-elle dit, en acceptant. Nous nous sommes assis à la cuisine et papa a fermé négligemment la porte, en déclarant que maman avait besoin de se reposer, que c'était vraiment gentil de la part de Linda de passer nous voir, et que nous avions tous apprécié son cake à la banane.

Le petit goût d'épice est délicieux, ai-je remarqué.

Je ne mets que de la cannelle, a expliqué Linda, et ses yeux globuleux ont enflé de plaisir. De la vraie cannelle que j'achète en flacon de verre, pas en boîte. Dans un rayon exotique chez Hornbacher, à Fargo. Pas ce qu'on trouve ici. Parfois je mets un peu de zeste de citron, ou d'écorce d'orange.

Elle était si heureuse que nous aimions son cake à la banane qu'il m'a semblé que papa n'aurait peut-être pas besoin de moi pour la faire parler, mais il a demandé : Dis Joe, il était bon, non ? Et alors j'ai raconté que j'en avais mangé au petit-déjeuner et que j'en avais même chipé un morceau parce que papa et maman gardaient tout pour eux.

La prochaine fois j'en apporterai deux, a promis Linda, d'une voix tendre.

J'ai mis une cuillerée de glace dans ma bouche et tenté de laisser mon père lui tirer les vers du nez, mais il m'a regardé en haussant les sourcils.

Linda, ai-je lancé, on m'a dit... Vous savez je me demande... J'imagine que je pose une question indiscrète...

Vas-y, a-t-elle répondu, et sa mine pâle a rosi. Peut-être que personne ne lui posait jamais de questions indiscrètes. J'ai réfléchi en vitesse et laissé ma langue galoper.

Voilà, j'ai des amis dont les parents ou les cousins ont été adoptés en dehors. Adoptés en dehors de la tribu, et ce n'est pas facile, enfin à ce qu'on m'a dit. Mais j'imagine que personne ne parle jamais d'être...

Adopté dans la tribu ?

Linda a découvert ses petites dents de rongeur dans un sourire si simple et si encourageant que j'ai été rassuré, et je me suis soudain aperçu que j'avais envie de savoir. J'avais envie de savoir toute son histoire. J'ai remangé de la glace. J'ai dit que j'avais vraiment bien aimé son cake à la banane, ce qui m'avait étonné parce que d'habitude je détestais ça. En fait, d'un coup j'ai oublié mon père et je me suis mis pour de vrai à parler à Linda. J'ai oublié les yeux globuleux, les mains de porc-épic menaçantes, les cheveux fins et clairsemés, je n'ai vu que Linda, je voulais connaître sa vie, et c'est probablement pour cela qu'elle me l'a racontée.

L'histoire de Linda

Je suis née en hiver, a-t-elle dit pour commencer, et puis elle s'est arrêtée pour terminer sa glace. Après avoir repoussé le bol, elle a réellement commencé. Mon frère est né deux minutes avant moi. L'infirmière venait de l'envelopper pour le réchauffer dans une couverture en flanelle bleue, quand la mère s'est écriée : *Oh mon Dieu, il y en a un autre*, et hop je suis sortie, à moitié morte. J'ai alors entrepris de mourir pour de bon. Je suis passée du rose pâle au gris bleu éteint, et c'est là que l'infirmière a voulu me fourrer dans un berceau chauffé par des lampes. Elle a été arrêtée par le médecin, qui a désigné ma tête, mon bras et ma jambe fripés. En nous coupant la route, il s'est adressé à la mère pour lui annoncer que le deuxième bébé était atteint d'une malformation congénitale et demander s'il devait recourir à des moyens extrêmes pour le sauver.

La réponse a été non.

Non, laissez-le mourir. Mais pendant que le docteur avait le dos tourné, de son doigt l'infirmière m'a dégagé la bouche, m'a secouée en me tenant par les pieds et m'a bien emmaillotée dans une autre couverture, rose celle-ci. J'ai pris une inspiration explosive.

Infirmière, a dit le docteur.

Trop tard, a répondu celle-ci.

On m'a laissée dans la pouponnière, un biberon attaché à la figure pendant que le comté décidait de quelle façon je serais transférée dans une sorte de lieu de transition. J'étais encore trop jeune pour être admise dans un établissement géré par l'État, et M. et Mme George Lark refusaient de me prendre chez eux. La gardienne de nuit de l'hôpital, une femme de la réserve nommée Betty Wishkob, a demandé la permission de me prendre dans ses bras pendant sa pause. Tout en me berçant, le dos tourné à la baie vitrée de surveillance, Betty – maman – me donnait le sein. En m'allaitant, maman massait et arrondissait ma tête dans sa main puissante. Personne à l'hôpital ne savait que la nuit elle me nourrissait, ni qu'elle prenait soin de moi et qu'elle avait résolu de me garder.

C'était il y a cinquante ans. C'est l'âge que j'ai maintenant. Quand maman a demandé si elle pouvait m'emmener chez elle, cela a été un soulagement et il n'y a pas eu beaucoup de papiers à remplir, du moins au début. J'ai donc été sauvée et j'ai grandi chez les Wishkob. J'ai vécu sur la réserve et j'ai été à l'école comme n'importe quel Indien – d'abord à la mission et plus tard au pensionnat de l'État. Mais avant cela, vers l'âge de trois ans, on m'a emmenée pour la première fois. Je me souviens encore de l'odeur de désinfectant, et de ce que j'appelle le *désespoir blanc* dans lequel est entrée une présence, quelqu'un ou quelque chose qui a pleuré avec moi et m'a tenu la main. Cette présence est restée auprès de moi. La fois suivante où une assistante sociale a décidé de me trouver un foyer plus approprié, j'avais quatre ans. J'étais à côté de maman, accrochée à sa jupe – de la cotonnade verte. J'ai enfoui mon visage dans l'odeur de l'étoffe chaude. Et après j'étais sur le siège arrière d'une voiture qui filait sans bruit dans je ne sais quelle direction infinie. Je me suis réveillée seule dans une autre chambre blanche. Mon lit était étroit et les draps bien tirés, alors j'ai dû batailler pour en sortir. Je suis restée assise sur le bord du lit pendant ce qui m'a semblé un long moment, à attendre.

Quand on est petit, on ne sait pas qu'on crie ou qu'on pleure – nos sentiments et le son qui sort de nous ne font qu'un. Je me souviens que j'ai ouvert la bouche, c'est tout, et je ne l'ai pas refermée avant d'être revenue auprès de maman.

Chaque matin jusqu'à ce que j'aie à peu près onze ans, maman et mon papa, Albert, se sont efforcés d'arrondir ma tête et de faire fonctionner mes bras et mes jambes. Ils m'ont fabriqué un petit sac rempli de sable que maman a cousu pour que je m'en serve de poids. Ils commençaient par me réveiller et m'emmenaient à la cuisine. La cuisinière à bois était allumée et je buvais un verre de lait fluide et bleuté. Ensuite maman s'asseyait sur une chaise et me posait sur ses genoux. Elle me frottait la tête, puis arrondissait ses doigts puissants et donnait une forme à mon crâne.

Il t'arrivera de voir des choses, m'a-t-elle annoncé un jour. Ta fontanelle est restée ouverte plus longtemps que chez la plupart des bébés. C'est ainsi qu'entrent les esprits.

Papa était assis en face de nous sur une autre chaise, prêt à m'étirer de la tête aux pieds.

Tends les jambes, Tuffy, demandait-il. C'était mon surnom. Je posais mes pieds dans les mains de papa et il me tirait dans un sens tandis que maman me tenait bien fort autour des oreilles et tirait dans l'autre sens.

Mon frère Cedric m'avait appelée Tuffy parce qu'il savait qu'une fois entrée à l'école j'aurais de toute façon un surnom. Il ne voulait pas qu'il ait un rapport avec mon bras ou ma tête. Mais ma tête – tellement difforme quand je suis née que selon le diagnostic du docteur j'étais une arriérée – a été transformée par le pressage et le pétrissage de maman. Quand j'ai eu l'âge de me regarder dans une glace, je me suis trouvée belle.

Ni papa ni maman ne m'ont jamais dit que j'avais tort. C'est Sheryl qui m'en a informée, en remarquant : *Tu es tellement moche que tu es mignonne.*

J'ai regardé dans une glace à la première occasion et constaté qu'elle disait vrai.

La maison que nous habitions dégage toujours une vague odeur de bois pourri, d'oignons, de foulque frit, l'odeur salée d'enfants mal lavés. Maman s'évertuait à nous garder propres, et avec papa nous nous salissions. Il nous emmenait dans les bois et nous montrait comment repérer la passée d'un lapin et poser un collet. Nous tirions les chiens de prairie de leurs trous à l'aide de boucles de ficelles, et cueillions des seaux et des seaux de baies. Nous montions un méchant petit mustang qui ruait, pêchions la perche dans un lac voisin, ramassions les pommes de terre tous les ans pour nous payer l'école. Le travail de maman n'avait pas duré. Papa vendait du bois de chauffage, du maïs, des courges. Mais nous n'avons jamais eu faim, et chez nous il y avait de l'affection. Je savais que j'étais aimée parce que c'était compliqué pour papa et maman de me sortir du système d'aide sociale, même si j'avais soutenu leurs efforts grâce à mon cri sans fin. Ce n'était pas pour autant qu'ils étaient parfaits. Papa buvait de temps à autre et s'écroulait ivre mort par terre. Maman avait un tempérament explosif. Elle ne frappait jamais, mais elle hurlait et tempêtait. Pire, elle était capable de dire des horreurs. Un jour, Sheryl faisait des pirouettes dans la maison. Il y avait une étagère bien encastrée dans un coin. Sur laquelle était posé un vase en cristal taillé auquel maman tenait beaucoup. Quand nous lui apportions des bouquets de fleurs des champs, elle les mettait dans ce vase. Je l'avais vue le laver au savon et l'astiquer à l'aide d'une vieille taie d'oreiller. Et puis le bras de Sheryl a fait tomber le vase, qui a heurté le sol avec un bruit clair et volé en éclats.

Maman était devant la cuisinière. Elle a tournoyé sur elle-même, levé les bras au ciel.

Merde, Sheryl, s'est-elle écriée. C'était le seul bel objet que j'aie jamais eu.

C'est Tuffy qui l'a cassé ! a dit Sheryl, en filant dehors à la vitesse de l'éclair.

Maman a fondu en larmes, violemment, et mis son avant-bras sur son visage et sa joue. Je me suis avancée, voulant balayer les morceaux pour elle, mais elle a dit de les laisser, d'un ton tellement abattu que je suis sortie chercher Sheryl, réfugiée dans sa cachette habituelle à l'autre bout du poulailler. Quand j'ai demandé pourquoi elle avait prétendu que c'était ma faute, elle m'a lancé un regard haineux et a répondu : Parce que tu es blanche. Je n'en ai jamais voulu à Sheryl de ce qu'elle a fait à l'époque, et nous sommes devenues proches par la suite. Ce dont je me suis réjouie, car je ne me suis jamais mariée et j'ai eu besoin de quelqu'un à qui me confier quand, il y a cinq ans, ma mère biologique a pris contact avec moi.

Jusqu'à la mort de mes parents, j'habitais une extension collée à la toute petite maison. Ils sont partis l'un tout de suite après l'autre, comme le font parfois les vieux couples. C'est arrivé en quelques mois. À l'époque, mes frères et sœurs avaient quitté la réserve ou construit de nouvelles maisons plus près de la ville. Moi je suis restée, au calme. À la seule différence que j'ai laissé le chien, un descendant de celui qui grognait en voyant l'assistante sociale, vivre à l'intérieur avec moi. Papa et maman avaient placé la télévision dans la cuisine. Ils la regardaient après dîner, droits comme des i sur leur chaise, les mains croisées sur la table.

Moi, je préfère mon canapé. J'ai fait installer une cheminée équipée d'une façade vitrée et de ventilateurs qui renvoient la chaleur dans un périmètre douillet, et je reste là tous les soirs d'hiver, le chien à mes pieds, à lire ou à crocheter en écoutant la télé qui marmonne pour me tenir compagnie.

Un soir, le téléphone a sonné.

J'ai répondu par un simple allô. Il y a eu un silence. Une femme a demandé si j'étais bien Linda Wishkob.

Oui, ai-je dit. J'ai ressenti un étrange sursaut d'appréhension. Je savais qu'il allait se passer quelque chose.

Je suis ta mère, Grace Lark. La voix était tendue et nerveuse.

J'ai coupé la communication. Plus tard, ce moment m'a paru très drôle. J'avais instinctivement rejeté ma mère, coupé la communication avec elle comme elle l'avait coupée avec moi.

Comme vous le savez, je suis fonctionnaire. À n'importe quel moment j'aurais pu trouver l'adresse de mes parents biologiques. J'aurais pu les appeler au téléphone, ou, hé, j'aurais pu me soûler, me planter devant chez eux et me mettre à délirer ! Mais je ne voulais rien savoir d'eux. Pourquoi l'aurais-je voulu ? Tout ce que je savais me faisait souffrir et j'ai toujours évité la douleur – c'est peut-être pour cela que je ne me suis jamais mariée et n'ai pas eu d'enfants. Ça m'est égal d'être seule, sauf pour, bon… Ce soir-là, après avoir raccroché, je me suis préparé un thé et appliquée à faire des mots croisés. Il y en a un sur lequel j'ai séché. Double, en douze lettres, c'était la définition, et il m'a fallu un temps fou et le dictionnaire pour trouver le terme doppelgänger.

J'avais toujours considéré les visites de ma présence comme étant celle d'un des esprits qu'avaient fait entrer dans ma tête les soins de Betty. Cette présence était apparue la première fois où j'avais été brièvement séparée d'elle et mise dans la chambre blanche. D'autres fois, j'avais l'impression que quelqu'un marchait à mes côtés, ou était assis derrière moi, toujours à peine au-delà de mon champ de vision. Si je laissais le chien vivre à l'intérieur, c'était aussi parce qu'il éloignait cette présence qui au fil des années me paraissait plus angoissée, plus exigeante, plus désarmée, d'une façon que j'avais du mal à définir. Je n'avais encore jamais pensé à la présence en relation avec mon jumeau, qui avait grandi à moins d'une heure de route de chez moi, mais ce soir-là l'association du coup de téléphone totalement inattendu et du mot de douze lettres a mis mes idées en branle.

Betty m'avait dit qu'elle ne savait pas comment les Lark avaient appelé le petit garçon, alors qu'elle le savait sans doute. Bien sûr, comme nous n'étions pas du même sexe, nous étions de faux jumeaux et vraisemblablement pas plus ressemblants que n'importe quels frère et sœur. Le soir où ma mère biologique a téléphoné, j'ai décidé de détester mon jumeau et de lui en vouloir. J'avais entendu cette voix pour la première fois, mal assurée au téléphone. Il l'avait entendue toute sa vie.

J'avais toujours cru que je détestais aussi ma mère biologique. Mais la femme avait tout simplement déclaré être ma mère. Mon cerveau avait parfaitement enregistré les mots qu'elle avait prononcés. Toute la nuit et aussi le lendemain matin, ils sont repassés en boucle. À la fin du deuxième jour, pourtant, l'intonation est devenue moins nette. J'ai été soulagée que le troisième jour ils s'arrêtent. Et puis, le quatrième jour, la femme a rappelé.

Elle a commencé par s'excuser.

Je suis désolée de te déranger ! Elle a continué en affirmant qu'elle avait toujours voulu me rencontrer mais avait craint de découvrir où j'étais. Elle a raconté que George, mon père, était décédé, qu'elle vivait seule et que mon frère jumeau, autrefois postier, était parti s'installer à Pierre, dans le Dakota du Sud. J'ai demandé son nom.

Linden. C'est un vieux prénom de famille.

Le mien aussi est un vieux prénom de famille ? ai-je demandé.

Non, a répondu Grace Lark, il allait bien avec le nom de ton frère, c'est tout.

Elle m'a appris que George avait écrit mon nom en vitesse sur le certificat de naissance, et qu'ils ne m'avaient jamais vue. Elle a continué et raconté que George était mort d'une crise cardiaque et qu'elle avait failli déménager à Pierre pour être près de Linden, mais qu'elle n'arrivait pas à vendre sa maison. Elle m'a dit qu'elle n'avait pas su que j'habitais tellement près, sinon elle m'aurait téléphoné depuis longtemps.

Le bavardage sur le ton léger de la conversation a dû provoquer une amnésie de l'ordre du songe dans mon esprit, car lorsque Grace Lark a demandé si nous pouvions nous rencontrer, si elle pouvait m'inviter à dîner au Vert's Supper Club, j'ai répondu oui et nous sommes convenues d'une date.

Quand j'ai fini par raccrocher, j'ai pendant un long moment posé les yeux sur la petite flambée allumée dans la cheminée. Avant le coup de fil, j'avais préparé le feu et m'étais réjouie à l'avance de griller du pop corn. J'allais jeter des grains de maïs en l'air et le chien les rattraperait. Je m'installerais peut-être à la cuisine et regarderais un film, assise à la table. Ou peut-être que je resterais au coin du feu à lire le roman emprunté à la bibliothèque. Le chien ronflerait et s'agiterait dans ses rêves. Cela avait été mes choix. À présent, j'étais saisie par quelque chose d'autre – un terrifiant ensemble de sentiments s'ouvrait devant moi. Lequel devrais-je choisir pour qu'il triomphe de moi en premier ? J'étais incapable de décider. Le chien est venu poser sa tête sur mes genoux et nous sommes restés là jusqu'à ce que je m'aperçoive que l'une des réactions possibles était l'apathie. Soulagée, ne sentant rien, j'ai mis le chien dehors, l'ai fait rentrer, et je suis allée me coucher.

Nous nous sommes donc rencontrées. Elle était tellement banale. J'étais certaine de l'avoir vue dans la rue, à l'épicerie, ou peut-être à la banque. Il aurait été difficile de ne pas avoir vu quelqu'un, à un moment ou à un autre, par ici, au cours d'une vie. Mais je n'aurais pas reconnu qu'elle était ma mère car je ne voyais chez elle rien de familier ni rien qui me ressemble.

Nous ne nous sommes pas serré la main et certainement pas embrassées. Nous avons pris place l'une en face de l'autre dans un box tendu de skaï.

Ma mère biologique m'a dévisagée. Tu n'es pas... sa voix s'est éteinte.

Demeurée ?

Elle s'est ressaisie. Tu as hérité des couleurs de ton père, a-t-elle remarqué. George avait les cheveux bruns.

Grace Lark avait des yeux bleus bordés de rouge derrière des lunettes claires, un nez pointu, une toute petite bouche en arc dépourvue de lèvres. Ses cheveux étaient ceux d'une femme de soixante-dix-sept ans – frisottés par une permanente, d'un blanc gris. Elle portait un dentier jauni, de grosses boucles d'oreilles en perles de culture, un tailleur-pantalon bleu clair et des chaussures orthopédiques lacées à bouts carrés.

Il n'y avait rien chez elle qui m'attirait. Ce n'était qu'une de ces petites vieilles que l'on n'a pas envie de connaître. J'ai remarqué que les gens sur la réserve ne s'approchent pas des femmes dans son genre – je ne sais pas pourquoi. De part et d'autre, l'instinct de s'éviter, je suppose.

Veux-tu que nous commandions ? a demandé Grace Lark, en touchant la carte. Prends ce qui te fait plaisir, c'est moi qui régale.

Non, merci, nous partagerons la note, ai-je répondu.

J'y avais réfléchi et j'étais arrivée à la conclusion que si ma mère biologique voulait soulager sa culpabilité en m'invitant à dîner, ce n'était vraiment pas assez cher payé. Nous avons donc commandé et bu nos verres de vin blanc suret.

Nous sommes arrivées au bout du plat de doré jaune au riz pilaf. Des larmes sont montées aux yeux de Grace Lark devant une coupe de crème glacée au sirop d'érable.

C'est dommage que je n'aie pas su que tu serais tellement normale. C'est dommage, vraiment, que je t'aie abandonnée, a-t-elle dit en pleurant.

J'ai pris peur en voyant l'effet que ces paroles produisaient sur elle, et j'ai demandé sans attendre : Comment va Linden ?

Ses larmes ont cessé de couler.

Il est très malade, a-t-elle répondu. Son visage est devenu sévère et franc. Il souffre d'insuffisance rénale et il est en dialyse. Il est en attente d'un rein. Je lui donnerais volontiers l'un des miens, mais je ne suis pas compatible et mon rein est vieux. George est mort. Tu es l'unique espoir de ton frère.

J'ai porté ma serviette à mes lèvres et je me suis sentie m'élever dans les airs, quasiment dans l'espace. Quelqu'un s'est élevé en même temps que moi, à peine perceptible, et j'ai senti sa respiration angoissée.

Il est temps maintenant d'appeler Sheryl, ai-je songé. J'aurais dû l'appeler avant. J'avais un billet de vingt dollars sur moi et quand j'ai atterri j'ai posé cet argent sur la table et je suis sortie. Je suis arrivée jusqu'à ma voiture, mais avant de pouvoir monter j'ai dû courir vers le talus couvert de gazon et de mauvaises herbes qui entourait le parking. Je vomissais, j'avais la nausée et je pleurais lorsque j'ai senti la main de Grace Lark me caresser le dos.

C'était la toute première fois que ma mère biologique me touchait, et bien que sous ses doigts je me sois calmée, j'ai décelé une note de triomphe stupide dans sa voix murmurante. Évidemment, elle avait toujours su où j'habitais. Je l'ai repoussée, le cœur soulevé par la haine comme un animal qu'on tire d'un piège.

Sheryl ne plaisantait pas.

Je vais appeler Cedric dans le Dakota du Sud. Écoute-moi bien, Tuffy. Je vais demander à Cedric de débrancher ce Linden, et toi tu peux oublier ces conneries.

Sheryl est comme ça. Qui d'autre aurait pu me faire

rire dans des circonstances pareilles ? J'étais encore au lit le lendemain matin. J'avais téléphoné pour prévenir que j'étais malade, pour la première fois en deux ans.

Tu n'y penses même pas, a dit Sheryl. Et puis, comme je n'avais pas répondu : Si ?

Je ne sais pas.

Alors j'appelle Cedric pour de bon. Ces gens-là t'ont laissée tomber, ils t'ont tourné le dos, ils t'auraient laissée mourir dans la rue. Tu es ma sœur. Je ne veux pas que tu donnes tes reins. Dis donc, et si moi, un jour, j'avais besoin d'un tes reins ? Tu y as pensé, au moins ? Garde donc cette saloperie de rein pour moi !

Je t'aime, a dit Sheryl, et je lui en ai dit tout autant.

Tuffy, ne fais surtout pas ça, m'a recommandé Sheryl, mais sa voix était inquiète.

Quand nous avons raccroché, j'ai appelé le numéro inscrit sur la carte que Grace Lark avait glissée dans ma poche, et pris les rendez-vous à l'hôpital pour passer tous les examens.

Pendant que j'étais dans le Dakota du Sud, j'ai habité chez Cedric, qui avait fait la guerre, et sa femme, dont le nom était Cheryl avec un C. Elle m'a sorti des petites serviettes de toilette sur lesquelles elle avait cousu les silhouettes d'adorables animaux. Et des savons de motel minuscules qu'elle avait chipés. Elle faisait mon lit. Elle s'efforçait de me montrer qu'elle m'approuvait, contrairement aux autres membres de la famille. Cheryl était très chrétienne, ça se comprenait.

Mais pour moi ce n'était pas un truc du genre faites-à-autrui. J'ai déjà dit que je ne cherchais pas à souffrir, et

179

je n'aurais pas envisagé d'aller jusqu'au bout si j'avais pu supporter la seule autre solution.

Toute ma vie, en le sachant sans le savoir, j'avais attendu ce moment. Mon jumeau était la personne juste hors de mon champ de vision, tout près de moi. Il ignorait qu'il avait été là, j'en étais convaincue. Quand l'aide sociale m'avait volée à Betty et que j'étais seule dans tout ce blanc, il m'avait pris la main, tenu compagnie, et avait pleuré. Et maintenant que j'avais rencontré sa mère, je comprenais autre chose. Dans cette petite ville, en fin de compte les gens savaient ce qu'elle avait fait en m'abandonnant. Il avait fallu qu'elle retourne la rage qu'elle avait pour elle-même, sa honte, contre quelqu'un d'autre – l'enfant qu'elle avait choisi. Elle avait dû rejeter la faute sur Linden, lui transmettre ses haines perverses. J'avais senti le mépris et le triomphe dans le contact de sa main. J'étais reconnaissante de ce qui était arrivé. Dans le ventre maternel, mon jumeau avait eu la compassion de s'écraser contre moi, de me parfaire en me déformant, afin que je sois celle qui serait épargnée.

Vous savez, a déclaré le médecin, une Iranienne, qui m'a donné les résultats des examens et a mené l'entretien, vous êtes compatible, mais je connais votre histoire. Il me paraît donc juste que vous sachiez que Linden Lark est responsable de son insuffisance rénale. Il a fait l'objet non pas d'une mais de deux ordonnances restrictives. Il a également tenté de se suicider en ingérant une dose massive de paracétamol, d'aspirine et d'alcool. Voilà pourquoi il est en dialyse. Je crois que vous devriez en tenir compte au moment de prendre votre décision.

Plus tard, ce jour-là, j'étais auprès de mon jumeau qui a dit : Rien ne t'y oblige. Rien ne t'oblige à être un Jésus.

Je sais ce que tu as fait, lui ai-je répondu. Je ne suis pas croyante.

Tiens donc, a dit Linden. Il m'a dévisagée et a lancé : Nous ne nous ressemblons vraiment pas.

J'ai compris que ce n'était pas un compliment, parce qu'il avait un physique agréable. J'ai songé qu'il avait hérité de ce que sa mère avait de mieux, mais aussi de ses yeux sournois et de sa bouche de requin. Son regard allait et venait autour de la pièce. Il se mordait la lèvre sans arrêt, en sifflant, en roulant sa couverture entre ses doigts.

Est-ce que tu es factrice ? a-t-il demandé.

Je suis au guichet, la plupart du temps.

J'avais une bonne tournée, a-t-il dit, en bâillant, toujours la même. J'aurais pu la faire en dormant. Pour Noël mes clients me laissaient des cartes, de l'argent, des biscuits, ce genre de trucs. Je connaissais tellement bien leurs vies. Leurs habitudes. Dans le moindre détail. J'aurais pu commettre le crime parfait, tu sais ?

Cela m'a décontenancée. Je n'ai pas répondu.

Lark a pincé les lèvres et baissé les yeux.

Tu es marié ? ai-je demandé.

Noooon... mais peut-être une petite amie.

Il l'a dit dans le genre, pauvre de moi, apitoyé sur son sort. Il a ajouté : ces derniers temps ma petite amie m'évite, parce qu'un certain haut fonctionnaire s'est mis à la payer pour qu'elle passe du temps avec lui. À lui rémunérer ses faveurs. Tu piges ?

Je suis de nouveau restée sans voix. Linden m'a raconté que la fille qui lui plaisait était jeune, qu'elle travaillait avec le gouverneur, qu'elle avait de bons résultats scolaires et sortait du lot, une ravissante lycéenne modèle sélectionnée pour devenir stagiaire. Une stagiaire indienne donne une bonne image à l'administration, a-t-il précisé, et je l'ai même aidée à décrocher le poste. Elle est vraiment trop jeune pour moi. J'attendais qu'elle mûrisse. Mais ce haut fonctionnaire l'a fait mûrir pendant que j'étais coincé à l'hôpital. Et depuis, il n'a pas cessé de la faire mûrir.

J'étais mal à l'aise et j'ai laissé échapper quelque chose pour changer de sujet.

As-tu jamais pensé, ai-je demandé, que quelqu'un faisait ta tournée de facteur juste à côté de toi, ou derrière toi ? Quelqu'un qui était là quand tu fermais les yeux, qui avait disparu quand tu les rouvrais ?

Non, a-t-il répondu. Tu es dingue ou quoi ?

C'était tout moi.

Je lui ai pris la main et il l'a laissée devenir toute molle. Nous sommes restés là, en silence. Au bout d'un moment il a retiré sa main, et l'a massée comme si mon étreinte lui avait fait mal.

Je n'ai rien contre toi, a-t-il assuré. C'était l'idée de ma mère. Je ne veux pas de ton rein. J'ai horreur des gens laids. Je ne veux pas d'un morceau de toi dans mon corps. Je préfère encore m'inscrire sur une liste. Franchement, tu es plutôt répugnante comme femme. Enfin, désolé, mais tu te l'es sans doute déjà entendu dire.

Je ne suis peut-être pas une éblouissante reine de beauté, ai-je protesté. Mais personne ne m'a jamais dit que j'étais répugnante.

Tu as peut-être même un chat, a-t-il poursuivi. Les chats font semblant d'aimer qui les nourrit. Je doute que tu puisses trouver un mari, ou ce que tu voudras, à moins de te mettre un sac sur la tête. Et il faudrait quand même l'enlever la nuit. Oh là là, je suis désolé.

Il a posé ses doigts sur sa bouche et pris un petit air coupable et narquois. Il s'est flanqué une fausse gifle. Pourquoi est-ce que je dis ces trucs-là ? Est-ce que je t'ai vexée ?

As-tu dit ces trucs-là pour me faire fuir ? ai-je demandé. J'avais de nouveau commencé à m'élever dans les airs, comme je l'avais fait au restaurant. Tu as peut-être envie de mourir. Tu ne veux pas être sauvé, c'est ça ? Je ne te sauve pas pour quelque raison que ce soit. Tu n'auras pas de dette envers moi.

Une dette ?

Il a paru sincèrement surpris. Ses dents étaient tellement bien rangées, j'étais sûre qu'il avait vu un orthodontiste quand il était petit. Il s'est mis à rire, en découvrant toutes ces belles dents. Il a secoué la tête, a agité son index sous mon nez, en riant si fort qu'il paraissait submergé. Quand je me suis penchée maladroitement pour ramasser mon sac, il a ri si fort qu'il s'en est presque étouffé. J'ai tenté de lui échapper, d'atteindre la porte, mais au lieu de cela j'ai reculé contre le mur et je me suis retrouvée coincée là dans cette chambre blanche, toute blanche.

Face à Linda, mon père était assis en silence à la table, les mains jointes et la tête baissée. Je n'ai rien trouvé à dire au début, et puis le silence a duré si longtemps que j'ai dit la première chose qui m'est venue à l'esprit.

Des tas de jolies femmes ont des chats. Sonja ? D'accord, les chats vivent dans l'écurie, mais elle les nourrit. Vous n'avez même pas de chat. Vous avez un chien. Ils sont difficiles. Voyez Pearl.

Linda a regardé mon père, la mine rayonnante, et déclaré qu'il avait élevé un gentleman. Il l'a remerciée et puis il a dit qu'il avait une question à lui poser.

Pourquoi l'avez-vous fait ? a-t-il demandé.

Elle le voulait, a répondu Linda. Mme Lark. La mère. Quand toute la procédure a été en place, j'exécrais Linden – c'est le mot. Exécrer ! Mais il me caressait dans le sens du poil. En plus, c'était idiot parce qu'à présent je me sentais coupable de le détester. Enfin, à première vue il n'y avait pas que du mauvais en lui. Il faisait la charité à des gens dans le besoin, et de temps à autre il décidait, je suppose sur un coup de tête, que j'avais besoin de sa charité. Alors il m'offrait des cadeaux, des fleurs, de jolis foulards, des savonnettes, des cartes postales romantiques. Il me disait à quel point il était désolé quand il était méchant, pendant un moment il me charmait et me faisait rire. Et puis je ne saurais pas expliquer l'emprise que Mme Lark était capable d'exercer. Linden était renfrogné avec elle, et injurieux derrière son dos. Pourtant, il était prêt à faire ses quatre volontés. Il a accepté parce qu'elle l'y a forcé. Et après, comme vous le savez, je suis tombée très malade.

Oui, a dit mon père, je m'en souviens. Vous avez attrapé une infection bactérienne à l'hôpital et on vous a envoyée à Fargo.

J'ai attrapé une infection de l'esprit, a dit Linda précisément, sur le ton de la rectification. J'ai compris que j'avais commis une erreur épouvantable. Ma vraie famille est venue à ma rescousse, m'a remise sur pieds. Et Geraldine également, bien sûr. Et aussi, Doe Lafournais m'a introduite dans leur loge à sudation. Cette cérémonie a été si puissante. Sa voix était nostalgique. Et si chaude ! Randall a préparé une fête pour moi. Ses tantes m'ont revêtue d'une robe traditionnelle à rubans qu'elles avaient confectionnée. J'ai commencé à guérir et je me suis sentie encore mieux quand Mme Lark est morte. Je suppose que je ne devrais pas le dire, mais c'est la vérité. Après le décès de sa mère, Linden est retourné s'installer dans le Dakota du Sud et il a de nouveau craqué, du moins à ce qu'on m'a dit.

Craqué ? ai-je demandé. Comment ça ?

Il a fait des trucs, a dit Linda.

Quels trucs ? ai-je demandé.

Derrière moi, j'ai senti l'extrême vigilance de mon père.

Des trucs pour lesquels il aurait dû se faire prendre, a-t-elle murmuré, et elle a fermé les yeux.

7

Angel One

Même si on le trouvait souvent au coin de la maison, assis sur une chaise de cuisine jaune écaillée, occupé à surveiller la route, ce n'était pas ainsi que Mooshum passait ses journées mais simplement une pause pour délasser ses vieux membres noueux. Mooshum se fatiguait avec entrain en s'adonnant à une interminable série de travaux coutumiers qui changeaient au fil des saisons. En automne, bien sûr, il y avait les feuilles à ratisser. Elles arrivaient de partout pour se poser sur son carré d'herbe rabougrie. Parfois il les saisissait même entre le pouce et l'index et les jetait dans un tonneau. Il prenait plaisir à les brûler. Il y avait une brève interruption après les feuilles et avant que la neige tombe. Pendant ce temps-là, Mooshum mangeait comme un ours. Son ventre s'arrondissait et ses joues se gonflaient. Il se préparait pour les fortes neiges. Il possédait deux pelles. Une large en plastique bleu qu'il utilisait pour la poudreuse, et une argentée au bord tranchant pour la neige qui s'était tassée ou amoncelée. Il avait aussi un casse-glace, un outil ressemblant à une binette dont la lame descendait tout droit au lieu de se recourber. Il l'aiguisait avec une lime jusqu'à ce qu'elle soit si tranchante qu'elle aurait pu facilement couper un orteil.

La tenue de combat de Mooshum attendait dans l'entrée à l'arrière de la maison tout le mois d'octobre. Quand tombait la première neige, il enfilait ses galoches. Clemence avait collé aux semelles du papier de verre à très gros grains. Tous les deux ou trois soirs, elle changeait le papier et laissait les chaussures sécher sur le radiateur. Les galoches de Mooshum allaient par-dessus ses mocassins doublés de fourrure de lapin et ses chaussettes isolantes. Il portait un pantalon de travail doublé de flanelle rouge, et une doudoune orange fluo que Clemence lui avait offerte pour qu'on le retrouve au cas où il se perdrait dans la neige. Des moufles en peau d'élan doublées de lapin, et un bonnet de laine d'un bleu lumineux surmonté d'un pompon fuchsia achevaient cet équipement. Mooshum sortait tous les jours dans ses vêtements hauts en couleur et travaillait avec une férocité croissante. On aurait dit une fourmi, il paraissait à peine bouger. Pourtant il ouvrait à la pelle des pistes menant aux poubelles, dégageait les sentiers qui tournaient autour de la maison, mais déblayait aussi l'allée de bout en bout et chaque côté des marches montant à la galerie. Il raclait la neige jusqu'à la terre et au ciment et ne la laissait jamais s'accumuler. Quand il n'y avait pas de neige fraîche et rien que l'éclat de la glace, il taillait celle-ci à l'aide du casse-glace fatal. Durant la période où tout fondait mais où la terre ne pouvait pas encore être travaillée pour faire le jardin, il mangeait de nouveau sans arrêt, et regagnait la chair qu'il avait perdue au cours de sa guerre hivernale.

Le printemps et l'été c'était les mauvaises herbes qui poussaient avec un empressement vicieux, les animaux chapardeurs, les insectes, les vicissitudes du climat. Mooshum se servait de la tondeuse à main comme la plupart des gens de son âge se serviraient d'un déambulateur, n'empêche qu'il tondait le jardin à ras. Il entretenait un grand potager avec un zèle invisible, arrachant le chien-dent, l'amarante à racine rouge, et trimballant des tonnes de seaux d'eau pour les buttes des courges, une fois de plus sans jamais paraître bouger. Le jardin de fleurs ne l'intéressait pas, mais Clemence avait un carré de framboi-siers revenu à l'état sauvage qui se mêlait à un bosquet d'amélanchiers. Quand les baies commençaient à mûrir, Mooshum se levait à l'aube pour les défendre. Épouvantail vivant, il était assis sur sa chaise jaune et buvait son thé du matin à petites gorgées. Pour effrayer les oiseaux, il avait également installé une corde à linge garnie de couvercles de boîtes de conserve. Il les avait percés à l'aide d'un mar-teau et d'un clou et les avait attachés assez près les uns des autres pour qu'ils claquent au vent. Il fixait ces fils clique-tants partout dans le jardin, et je prenais toujours bien garde de noter où il les tendait car le bord était tranchant et un garçon qui passerait par là à vélo sans trop y prêter attention risquait d'avoir la gorge tranchée.

Grâce à cette activité incessante et apparemment chimé-rique, Mooshum restait en vie. À quatre-vingt-dix ans passés, on l'avait opéré de la cataracte et ses gencives racornies avaient été équipées de fausses dents. Il avait encore l'oreille fine. Il entendait tellement bien qu'il était incommodé par les trépidations périodiques de la machine à coudre de Clemence, au bout du couloir, et l'habitude qu'avait mon oncle Edward de fredonner des hymnes funèbres en corrigeant ses copies. Un matin dans la cha-leur du mois de juin, je suis allé chez eux à vélo. Il a entendu ma bicyclette quand j'étais encore sur la route, mais bon, j'avais fixé une carte à jouer à un rayon au moyen d'une pince à linge. J'aimais ce joyeux claquement, et puis l'as de carreau portait chance. N'importe qui aurait pu m'entendre, pourtant à ce moment-là personne n'aurait été plus heureux que Mooshum de me voir arriver. Car il s'était pris dans un grand bout de filet à oiseaux qu'il avait tenté de jeter sur le buisson de pimbina, même si les fruits étaient loin d'être mûrs.

J'ai posé mon vélo contre la maison et sorti mon grand-père de là. Et puis j'ai replié le filet. J'ai demandé à Mooshum où était ma tante et pourquoi on l'avait laissé tout seul, mais il m'a fait taire et a répondu qu'elle était dans la maison.

Ça y plaît pas que j'utilise le filet. Les oiseaux se prennent dedans et ils meurent, ou ils perdent leurs pattes.

En effet, des replis du filet, au même instant j'ai sorti une toute petite patte d'oiseau, ses griffes toujours serrées autour d'un brin de maille plastique. Je l'ai dégagée avec soin et l'ai montrée à Mooshum, qui l'a regardée en remuant la bouche.

Laisse-moi cacher ça, a-t-il demandé.

Je la garde.

J'ai mis la griffe dans ma poche Je ne dirai rien à Clemence. Ça porte peut-être chance.

Tu as besoin de chance ?

Nous avons rangé le filet dans le garage et nous nous sommes avancés vers la porte de derrière. La journée devenait chaude et il était presque l'heure pour Mooshum de faire sa sieste matinale.

Oui, j'ai besoin de chance, lui ai-je répondu. Tu sais ce que c'est. Mon père m'avait privé de sorties trois jours de suite après que j'avais filé à vélo sans laisser de mot. J'étais resté à la maison avec ma mère tout ce temps-là. Et il y avait toujours cette histoire de fantôme que je n'avais pas eu l'occasion d'élucider. Je voulais demander à Mooshum ce qu'elle signifiait.

Ses yeux ont larmoyé, mais pas de pitié. Le soleil devenait éblouissant. Il avait besoin des Ray-Ban que oncle Whitey lui avait offertes pour son dernier anniversaire. Il a sorti un bandana délavé roulé en boule et a porté le chiffon à ses pommettes. Des mèches de cheveux pendaient autour de son visage.

Il y a mieux qu'une patte d'oiseau pour avoir de la chance, a-t-il remarqué.

Nous sommes entrés. Ma tante, qui était vêtue pour aller faire le ménage à l'église d'une paire de talons hauts, d'un chemisier blanc à jabot et d'un jean zébré moulant, a aussitôt posé une carafe de thé glacé et deux verres sur la table.

J'avais envie de rire et de demander comment elle allait briquer l'église en talons hauts, mais elle m'a vu les regarder et a expliqué : je les enlève, je m'enveloppe les pieds dans des chiffons et j'astique le sol.

Qu'est-ce que c'est que ça ? Mooshum a pincé les lèvres, mécontent.

Le même thé médecine que tu bois tous les jours, papa.

Tout le monde dans l'entourage de Mooshum s'attribuait le mérite de sa longévité et le fait qu'il ait encore toute sa tête. Ou ce qui passait pour une tête, disait Clemence, quand il la mettait en colère. L'anniversaire de Mooshum approchait, et il prétendait qu'il aurait 112 ans. Clemence faisait tout son possible pour le garder en vie afin qu'il puisse profiter de la fête. Elle s'était lancée dans de grands préparatifs.

Verse-moi donc un doigt de cette flotte de marais froide, m'a demandé Mooshum au moment où nous nous asseyions.

Papa ! Ça te donne du tonus.

J'ai pas besoin de plus de tonus. J'ai besoin d'un endroit où le mettre.

Et pourquoi pas Grand-mère Thunder ? Je voulais lancer la machine.

Elle est toute desséchée.

Elle est plus jeune que toi, a dit Clemence d'une voix glaciale. Vous, les vieux machins, vous vous croyez faits pour les jeunes femmes. C'est ça qui ne tourne pas rond chez vous.

C'est ça qui me maintient en vie ! Ça et mes cheveux.

Mooshum a touché la longue crinière blanche, lisse et maigrelette qu'il laissait pousser depuis des années. Clemence s'évertuait à vouloir lui tresser ou lui attacher les cheveux dans le dos, mais il préférait les laisser pendre en mèches emmêlées le long de son visage.

Oh yai. Il a avalé une grande gorgée de thé. Si à l'époque Louis Riel avait laissé Dumont tendre une embuscade à l'armée britannique, je serais un Premier ministre à la retraite. Clemence ici présente gouvernerait peut-être notre nation indienne plutôt que de nettoyer le plancher du curé. Elle n'aurait pas le temps de me faire boire ces inépuisables seaux de jus de brindilles. Ce truc-là me passe tout droit par le corps, mon garçon. Oups ! Ha ha. C'est *ce que je dirai quand je chierai dans mon froc.* Oups !

Ne t'avise pas de faire ça, a lancé Clemence. Reste avec

lui jusqu'à ce que je revienne et veille à ce qu'il arrive jusqu'aux toilettes. Elle a ajouté qu'elle serait de retour vers midi ou une heure.

J'ai hoché la tête et bu le thé. Il avait le goût âpre de l'écorce. Une fois Clemence partie, nous pourrions passer aux choses sérieuses. Il fallait que j'éclaircisse cette histoire de fantôme, pour commencer. Et puis, il me fallait de la chance. J'ai posé la question à Mooshum à propos du fantôme, et le lui ai décrit. Je lui ai expliqué que le même fantôme s'était montré à Randall.

Alors ce n'est pas un fantôme, a dit Mooshum.

Alors qu'est-ce que c'est ?

Quelqu'un qui projette son esprit vers toi. Quelqu'un que tu verras.

Tu crois que ça pourrait être l'homme ?

Quel homme ?

J'ai repris mon souffle. Celui qui a fait du mal à ma mère.

Mooshum a hoché la tête et il est resté immobile, les sourcils froncés.

Non, probablement que non, a-t-il fini par déclarer. Quand quelqu'un projette son esprit vers toi, il ne le sait même pas, mais il a l'intention de t'aider. Pendant des semaines mon père a rêvé que ce cheval le piétinait. Par deux fois, j'ai vu l'ange qui a emporté ma Junesse. Prends garde.

Alors aide-moi à avoir de la chance. Par quoi faudrait-il que je commence ?

Va d'abord voir ton *doodem*. Trouve l'*ajijaak*.

Mon père et son père avaient été introduits en grande pompe dans le clan de la Grue, ou *ajijaak*. Ils étaient censés être des chefs et avoir de bonnes voix, mais à part

ça on ne m'avait rien appris d'autre de particulier. Je l'ai
expliqué à Mooshum.

Pas de problème. Va tout droit voir ton *doodem* et
observe. Il te montrera la chance, Joe.

Il a bu le thé, fait la grimace. Puis sa tête s'est affaissée
sur sa poitrine et il a sombré dans le sommeil instantané
des vieillards et des tout-petits. Je l'ai aidé à se lever, et les
yeux fermés il était prêt à ce qu'on l'accompagne jusqu'au
lit de camp installé au salon où il somnolait dans la journée, tout contre la baie vitrée. Le lit était placé de telle
sorte qu'à son réveil Mooshum pouvait contempler le ciel
ardent et éternel.

Quand Clemence est revenue, je suis parti à vélo vers le
marais en dehors de la ville. Il était peu profond tout le
long de la rive, et j'avais vu un héron la dernière fois que
j'y étais allé. Tous les hérons, les grues et autres échassiers
étaient ma *doodemag*, ma bonne chance. Il y avait un ponton en planches grises, dont certaines manquaient. Je me
suis allongé sur le bois chaud et le soleil a pénétré tout
droit mes os. Je n'ai d'abord pas vu de héron. Et puis je me
suis aperçu que sur le bout de rive plantée de roseaux que
je scrutais, il y en avait un caché dans le motif. J'ai observé
cet oiseau dressé sur ses pattes. Immobile. Puis, aussi vif
que le génie, il a eu dans le bec un petit poisson, qu'il a
d'une secousse prudente expédié dans son gosier. L'oiseau
a repris sa position immobile, sur une patte cette fois. Je
commençais à être impatient de voir la chance se montrer.

Bon, ai-je dit, où est-elle, la chance ?

Dans un éclat de longues ailes effilées, il s'est élancé
dans les airs et a volé vers l'autre rive du lac, où se trouvait

la maison-ronde, et aussi la falaise et l'escarpement où nous aimions nous baigner. Les vents dominants poussaient des vagues, des ordures, et de l'écume filant à toute allure de ce côté du lac. J'ai pivoté sur mes talons, déçu, je me suis avancé à petits pas au-dessus d'une planche manquante, et dans l'ombre du ponton j'ai plongé mon regard dans l'eau claire. D'habitude on pouvait observer des petites perches, des araignées d'eau, des têtards, parfois même une tortue. Cette fois, un visage d'enfant m'a regardé. Surprenant, mais j'ai tout de suite su que c'était une poupée, une poupée en plastique qui avait coulé les yeux grands ouverts au fond du lac. Souriant d'un air goguenard comme si elle détenait un secret, des yeux bleus aux iris semés d'éclats scintillants qui captaient des points de soleil. J'ai bondi sur mes pieds, virevolté, et puis je suis revenu à genoux pour y regarder de plus près. Il m'est passé par la tête que s'il y avait un jouet, au bout il risquait d'y avoir un enfant, un vrai, et que cet enfant était peut-être coincé sous le ponton. Un nuage est passé devant le soleil. J'ai envisagé d'aller chercher Cappy, mais finalement ma curiosité a été trop forte et j'ai de nouveau regardé là-dessous, lorgné par les trous entre les planches. Il n'y avait que la poupée flottant paisiblement au fond du lac, vêtue d'une robe à carreaux bleus, d'une culotte à volants, et toujours ce sourire coquin. Dès que j'ai été tout à fait sûr qu'il n'y avait pas d'enfant qui l'accompagnait, j'ai repêché la poupée et l'ai secouée de sorte que l'eau s'est écoulée du raccord entre la tête et le corps en plastique moulé. J'ai tiré violemment sur la tête pour finir de vider l'eau, et ma chance était là. Et bien là. Cette poupée était remplie d'argent.

J'ai remis la tête en place. J'ai regardé autour de moi. Tout était tranquille. Personne en vue. J'ai retiré la tête et l'ai examinée de plus près. Elle était bourrée de billets bien roulés. Je me disais des billets de un dollar. Cent, peut-être deux cents. Mon sac à dos était accroché derrière la selle de mon vélo. J'ai jeté la poupée dedans et je suis parti à la station-service. Tout en pédalant, j'ai réfléchi à ma chance – un sentiment de culpabilité l'accompagnait. J'ai supposé que la personne qui avait caché l'argent dans la poupée était une fille, peut-être même quelqu'un que je connaissais. Elle avait économisé depuis toujours, des billets glanés ici et là, de l'argent gagné à faire des petits boulots, des cadeaux d'anniversaire, des dollars offerts par des oncles alcoolos. Tout ce qu'elle possédait se trouvait dans cette poupée, et elle l'avait perdue. J'ai songé que ma chance était probablement provisoire. Il y aurait une annonce désolante punaisée quelque part ou même publiée dans le journal, un message sans espoir décrivant cette poupée et demandant qu'on la rende.

Quand je suis arrivé à la station-service, j'ai posé mon vélo près de la porte et glissé la poupée sous ma chemise. Sonja s'occupait d'un client. J'ai regardé le panneau d'affichage. Il y avait des annonces pour du sperme de taureau et des bébés loups, des offres de matériel stéréo nase à vendre, des photos et des descriptions prometteuses de quarter horses, de chevaux pies et de voitures d'occasion. Pas de poupée. Le client a fini par s'en aller. Je serrais toujours la poupée contre moi sous ma chemise.

Qu'esse t'as là ? a demandé Sonja.

Un truc qu'il faut que je te montre en privé.

Ce coup-là, on me l'a déjà fait.

Sonja a éclaté de rire et je suis devenu tout rouge.

Viens, entre là.

Nous sommes passés derrière le comptoir et dans le minuscule placard qu'elle appelait son bureau. Il y avait un petit meuble de bureau métallique, une chaise, un lit de camp, une lampe, casés là. J'ai sorti la poupée de sous ma chemise.

Bizarre, a dit Sonja.

J'ai retiré la tête.

Bon Dieu de merde.

Sonja a fermé la porte du placard. Elle s'est servie de ses longs ongles roses pour tirer d'un coup sec le rouleau de billets hors du cou. Puis elle en a déroulé quelques-uns. C'étaient des billets de cent dollars. Elle les a roulés de nouveau, bien serrés, les a fourrés dans la poupée et a remis la tête en place. Elle est sortie, en refermant la porte derrière elle, et a été chercher trois sacs en plastique. Ensuite elle est revenue et a enveloppé la poupée dans un des sacs, a enroulé un autre sac autour du premier et utilisé le troisième comme sac de transport. Elle me regardait, dans le bureau faiblement éclairé. Ses yeux étaient ronds et d'un bleu aussi sombre que la pluie.

Ces billets sont mouillés.

La poupée était dans le lac.

Quelqu'un t'a vu la repêcher ? Quelqu'un t'a vu avec la poupée ?

Non.

Elle a sorti du tiroir la pochette de toile servant aux dépôts bancaires. Je connaissais son existence parce que Sonja apportait l'argent à la banque deux fois par jour. Un panneau à la caisse avertissait : « Pas d'espèces dans le magasin ! » Un autre à côté : « Souriez, vous êtes filmé pour la Caméra Cachée. » Que ce soit une fausse caméra était un grand secret. Sonja a sorti la boîte à monnaie en alu marron clair qui se fermait à l'aide d'une petite clé. Elle a réfléchi un instant, puis a sorti d'un tiroir une pile d'enveloppes de correspondance blanches et les a glissées dans la boîte.

Où est ton papa ?

À la maison.

Sonja a composé notre numéro et demandé : Ça vous ennuie si j'emmène Joe faire des courses ? Nous serons de retour en fin d'après-midi.

Où va-t-on ? ai-je demandé.

D'abord, chez moi.

Nous avons emporté jusqu'à la voiture la poupée dans le sac en plastique, la pochette pour les dépôts bancaires et la boîte à monnaie marron clair. Sonja a embrassé Whitey au passage, lui a raconté qu'elle allait déposer l'argent à la banque et m'acheter quelques vêtements, ce genre de trucs. L'idée c'était qu'elle prenait en charge ce que ma mère aurait pris en charge si elle avait été capable de se lever et de sortir.

Bien sûr, a dit Whitey, en nous faisant au revoir de la main.

Sonja veillait toujours à ce que j'attache ma ceinture et ne coure aucun danger. Elle avait une vieille Buick que Whitey maintenait en état de marche et elle conduisait prudemment, même si elle fumait et envoyait d'une chiquenaude la cendre de ses cigarettes dans un dégoûtant petit cendrier rétractable. Le reste de la voiture était passé à l'aspirateur et impeccable. Nous avons quitté la ville et tourné sur la route de l'ancienne maison, nous sommes passés devant le pré des chevaux, qui ont levé la tête et se sont élancés. Ils devaient connaître le bruit du moteur. Les chiennes étaient debout devant la maison, à attendre. C'étaient les sœurs de Pearl – Ball et Chain. Toutes les deux étaient noires avec d'ardents yeux jaunes et des taches marron ici et là autour du cou et sur la queue. Le mâle, Big Brother, s'était sauvé il y avait en gros un mois.

Whitey avait construit un escalier et une terrasse devant la maison. Elle était en bois de charpente traité qui n'avait pas encore perdu sa couleur verte maladive. La maison était d'un bleu vaporeux. Sonja disait qu'elle l'avait peinte de ce bleu-là à cause du nom de la teinte : Perdu dans l'Espace. Les moulures étaient super blanches mais la double porte en aluminium et la porte pleine intérieure étaient vieilles et délabrées. À l'intérieur, la maison était fraîche et sombre. Elle sentait le désinfectant Pine-sol et l'encaustique au citron, la cigarette et le vieux poisson frit. Il y avait quatre petites pièces. La chambre était occupée par un grand lit défoncé couvert d'un édredon à fleurs, et la fenêtre donnait sur le pâturage en pente et les chevaux. Le pie et l'appaloosa s'étaient rapprochés du barbelé au bout de la cour. Spook a henni, un cri de tendresse. J'ai suivi Sonja dans la chambre à coucher, où elle a ouvert son placard. Du parfum s'en est échappé. Elle s'est retournée, un fer à la main, qu'elle a branché dans le mur à côté de la table à repasser. Celle-ci était installée juste devant la fenêtre, d'où Sonja pouvait regarder les chevaux.

Je me suis assis sur le bord du lit, j'ai retiré la tête de la poupée et passé les billets à Sonja un par un. Elle les a bien repassés et séchés, en tâtant souvent la semelle du fer du bout du doigt. Ce n'étaient que des billets de cent.

D'abord nous avons glissé soigneusement cinq billets dans chaque enveloppe, plié le rabat mais sans le coller, et posé l'enveloppe sur le lit. Ensuite les enveloppes ont commencé à manquer et nous avons mis dix billets dans chaque. Et puis vingt. Sonja m'a donné une pince à épiler et j'ai sorti les derniers billets des poignets et des chevilles de la poupée. Sonja a pris une lampe torche pour regarder tout au fond du cou. Finalement, j'ai remis la tête en place.

Range-la dans le sac, a demandé Sonja.

Elle s'est passé le poignet sur le front et la lèvre supérieure. Son visage était couvert de gouttes de sueur alors que la chaleur n'était pas encore entrée dans la maison.

Elle a battu des bras, s'est tamponné les aisselles.

Pfiuuu. Va à la cuisine me chercher de l'eau. Faut que je change de chemisier.

Je suis allé à la cuisine et j'ai ouvert le réfrigérateur. Le puits de la propriété donnait de l'eau douce. Sonja en gardait toujours une carafe au frais. J'ai versé l'eau dans un verre Pabst Blue Ribbon – ils faisaient collection de verres à bière – et j'ai tout bu. Puis je l'ai de nouveau rempli pour Sonja. Je suppose que je voulais qu'elle boive dans le même verre que moi, même si je ne pensais pas vraiment à ça. Je me demandais plutôt combien d'argent il pouvait y avoir dans les enveloppes. Je suis retourné dans la chambre et Sonja avait enfilé un chemisier propre – à rayures roses et grises qui étaient tendues et s'élargissaient sur sa poitrine. Le chemisier avait un col blanc raide et une patte de boutonnage. Elle a bu le verre d'eau.

Pfffiuuu, a-t-elle fait.

Nous avons mis les enveloppes dans la pochette à espèces, et la pochette dans la boîte en aluminium. Sonja est allée à la salle de bains se brosser les cheveux, et tout. Elle n'a pas bien fermé la porte et moi j'étais assis à la cuisine et je regardais le mur de la salle de bains. Quand elle est sortie, elle avait remis du rouge à lèvres, d'un rose parfaitement assorti à ses ongles et aux rayures de son chemisier. Nous sommes retournés à la voiture. Sonja a emporté la poupée dans le sac en plastique. Elle l'a enfermée dans le coffre.

Nous allons ouvrir une flopée de comptes d'épargne pour tes études supérieures, a-t-elle annoncé.

D'abord nous sommes allés à l'une des banques de Hoopdance, où l'on nous a fait passer devant le caissier pour parler à la directrice de l'agence, au fond de l'établissement. Sonja a expliqué qu'elle ouvrait un compte pour moi, un compte d'épargne, et nous avons tous les deux signé des fiches imprimées pendant que la femme tapait mon nom dans le livret, Sonja étant cosignataire. Sonja a donné trois des enveloppes, et la dame qui ouvrait le compte lui a lancé un regard perçant.

Ils ont vendu son terrain, a expliqué Sonja avec un haussement d'épaules.

La dame a compté l'argent et tapé la somme dans le livret. Elle l'a glissé dans une petite enveloppe plastique et me l'a remise ostensiblement.

Je suis sorti, le livret à la main, et nous sommes allés en voiture à l'autre banque de Hoopdance où nous avons fait la même chose. Sauf que cette fois Sonja a évoqué un gain au bingo.

Hé bé, s'est exclamé le directeur d'agence.

Nous sommes repartis, pour Argus. Dans une banque, Sonja a raconté que j'avais hérité de mon oncle gâteux.

Dans une autre, elle a parlé d'une course de chevaux. Puis elle est revenue au gain au bingo. Ça nous a pris tout l'après-midi, de rouler entre les nouveaux pâturages et les cultures qui commençaient à pointer. Sur une aire de repos au bord de la route, Sonja s'est arrêtée et a ouvert le coffre. Elle a pris la poupée enveloppée dans ses sacs en plastique et l'a laissé tomber dans une poubelle. Après, nous nous sommes arrêtés dans la ville suivante pour acheter des hamburgers et des frites à emporter. Sonja n'a pas voulu me laisser boire un Coca, selon elle le soda à l'orange était meilleur pour moi. Je m'en fichais. J'étais tellement content d'être dans une voiture où elle devait surveiller la route, et où avant de lever les yeux vers son visage je pouvais regarder ses seins tirer sur ces fameuses rayures. Chaque fois que je m'adressais à elle, je regardais ses seins. J'avais la boîte à monnaie sur les genoux et j'ai cessé de penser à l'argent comme étant, en fait, de l'argent. Pourtant quand enfin tout a été déposé et que nous roulions vers la maison, j'ai repris chaque livret et additionné les chiffres dans ma tête. J'ai annoncé à Sonja qu'il y avait plus de quarante mille dollars.

C'était un poupon grandeur nature, a-t-elle remarqué.

Et pourquoi on n'a pas pu garder au moins un billet ? ai-je demandé. En y repensant, j'étais déçu.

Écoute, a répondu Sonja. Voilà. D'où il vient cet argent, hein ? Y vont vouloir le récupérer. Ils tueront pour le récupérer, tu vois ce que je veux dire ?

Que je ne devrais en parler à personne. Tu m'étonnes.

Mais en es-tu capable ? Je n'ai jamais connu un seul gars capable de garder un secret.

Moi, si.

Même avec ton papa ?

Oui.

Même avec Cappy ?

Elle m'a entendu hésiter avant de répondre.

Ils le tabasseraient, lui aussi. Le tueraient, peut-être. Alors tu la boucles et tu la gardes bouclée. Sur la tête de ta mère.

Elle savait ce qu'elle disait. Elle savait sans regarder que les larmes me montaient aux yeux. J'ai battu des paupières.

D'accord, je le jure.

Il faut qu'on enterre les livrets.

Nous avons tourné sur un chemin de terre et roulé jusqu'à temps d'arriver à l'arbre que les gens appellent l'arbre aux pendus, un chêne immense. Le soleil brillait dans ses branches. Il y avait des drapeaux de prières, des bandes de tissu. Rouge, bleu, vert, blanc, les couleurs indiennes d'autrefois correspondant aux quatre directions, d'après Randall. Certains bouts de tissu étaient décolorés, d'autres neufs. C'était l'arbre où les ancêtres dont j'ai parlé avaient été pendus. Aucun des assassins n'avait jamais été jugé. J'apercevais la terre de leurs descendants, déjà couverte de cultures en rangs. Sonja a sorti le racloir à glace de sa boîte à gants et nous avons mis les livrets dans la boîte à monnaie. Elle a fourré la clé dans la poche de son jean.

Souviens-toi de la date.

Nous étions le 17 juin.

Nous avons suivi la courbe du soleil jusqu'à un point sur l'horizon, puis avancé en ligne droite à partir de l'endroit où le soleil se coucherait, d'une cinquantaine de pas dans les bois. Il nous a fallu une éternité pour creuser un trou profond, armés de ce seul racloir. Mais nous avons réussi à y fourrer la boîte, nous l'avons recouverte, par-dessus nous avons replacé les mottes d'herbe et dispersé des feuilles.

Invisible, ai-je assuré.

Il faut qu'on se lave les mains, a dit Sonja.

Il y avait un peu d'eau dans le fossé. Nous nous en sommes servis.

Je pige que je ne dois en parler à personne, ai-je dit, sur le chemin du retour. Mais je veux des chaussures comme celles de Cappy.

Sonja m'a jeté un coup d'œil et a failli me surprendre les yeux posés sur son sein.

Ouais. Et comment tu expliquerais où tu as eu l'argent pour les acheter ?

Je dirais que j'ai décroché un boulot à la station-service.

Elle a souri. Tu en veux un ?

Le plaisir m'a submergé et j'ai été incapable de parler. Jusque-là je ne m'étais pas rendu compte à quel point je voulais sortir de chez moi et à quel point je voulais travailler quelque part où je pourrais voir du monde et parler à des gens, des gens qui passeraient simplement par là, des gens qui n'étaient pas en train de mourir sous vos yeux. Ça m'a fait peur de penser brusquement comme ça.

Oh putain merde, oui !

On ne jure pas au boulot, a dit Sonja. Tu représentes quelque chose.

D'accord. Nous avons roulé pendant quelques kilomètres. J'ai demandé ce que je représentais.

Une entreprise de l'économie de marché travaillant sur une réserve. On nous a à l'œil.

Qui nous a à l'œil ?

Les Blancs. Je veux dire, ceux qui nous en veulent. Tu

sais ? Comme ces Lark, les anciens propriétaires de Vinland. Il est passé, mais il est sympa avec moi. Pour tout
dire, il n'est pas si méchant que ça.

Linden ?

Ouais, celui-là.

Tu devrais faire gaffe à lui.

Elle a ri. Whitey peut pas le sentir. Quand je suis sympa
avec lui, il est fou de jalousie.

Et pourquoi tu veux que Whitey soit jaloux ?

Tout à coup, moi aussi j'étais jaloux. Elle a ri de nouveau et répondu que Whitey avait besoin qu'on le remette
à sa place.

Il croit que je suis sa chose.

Oh.

J'étais gêné, mais elle m'a brusquement décoché un
regard, perçant, et le même sourire goguenard que celui de
la poupée. Puis elle a détourné les yeux, toujours en souriant, avec une folle jubilation.

Ouais. Y croit que je suis sa chose. Mais il va se rendre
compte que non, hein ? J'ai pas raison ?

Soren Bjerke, agent spécial du FBI, était un grand écha-
las suédois impassible, à la peau et aux cheveux blonds
comme les blés, au nez maigre et à vif, et aux grandes
oreilles. On ne voyait pas bien ses yeux derrière ses
lunettes – elles étaient toujours sales, volontairement je
crois. Il avait une tête de chien mollassonne et un petit
sourire modeste. Il faisait peu de mouvements. Il avait une
façon de rester parfaitement immobile et attentif qui me

rappelait l'*ajijaak*. Ses mains noueuses étaient calmes sur la table de la cuisine, quand je suis entré. Je suis resté dans l'embrasure de la porte. Mon père apportait deux tasses de café. J'ai senti que j'avais fait éclater un nuage de concentration flottant entre eux. J'ai eu les jambes en coton de soulagement parce que j'ai compris que la visite de Bjerke ne me concernait pas.

Si Bjerke était là, de toute façon, cela datait de l'arrêt Ex Parte Crow Dog et du Major Crimes Act de 1885. C'était l'époque où le gouvernement fédéral était intervenu pour la première fois dans les jugements prononcés entre Indiens en matière de dédommagements et de sanctions. Les raisons de la présence de Bjerke ont perduré jusqu'à cette sale année pour les Indiens, 1953, où le Congrès n'a pas seulement décidé de faire sur nous l'essai de la Terminaison, mais a voté la Loi fédérale 280, autorisant certains États à exercer un pouvoir de justice et de police sur les réserves indiennes situées sur leur territoire. S'il y a une loi qui à ce jour pourrait, pour les Indiens, être abrogée ou amendée, c'est bien la Loi fédérale 280. Mais sur notre réserve en particulier, la présence de Bjerke attestait de notre souveraineté sans influence. Vous avez poursuivi votre lecture jusqu'ici, vous savez donc que j'écris cette histoire alors que le temps a passé, depuis l'été 1988 où ma mère a refusé de descendre l'escalier et refusé de parler à Soren Bjerke. Elle m'avait flanqué un coup de poing et avait terrifié mon père. Elle s'était éloignée en flottant, de sorte que nous ne savions pas comment la récupérer. J'ai lu que certains souvenirs notés dans un état d'agitation à un âge vulnérable ne s'effacent pas avec le temps, mais se gravent toujours plus profondément tandis qu'ils ne cessent de ressurgir. Et pourtant, très sincèrement, à ce moment-là en 1988, pendant que je regardais mon père et Bjerke attablés dans notre cuisine, j'avais le cerveau toujours bourré d'argent comme la tête de cette poupée jetée aux ordures, avec dans les yeux son espièglerie artificielle.

Je suis passé devant Bjerke et suis entré au salon, mais je n'avais pas envie de monter au premier. Je n'avais pas envie de passer devant la porte fermée de ma mère. Je ne voulais pas savoir qu'elle était couchée là, qu'elle respirait là, et par sa souffrance continuelle pompait tout le suc sécrété par l'excitation de l'argent. Mais parce que je ne voulais pas passer devant la porte de ma mère, j'ai fait demi-tour pour retourner dans la cuisine. J'avais faim. Je suis resté à gigoter sur le pas de la porte jusqu'à ce que les hommes cessent à nouveau de parler.

Tu veux peut-être un verre de lait, a dit mon père. Serstoi et assieds-toi. Ta tante nous a préparé un gâteau. Un petit gâteau au chocolat, nappé d'un joli glaçage, était posé sur le plan de travail. Mon père m'a fait signe de m'en approcher. Je l'ai soigneusement coupé en quatre parts que j'ai posées sur des soucoupes avec une fourchette à côté. J'en ai apporté trois à table. Je me suis versé un verre de lait.

Je le monterai à ta mère plus tard, a dit mon père, en montrant d'un signe de tête le dernier morceau.

Je me suis donc assis avec les hommes. Et j'ai compris que j'avais commis une erreur. Maintenant que j'étais assis à leur contact, la vérité me tirerait à elle. Pas la vérité du bidon d'essence. Pourtant quand ils ont paru attendre que je parle, c'est ce que j'ai lâché, d'un ton nerveux, et j'ai demandé si cela pouvait constituer une preuve.

Oui, a dit Bjerke. Son regard sans réaction a percé la crasse de ses lunettes. Nous ferons une déclaration écrite sous serment. En temps voulu. S'il y a de quoi.

Oui, monsieur. Enfin, j'ai rassemblé mon courage, on devrait peut-être la faire tout de suite. Avant que j'oublie.

Il est du genre à oublier ? a demandé Bjerke.

Non, a répondu mon père.

Je me suis tout de même retrouvé à parler dans un petit magnétophone et à signer un papier. Après, il y a eu quelques questions posées poliment et avec les meilleures intentions sur ce que je comptais faire pendant l'été, combien je mesurais et quels sports je choisirais au lycée. Le catch, ai-je répondu. Ils se sont efforcés de ne pas avoir l'air sceptique. Ou alors le cross ? Cela paraissait plus vraisemblable. Je voyais bien que les deux hommes étaient contents de m'avoir là mais qu'ils repoussaient aussi un silence gêné, vaste et morose, qui s'était installé entre eux et résultait probablement, maintenant que je repense à ce jour et à cette heure, de l'impasse dans laquelle ils se trouvaient. Ils étaient à court d'idées, n'avaient pas de suspect, pas de piste avérée et pas du tout d'aide de ma mère, qui soutenait à présent que l'événement lui était sorti de la tête. L'argent continuait à m'inciter à parler, à faire des révélations.

Il y a un truc, ai-je dit.

J'ai posé ma fourchette et considéré mon assiette vide. Je voulais une autre part de gâteau, cette fois accompagnée d'une boule de glace. En même temps, j'avais une sale impression à l'idée de ce que j'allais faire et je me disais que je risquais de ne plus jamais manger.

Un truc ? a demandé mon père. Bjerke s'est essuyé les lèvres.

Il y avait un dossier.

Bjerke a posé sa serviette. Mon père m'a regardé par-dessus ses lunettes.

Joe et moi avons parcouru les dossiers, a-t-il précisé à Bjerke, en guise d'explication à ma remarque inattendue. Nous avons sorti les éventuels procès dans lesquels quelqu'un aurait pu...

Pas ce genre de dossier, ai-je dit.

Tous deux m'ont fait un signe de tête patient. Et puis j'ai vu mon père comprendre qu'il y avait quelque chose qu'il ne savait pas dans ce que je m'apprêtais à révéler. Il a baissé la tête et m'a regardé fixement. La pieuvre dorée égrenait son tic-tac sur le mur. J'ai inspiré à fond, et quand j'ai parlé j'ai chuchoté d'une voix enfantine que j'ai aussitôt trouvée infâme mais qui les a captivés.

S'il vous plaît, ne racontez pas à maman que je vous l'ai dit. S'il vous plaît ?

Joe, a dit mon père. Il a ôté ses lunettes et les a posées sur la table.

S'il vous plaît ?

Joe.

Bon. L'après-midi où maman est allée au bureau, il y a eu un coup de téléphone. Quand elle a raccroché, j'ai senti qu'elle était contrariée. Et puis en gros une heure après elle a annoncé qu'elle allait chercher un dossier. Il y a une semaine, je m'en suis souvenu. Et je lui ai demandé si on l'avait retrouvé. Elle a répondu qu'il n'y avait pas de dossier. Elle a dit que je ne devrais jamais parler d'un dossier. Mais il y avait un dossier. Elle est allée le chercher. Ce dossier, c'est pour ça que c'est arrivé.

J'ai arrêté de parler et suis resté la bouche pendante.

209

Nous nous sommes dévisagés comme trois crétins, le menton plein de miettes.

Ce n'est pas tout, a soudain lancé mon père. Ce n'est pas tout ce que tu sais.

Il s'est penché par-dessus la table, à sa façon. Il m'a dominé de toute sa hauteur, a paru grandir. J'ai d'abord pensé à l'argent, bien sûr, mais je n'allais pas y renoncer, et de toute façon en parler maintenant ce serait impliquer aussi Sonja, et jamais je ne la trahirais. J'ai tenté d'ignorer le problème.

C'est tout, ai-je affirmé. Rien de plus. Mais papa me dominait toujours. Alors j'ai lâché un secret plus petit, c'est souvent notre moyen de satisfaire quelqu'un qui sait, et sait qu'il sait, comme c'était le cas de papa à ce moment-là.

Très bien.

Bjerke s'est penché en avant à son tour. J'ai repoussé ma chaise, pris d'une certaine agitation.

Du calme, a dit mon père. Raconte-nous simplement ce que tu sais.

Le jour où nous sommes allés à la maison-ronde et où nous avons trouvé le bidon d'essence, eh bien, nous avons aussi trouvé autre chose. De l'autre côté de la clôture, en bas au bord du lac. Il y avait une glacière et une pile de vêtements. Nous n'avons pas touché aux vêtements.

Et la glacière ? a demandé Bjerke.

Euh, je crois bien qu'on l'a ouverte.

Qu'y avait-il dedans ? a demandé mon père.

Des canettes de bière.

J'étais sur le point de prétendre qu'elles étaient vides, et puis j'ai regardé mon père et su que nier était indigne de moi et qu'un mensonge nous mettrait tous les deux dans l'embarras devant Bjerke.

Deux packs de six, ai-je précisé.

Bjerke et mon père ont échangé un regard, hoché la tête, et se sont calés sur leur chaise.

Et voilà, j'avais balancé mes copains pour camoufler l'histoire de l'argent. J'étais là, abasourdi de la rapidité avec laquelle c'était arrivé. J'étais également choqué de voir que mon aveu escamotait à la perfection les quarante mille dollars que je venais de mettre en lieu sûr le jour même avec l'aide de Sonja. Ou sur les instructions de Sonja. C'était moi qui avais aidé Sonja, après tout. Et elle qui en avait eu l'idée. Elle qui n'était pas allée voir mon père ou la police. C'était une adulte, théoriquement elle était donc responsable de ce qui s'était passé ce jour-là. Je pouvais toujours m'abriter derrière cet argument, ai-je songé, et que j'aie eu cette idée m'a étonné et puis humilié de sorte que, assis face à mon père et à Bjerke, je me suis mis à transpirer et j'ai senti mon cœur s'emballer et ma gorge se serrer.

Je me suis levé d'un bond.

Faut que j'y aille !

Est-ce qu'il sentait la bière ? ai-je entendu mon père demander.

Non, a répondu Bjerke.

Je me suis enfermé à la salle de bains et je les ai entendus discuter. S'il y avait eu une fenêtre facile à ouvrir, j'aurais peut-être sauté dehors et filé. J'ai passé les mains sous le robinet, marmonné des paroles, et très délibérément évité de regarder dans le miroir.

Quand je suis revenu à pas de loup à la table, j'ai vu un papier à côté de mon assiette à dessert et de mon verre vides.

Lis-le, a ordonné mon père.

Je me suis assis. C'était une citation à comparaître, bien que sur un simple bout de papier. Consommation d'alcool par des mineurs. Il y était également fait mention de détention des enfants et adolescents.

Devrais-je aussi citer tes amis à comparaître ?

C'est moi qui ai bu les deux packs. J'ai marqué un temps d'arrêt. Petit à petit.

Où pourrions-nous trouver les canettes ? a demandé Bjerke.

Elles ont disparu. Écrasées. Jetées. C'était de la Hamm's.

Bjerke n'a pas eu l'air de penser que la marque était intéressante. Il ne l'a même pas notée.

Ce secteur était sous surveillance, a-t-il précisé. Nous étions au courant de l'existence de la glacière et des vêtements, mais ils n'appartiennent pas à l'agresseur. Bugger Pourier est revenu de Minneapolis voir sa mère qui était en train de mourir. Elle l'a fichu dehors, comme d'habitude, et il s'est installé là-bas. Nous espérions qu'il reviendrait chercher sa bière. Mais je suppose que tu l'as bue avant.

Il a dit cela d'un ton distant mais quelque peu compatissant, et j'ai senti que ma tête se mettait à tourner à cause du brusque reflux de l'adrénaline. Je me suis relevé et j'ai reculé, l'avis entre les mains.

Je suis désolé, monsieur. C'étaient des Hamm's. Nous avons cru...

J'ai continué de reculer jusqu'à ce que j'arrive à la porte et puis j'ai pivoté sur mes talons. Pesamment, j'ai gravi l'escalier. Je suis passé devant la porte de ma mère sans entrer la voir. Je suis allé dans ma chambre et j'ai fermé la porte. La chambre de mes parents occupait l'avant de l'étage et avait trois fenêtres qui laissaient habituellement entrer les premiers rayons du soleil matinal. La salle de bains et la pièce à couture occupaient de petits espaces de part et d'autre de l'escalier. Ma chambre à l'arrière de la maison prenait l'or infini du soleil couchant, et en été surtout il était réconfortant d'être allongé sur mon lit et de regarder les ombres rayonnantes grimper le long des murs. Mes murs étaient peints d'un doux ton de jaune. Ma mère les avait peints pendant sa grossesse et racontait toujours qu'elle avait choisi cette couleur parce qu'elle conviendrait aussi bien à une fille qu'à un garçon, mais qu'arrivée à la moitié elle avait su que j'étais un garçon. Elle l'avait su parce que chaque fois qu'elle travaillait dans la pièce une grue passait devant la fenêtre, le *doodem* de mon père, comme je l'ai signalé. Son clan à elle était celui de la Tortue. Mon père prétendait qu'elle s'était débrouillée pour que les tortues hargneuses qu'elle avait attrapées le jour de leur premier rendez-vous usent de l'intimidation afin qu'il l'épouse sans tarder. Je n'ai appris que plus tard qu'ils avaient justement attrapé la tortue sur la carapace de laquelle le premier petit ami de ma mère avait gravé leurs initiales. Ce garçon était mort, m'avait raconté Clemence. Le message de la tortue touchait à la mortalité. Au fait que mon père devrait agir avec rapidité face à la mort. Tandis que la lumière descendait doucement le long des murs, changeant la peinture jaune en un ton bronze plus foncé, j'ai songé à l'horrible poupée et à l'argent. J'ai songé au sein gauche et au sein droit de Sonja, dont j'avais conclu après une furtive et constante observation qu'ils étaient légèrement différents, et je me suis demandé si je saurais jamais vraiment en quoi. J'ai songé à mon père assis au rez-de-chaussée dans l'obscurité grandissante, et à ma mère dans la chambre noire, les stores baissés contre le soleil levant du lendemain matin. Il régnait sur la réserve le silence qui s'abat entre le crépuscule estival et la nuit, avant que les pick-up ne traînent entre les bars, le dancing et le service d'alcool au volant. Les bruits étaient assourdis – un cheval a henni par-delà les arbres. Il y a eu au loin un court braillement rageur tandis qu'on faisait de force rentrer un enfant. Il y a eu le bourdonnement d'un moteur lointain qui descendait de l'église, là-haut sur la colline, en haletant. Ma mère ne s'était jamais aperçue que les grues sont très prévisibles et cessent de chasser à heure fixe pour rejoindre leur perchoir. La grue que ma mère avait observée, ou son petit, est alors passée lentement devant ma fenêtre en battant des ailes. Ce soir-là, elle a projeté sur mon mur non pas son image, mais celle d'un ange. J'ai regardé cette ombre. Par un effet de réfraction lumineuse les ailes se sont arquées vers le haut en jaillissant du corps délié. Et puis les plumes se sont enflammées et l'animal a été dévoré par la lumière.

8

Dans la peau de Q

Le travail de ma mère consistait à connaître les secrets de tout le monde. Les premiers registres de recensement établis dans la zone qui est devenue notre réserve remontent au-delà de 1879 et comprennent une description de chaque famille avec la tribu, souvent le clan, la profession, les liens de parenté, les âges et noms originels dans notre langue. Beaucoup de gens avaient également pris des noms français ou anglais, à l'époque, ou bien ils avaient été baptisés et avaient reçu de ce fait le nom d'un saint catholique. Il revenait à ma mère d'analyser l'enchevêtrement d'embranchements et de sous-embranchements toujours plus compliqués de chaque lignée. Au fil des générations, nous sommes devenus un impénétrable fourré de noms et de relations. Au bout de chaque branche, bien sûr, on trouve les enfants, ceux qui ont été récemment inscrits sur les registres de droits d'appartenance par leurs parents, ou souvent par un père ou une mère célibataire, avec un parent cité dans la case ad hoc dont l'identité, si elle était connue, risquerait de secouer les branches d'autres arbres. Enfants de l'inceste, de l'agression sexuelle, du viol, de l'adultère, de la fornication

215

à l'intérieur ou à l'extérieur des limites de la réserve, enfants de fermiers blancs, de banquiers, de religieuses, de directeurs du Bureau des Affaires indiennes, de policiers et de curés. Ma mère gardait ses dossiers enfermés dans un coffre-fort. Personne d'autre qu'elle ne connaissait la combinaison du coffre et les demandes d'enregistrement tribal non traitées s'accumulaient maintenant dans son bureau.

L'agent spécial Bjerke était dans notre cuisine, le lendemain matin, pour réfléchir à la façon d'interroger ma mère à propos de ce dossier.

Cela se passerait-il mieux si nous avions une femme pour lui parler ? Nous pouvons faire venir une de nos agents du bureau de Minneapolis.

Je ne pense pas.

Mon père tripotait le plateau qu'il avait préparé pour le petit-déjeuner de ma mère. Il y avait un œuf au plat cuit comme elle l'aimait avant, une tartine grillée bien beurrée, un petit peu de confiture de Clemence. Il lui avait déjà apporté un café au lait et se sentait encouragé car pour lui elle s'était assise au lit et en avait bu une gorgée.

Je suis monté en portant le plateau, que j'ai mis sur une des chaises à côté du lit. Elle avait reposé la tasse de café et faisait semblant de dormir – je le voyais à l'infime tension de son corps et à sa respiration faussement profonde. Peut-être savait-elle que Soren Bjerke était revenu, ou peut-être mon père avait-il déjà parlé du dossier. Elle trouverait que je l'avais trahie. J'ignorais si elle me pardonnerait un jour, et j'ai quitté la pièce en regrettant de ne pouvoir courir rejoindre Sonja et Whitey et servir l'essence sous le soleil brûlant, laver des pare-brise ou nettoyer les toilettes crasseuses. N'importe quoi plutôt que de remonter au premier, dans la chambre. Mon père a soutenu qu'il était important que je sois là pour qu'elle ne puisse pas nier les faits.

Nous allons devoir forcer son déni, voilà les mots qu'il a employés, et une frayeur pitoyable m'a saisi.

Nous sommes montés tous les trois. Mon père en premier, puis Bjerke, et enfin moi. Papa a frappé avant d'entrer, et Bjerke, qui regardait ses pieds, a attendu dehors avec moi. Mon père a dit quelque chose.

Non !

Elle a crié et on a entendu le fracas de ce que je savais être le plateau du petit-déjeuner, un cliquetis de couverts glissant sur le sol. Mon père a ouvert la porte. Son visage était luisant de transpiration.

Nous ferions mieux d'en finir rapidement.

Nous sommes donc entrés et avons pris place sur deux chaises pliantes qu'il avait installées près du lit. Il s'est assis, comme un chien sachant que sa présence est indésirable, au pied du lit. Ma mère est partie à l'autre bout du matelas où elle est restée recroquevillée, nous tournant le dos, plaquant comme une gamine l'oreiller sur ses oreilles.

Geraldine, a dit mon père à voix basse, Joe est ici avec Bjerke. Je t'en prie. Ne le laisse pas te voir dans cet état.

Quel état ? La voix de maman était un ricanement de corbeau. Folle ? Il peut le supporter. Il l'a déjà vu. Mais il aimerait mieux être avec ses amis. Laisse-le partir, Bazil. Et après je vous parlerai.

Geraldine, il sait quelque chose. Il nous a raconté quelque chose.

Ma mère s'est réduite à une boule encore plus petite.

217

Mme Coutts, a dit Bjerke, veuillez m'excuser de vous embêter de nouveau. J'aimerais beaucoup mieux résoudre cette affaire et vous laisser tranquille, vous laisser en paix. Mais le fait est que j'ai besoin que vous me donniez quelques renseignements supplémentaires. Hier soir, Joe nous a appris que le jour où vous avez été agressée vous aviez reçu un appel téléphonique. Joe croit se souvenir que ce coup de téléphone vous avait contrariée. Il dit que peu de temps après vous lui avez annoncé que vous alliez chercher un dossier et que vous êtes partie en voiture à votre bureau. Est-ce vrai ?

Il n'y a eu ni mouvement ni son venant de ma mère. Bjerke a retenté sa chance. Mais la patience de maman l'a emporté. Elle ne s'est pas tournée vers nous. Elle n'a pas bougé. Il nous a semblé rester là une heure dans une attente qui s'est vite muée en déception, puis en honte. Mon père a fini par lever la main et murmurer : Ça suffit. Nous sommes sortis de la chambre à reculons et avons redescendu les marches.

Tard dans l'après-midi, mon père a installé une table à jouer dans la chambre. Ma mère n'a pas réagi. Puis il a disposé des chaises pliantes autour de la table et j'ai entendu maman le houspiller d'un ton furieux et le supplier d'enlever tout ça. Il est redescendu, en sueur une fois de plus, et m'a annoncé que tous les soirs à six heures je devrais être rentré pour le dîner que nous emporterions là-haut et prendrions tous ensemble. De nouveau comme une famille, a-t-il précisé. Nous commencions ce régime le jour même. J'ai pris une profonde inspiration et monté la nappe à l'étage. Une fois de plus, malgré la colère de ma mère, mon père a relevé les stores et a même ouvert une fenêtre, pour laisser entrer une petite brise. Nous avons monté une salade et un poulet rôti en haut de l'escalier, plus les assiettes, les verres, les couverts, et une carafe de citronnade. Peut-être une goutte de vin demain soir, pour faire de cette occasion une petite fête, a dit mon père, sans espoir. Il a apporté un bouquet de fleurs qu'il avait cueillies dans le jardin que maman n'avait pas encore vu. Il les a disposées dans un petit vase peint. J'ai regardé le ciel vert sur ce vase, le saule, l'eau boueuse et les rochers reproduits d'une main maladroite. Cette scène vernissée ne me deviendrait que trop familière, au cours de ces dîners, parce que je ne voulais pas regarder ma mère adossée à ses oreillers et nous observant d'un air las comme si on venait de l'abattre d'un coup de fusil, ou enroulée telle une momie et prétendant être passée dans l'autre monde. Mon père s'évertuait à entretenir la conversation chaque soir, et quand j'avais épuisé le maigre stock de mes activités du jour, il allait de l'avant, pagayeur solitaire sur un immense lac de silence, ou peut-être ramant à contre-courant. Je suis certain de l'avoir vu peinant sur la petite rivière aux flots boueux du vase. Après avoir relaté les menus événements de la journée, un soir, il a raconté qu'il avait eu une conversation fort intéressante avec le père Travis Wozniak, et que le curé s'était trouvé sur Dealey Plaza le jour où John F. Kennedy avait été assassiné. Son père l'avait emmené en ville voir le président catholique et son élégante première dame, qui portait un tailleur du même rose terne que l'intérieur de la gueule d'un chat. Travis et son père avaient descendu Houston Street, traversé Elm Street, et décidé que le meilleur endroit pour voir le président serait la pente herbeuse juste à l'est du Triple Underpass. Ils étaient bien placés et avaient surveillé la rue, pleins d'impatience. Peu de temps avant qu'apparaisse la première escorte de motards, le chien de chasse noir et blanc d'un spectateur avait filé au milieu de la chaussée et été rapidement rappelé par son maître. Ensuite, cela avait souvent préoccupé Travis de penser que si seulement le chien s'était sauvé à un autre moment, peut-être à l'instant même où passait le cortège d'automobiles, bousculant ainsi la précision et le timing des événements, ou si dans un esprit de sacrifice il s'était jeté sous les roues de la décapotable présidentielle, ou encore s'il avait sauté sur les genoux du président, ce qui avait suivi ne serait peut-être pas arrivé. Cette idée le tourmentait tellement, certaines nuits, qu'il était au lit sans pouvoir dormir à se demander exactement combien d'incidents inconnus et tout aussi insignifiants se produisaient au même moment ou ne parvenaient pas à se produire afin de garantir qu'il respire une fois encore, et puis encore une autre. Il lui semblait alors chanceler comme au sommet d'un mât de drapeau. Il tenait en équilibre sur les circonstances. Il disait que cette sensation était devenue plus prononcée et plus tenace, aussi, depuis le bombardement de l'ambassade au cours duquel il avait été blessé.

Intéressant a dit mon père. Ce curé. Un vrai stylite.

Le père Travis avait poursuivi en racontant que les motos avaient précédé la décapotable présidentielle, et qu'était apparu John F. Kennedy, le regard fixé au loin. Quelques femmes assises sur l'herbe, qui avaient apporté leur déjeuner, étaient maintenant debout à côté de leurs boîtes à sandwiches et applaudissaient à tout rompre en poussant des hourras frénétiques. Elles avaient attiré l'attention du président, il les avait regardées bien en face puis avait souri à Travis, qui avait été ébloui et désorienté de voir le portrait figurant dans le salon de toutes les familles catholiques prendre vie. Les coups de feu avaient fait penser aux pétarades d'une voiture. La première dame s'était levée et Travis l'avait vue scruter la foule. La voiture s'était arrêtée. Puis d'autres coups de feu. La première dame s'était jetée à plat ventre et il n'avait rien vu d'autre, car son père l'avait jeté au sol lui aussi, et protégé de son corps. Il avait été flanqué par terre de façon si soudaine, et son père était si lourd, qu'il avait mordu dans le gazon. À partir de ce moment-là, quand il repensait à cette journée, il se souvenait de la terre entre ses dents. Peu après, son père avait senti le mouvement de la foule et ils s'étaient relevés tous les deux. Des vagues désordonnées avaient tournoyé, bientôt chaotiques quand la voiture présidentielle avait foncé en avant. Les gens couraient en tous sens, sans trop savoir quelle était la direction la plus sûre, jouets de rumeurs galopantes. Il avait vu une famille de Noirs s'effondrer par terre de douleur. Le chien de chasse tacheté s'était encore sauvé ; il trottait de droite et de gauche, le museau en l'air, comme s'il guidait vraiment la foule plutôt que d'être ballotté de-ci de-là par des vagues de gens en proie à des sentiments contradictoires, de terreur et de fascination. Certains tentaient de retourner en courant là où pour la dernière fois ils avaient vu le président, et d'autres se colletaient avec des personnes qu'ils tenaient plus ou moins pour responsables. Les gens tombaient à genoux, perdus en prières ou sous le choc. Le chien de chasse avait flairé une femme écroulée par terre, puis il était resté à côté d'elle, en arrêt, la mine grave et sans bouger devant l'oiseau empaillé ornant son chapeau.

Un autre soir, après que j'avais essayé mais fini par sécher sur les sujets de conversation, mon père s'est souvenu qu'il y avait eu un temps où le clan d'un Ojibwé comptait énormément et où chacun appartenait à un clan, si bien que l'on connaissait sa place dans le monde, et les liens nous rattachant aux autres êtres. Grue, ours, huart, poisson-chat, lynx, martin-pêcheur, caribou, rat musqué – tous ces animaux, et d'autres en diverses répartitions tribales, comprenant l'aigle, la martre, le cerf, le loup – les gens faisaient partie de ces clans, ils étaient donc régis par des rapports particuliers les liant les uns aux autres et aux animaux. C'était là, a dit mon père, le premier système de législation ojibwé. Le système de clan punissait et récompensait ; il édictait les mariages et réglait le commerce ; il énumérait les animaux qu'une personne était en droit de chasser et lesquels elle devait apaiser, lesquels auraient pitié du *doodem* ou d'un membre du même clan, lesquels porteraient des messages au Créateur, dans le monde des esprits, à travers les épaisseurs de la terre ou par-delà la loge à un parent endormi. Il y a, en fait, bon nombre d'exemples rien que dans notre propre famille, comme tu le sais fort bien, a-t-il lancé au pli dans la couverture qui était ma mère, ta grand-tante a été sauvée par une tortue. Comme tu t'en souviens, elle était du clan de la Tortue, ou *mikinaak*. À l'âge de dix ans, on l'avait mise à jeûner sur une petite île. Elle y était restée, un début de printemps, quatre jours et quatre nuits, le visage peint en noir, absolument sans défense, en attendant que les esprits deviennent ses amis et l'adoptent. Le cinquième jour, ne voyant pas revenir ses parents, elle avait compris que quelque chose n'allait pas. Elle avait rompu la colle de salive qui scellait sa bouche assoiffée, avait bu de l'eau du lac et mangé un coin de fraises sauvages qui l'avait mise au supplice. Elle avait allumé un feu, car bien qu'elle n'ait pas eu la permission de s'en servir pendant son jeûne, elle avait sur elle un silex et un briquet. Puis elle avait commencé à vivre sur cette île. Elle avait fabriqué une nasse et vécu de pêche. Le lieu était isolé, mais la vitesse à laquelle le temps passait l'avait étonnée, une lune, deux, et personne n'était venu la chercher. Elle avait alors compris qu'il était arrivé quelque chose de très grave. Elle savait aussi que les poissons partiraient bientôt passer l'été dans une autre partie du lac et qu'elle mourrait de faim. Elle avait donc décidé de rallier la terre à la nage, à une trentaine de kilomètres de là. Elle était partie par une belle matinée, le vent la poussant dans le dos. Pendant longtemps les vagues l'avaient portée, et elle nageait assez bien, même si son maigre régime alimentaire l'avait affaiblie. Puis le vent avait tourné et soufflé tout à fait de face. Des nuages étaient descendus et une pluie battante et froide avait cinglé son corps. Ses bras et ses jambes étaient lourds comme des rondins gonflés d'eau, elle avait cru mourir, et tout en luttant avait appelé au secours. À ce moment-là, elle avait senti quelque chose monter sous elle. C'était une *mishiikenh* géante et très vieille, une de ces tortues hargneuses dont la science nous apprend qu'elles n'ont pas changé depuis 150 millions d'années – une forme de vie affreuse mais parfaite. L'animal avait nagé sous elle, lui ouvrant une voie dans l'eau, la ramenant en douceur à la surface quand ses forces l'abandonnaient, la laissant s'accrocher à sa carapace quand elle était épuisée, jusqu'à ce qu'elles atteignent le rivage. La fillette était sortie de l'eau en pataugeant et s'était retournée pour remercier l'animal. La tortue l'avait observée en silence, ses yeux d'étranges étoiles jaunes, avant de replonger. Puis la fillette avait retrouvé ses frères et sœurs. Il y avait bien eu une catastrophe. Ils avaient été terrassés par les ravages de la grippe espagnole – comme toutes les pandémies elle avait frappé plus sévèrement encore sur les réserves. Leurs parents étaient morts et il n'y avait aucun moyen de savoir où leur sœur avait été oubliée, et puis les gens, craignant d'attraper la maladie mortelle, s'étaient éloignés d'eux en toute hâte si bien que, eux aussi, les enfants, vivaient seuls.

Il y a beaucoup d'histoires d'enfants contraints de vivre seuls, a continué mon père, y compris les fameuses histoires datant de l'Antiquité où des nouveau-nés sont allaités par des louves. Mais il y a aussi des récits repris des premiers événements de la civilisation occidentale, d'humains sauvés par des animaux. L'un de mes préférés a été rapporté par Hérodote et concerne Arion de Méthymne, le célèbre joueur de lyre et inventeur du dithyrambe. Cet Arion s'était mis en tête d'aller à Corinthe et avait affrété un bateau dont l'équipage était composé de matelots originaires de sa ville, des Corinthiens qu'il croyait dignes de confiance, ce qui montre bien ce qu'il en est de ses propres concitoyens, a remarqué mon père, car à peine arrivés au large les Corinthiens avaient décidé de jeter Arion par-dessus bord et de s'emparer de ses richesses. Quand il avait appris ce qui allait se passer, Arion les avait convaincus de le laisser d'abord revêtir son costume de musicien et jouer et chanter avant de mourir. Les matelots, ravis d'entendre le meilleur joueur de lyre

DANS LE SILENCE DU VENT

au monde, s'étaient retirés pendant que Arion s'habillait, prenait sa lyre et, debout sur le pont, chantait le nome orthien. À la fin, comme promis, il s'était jeté à la mer. Les Corinthiens étaient partis. Arion avait été sauvé par un dauphin qui l'avait emmené sur son dos jusqu'au cap Ténare. On avait façonné une petite figure de bronze représentant Arion tenant sa lyre, monté sur un dauphin, qui en ce temps-là recevait des offrandes. Le dauphin avait été ému par la musique d'Arion – c'est ainsi que je le prends en tout cas, a dit mon père. J'imagine le dauphin nageant à côté du bateau – il a entendu la musique et été terrassé, comme l'aurait été n'importe qui quand on pense à l'émotion qu'avait dû mettre Arion dans son dernier chant. Et pourtant les matelots, bien que manifestement amateurs de musique, puisqu'ils avaient volontiers retardé la mort d'Arion pour l'écouter, n'avaient pas hésité. Ils n'étaient pas revenus le tirer de l'eau, mais s'étaient partagé son argent et avaient poursuivi leur route. On pourrait soutenir que c'était là un péché contre l'art bien plus grave que de condamner à la noyade, disons, un peintre, un sculpteur, un poète, certainement un romancier. Chacun laissait derrière lui ses œuvres, même aux temps les plus reculés. Mais un musicien de ce temps-là emportait son art dans sa tombe. Bien sûr, l'anéantissement d'un musicien d'aujourd'hui serait également un crime moins grave car il y a toujours une multitude d'enregistrements, sauf dans le cas de nos violonistes ojibwés et métis. Le musicien traditionnel, tel que ton oncle Shamengwa, croyait qu'il tenait sa musique du vent et qu'à l'instar du vent sa musique participait à l'infinie variabilité du monde. Un enregistrement aurait fait de sa musique quelque chose de fini. Ton oncle était donc contre la musique enregistrée. Il interdisait en sa présence tout appareil d'enregistrement, pourtant dans les dernières années de sa vie quelques personnes ont réussi à copier ses airs, les magnétophones étant devenus assez petits pour être cachés. Mais j'ai entendu dire, et Whitey le confirme, que lorsque Shamengwa est mort ces cassettes se sont mystérieusement brouillées ou ont été effacées, et qu'il n'existe donc pas d'enregistrement de lui en train de jouer, selon sa volonté. Seuls ceux qui ont suivi son enseignement reproduisent d'une certaine façon sa musique, mais elle est aussi devenue la leur, ce qui est la seule façon pour la musique de demeurer vivante. J'ai peur, a lancé ce soir-là mon père au dos raidi de ma mère. Les os pointus de ses épaules poussaient le drap tendu. Je vais devoir partir demain, a-t-il annoncé. Ma mère n'a pas bougé. Elle n'avait pas prononcé un mot depuis que nous avions commencé à dîner chaque soir en sa compagnie.

Je retourne à Bismarck demain, a dit mon père. Je veux voir Gabir. Il ne se défilera pas. Mais je dois garder le contact. Et c'est agréable de voir mon vieil ami. Nous aurons la situation bien en main même s'il n'y a encore personne à poursuivre en justice. Mais cela va venir. J'en suis certain. Nous découvrons des choses petit à petit, et quand tu seras prête à nous parler du dossier et du coup de téléphone nous en saurons certainement davantage, je le sens, Geraldine, et justice sera faite. Et cela nous aidera, je crois. Cela t'aidera même si maintenant tu sembles croire que non, que rien ne t'aidera, même pas l'amour immense qu'il y a dans cette pièce. Alors oui, demain nous ne dînerons pas dans ta chambre et tu pourras te reposer. Je ne peux pas demander à Joe de te veiller, de faire la conversation aux murs et aux meubles, bien qu'il soit étonnant de constater où vont les pensées des gens. Pendant que je serai à Bismarck, je verrai aussi le gouverneur ; nous déjeunerons ensemble et nous discuterons. La dernière fois, il m'a raconté qu'il avait assisté au congrès des gouverneurs. Là-bas, il avait parlé à Yeltow, tu sais, il est toujours gouverneur du Dakota du Sud. Il avait appris qu'il cherche à adopter un enfant.

Quoi ?

Ma mère a parlé.

Quoi ?

Mon père s'est penché en avant, en arrêt comme le chien de chasse, immobile.

Quoi ? elle a encore parlé. Quel enfant ?

Un enfant indien, a dit mon père, en s'efforçant de garder une voix normale.

Il a continué à jacasser.

Et naturellement, le gouverneur de notre État, qui suite à nos conversations comprend bien les raisons que nous avons de limiter les adoptions par des parents non-indiens, grâce à la loi sur la protection des enfants indiens, a tenté d'expliquer ces dispositions à Curtis Yeltow, que les difficultés rencontrées pour adopter cet enfant frustraient énormément.

Quel enfant ?

Elle s'est retournée dans ses draps et ses couvertures, une apparition squelettique, les yeux rivés au visage de mon père.

Quel enfant ? Quelle tribu ?

Eh bien, en fait...

Mon père s'est efforcé de ne pas laisser passer dans sa voix sa stupeur et son agitation.

... à vrai dire, les origines tribales de cet enfant n'ont pas été établies. Le gouverneur, bien sûr, est célèbre pour sa façon raciste de traiter les Indiens – une image qu'il tente à sa manière d'adoucir. Tu sais qu'il utilise les combines des relations publiques, comme de parrainer des élèves indiens, ou d'offrir des postes au Capitole, des postes d'assistants, à des lycéens indiens prometteurs. Mais son projet d'adoption lui a pété au nez. Il a demandé à son avocat d'exposer son affaire à un juge d'État, qui tente de mettre la question entre des mains tribales, comme il se doit. Toutes les personnes en présence reconnaissent que l'enfant a l'air indien, et le gouverneur dit qu'elle...

Elle ?

C'est une Lakota ou Dakota ou Nakota ou en tout cas une Sioux, d'après ce que dit le gouverneur. Mais elle pourrait appartenir à n'importe quelle tribu. Et aussi que sa mère...

Où est sa mère ?

Elle a disparu.

Maman s'est redressée dans son lit. Serrant le drap autour de son corps, tâtonnant devant elle dans sa chemise de nuit en coton à fleurs, elle a poussé un hurlement étrange qui a claqué du haut en bas de ma colonne vertébrale. Et puis, en fait, elle est sortie de son lit. Elle a vacillé et m'a empoigné le bras quand je me suis levé pour l'aider. Elle a été prise de haut-le-cœur. Son vomi était surprenant, vert vif. Elle a encore crié et puis s'est de nouveau glissée dans son lit, où elle est restée immobile.

Mon père n'a pas fait un geste sinon pour étaler une serviette par terre, et je suis donc moi aussi resté assis sans bouger. Tout à coup ma mère a levé les mains, les a agitées et a poussé en tous sens comme si elle luttait contre l'air. Ses bras remuaient avec une violence déconcertante, ils cognaient, bloquaient, cognaient. Elle lançait des coups de pied et se tordait en tous sens.

C'est fini, Geraldine, a dit mon père, terrifié, en tentant de la faire taire. Ça va, maintenant. Tu es hors de danger.

Ses gestes ont ralenti et elle s'est arrêtée. Elle s'est tournée vers mon père, qu'elle a fixé du fond de ses couvertures comme du fond d'une grotte. Ses yeux étaient noirs, noirs dans son visage gris. Elle a parlé d'une voix basse, discordante, qui s'est enflée entre mes oreilles.

Je me suis fait violer, Bazil.

Mon père n'a pas bougé, ne lui a pas pris la main ni ne l'a réconfortée de quelque façon que ce soit. Il paraissait figé.

Il n'y a aucune preuve de ce qu'il a fait. Aucune. La voix de ma mère était un croassement.

Mon père s'est penché plus près. Mais si, pourtant. Nous avons été tout droit à l'hôpital. Et il y a ta mémoire. Et d'autres choses. Nous avons...

Je me souviens de tout.

Raconte.

Mon père n'a pas tourné les yeux vers moi parce que son regard était rivé à celui de ma mère. Je crois que s'il l'avait lâché elle se serait pour toujours effondrée dans le silence. Je me suis fait tout petit et efforcé d'être invisible. Je ne voulais pas être là, mais je savais que si je bougeais je briserais l'attraction qui s'exerçait entre eux.

Il y a eu un coup de téléphone. C'était Mayla. Je ne la connaissais que par sa famille. Elle n'a presque jamais été ici. Rien qu'une gamine, si jeune. Elle avait entamé la procédure d'enregistrement tribal pour son enfant. Le père.

Le père.

Elle l'avait inscrit, a murmuré ma mère.

Te souviens-tu de son nom ?

La bouche de ma mère s'est ouverte en grand, son regard est devenu vague.

Continue, ma chérie. Continue. Que s'est-il passé ensuite ?

Mayla m'a demandé de la retrouver à la maison-ronde. Elle n'avait pas de voiture. Elle a dit que sa vie en dépendait, alors j'y suis allée.

Mon père a respiré fort.

Je suis entrée sur le parking envahi de mauvaises herbes, j'ai garé la voiture. Je me suis mise en route. Il m'a saisie à bras-le-corps pendant que je grimpais la colline. A pris les clés. Puis il a sorti un sac. Il me l'a passé sur la tête tellement vite. C'était un tissu fin et rosé, lâche, peut-être une taie d'oreiller. Mais qui est descendu tellement loin, plus bas que mes épaules, je ne voyais rien. Il m'a attaché les mains dans le dos. A cherché à me faire dire où se trouvait le dossier et j'ai répondu il n'y a pas de dossier. Je ne sais pas de quel dossier vous parlez. Il m'a fait pivoter et m'a emmenée… m'a tenue par l'épaule. Enjambe ça, va par-là, a-t-il dit. Il m'a emmenée quelque part.

Où ? a demandé mon père.

Quelque part.

Peux-tu dire quelque chose sur l'endroit ?

Quelque part. C'est là que c'est arrivé. Il m'a laissé le sac sur la tête. Et il m'a violée. Quelque part.

Avez-vous monté ou descendu la colline ?

Je ne sais pas, Bazil.

Dans les bois ? As-tu senti des feuilles te frôler ?

Je ne sais pas.

Et le sol – des gravillons ? des broussailles ? Y avait-il une clôture en fil de fer barbelé ?

Ma mère a poussé un hurlement rauque jusqu'à ce que ses poumons soient vides et que le silence s'installe.

Trois catégories de terrains se rejoignent là-bas, a repris mon père. La voix tendue par la peur. Sous tutelle tribale, appartenant à l'État, et privé. Voilà pourquoi je pose la question.

Sors de la salle d'audience, mais sors de là bon sang ! a crié ma mère. Je ne sais pas.

D'accord, a dit mon père. D'accord, continue.

Ensuite, après il m'a traînée en haut jusqu'à la maison-ronde. Il a fallu un moment pour y arriver. Est-ce qu'il me faisait tourner en rond ? Je vomissais. Je ne me souviens pas. À la maison-ronde il m'a détachée et a ôté le sac et c'était... c'était une taie d'oreiller, rose uni. C'est là que je l'ai vue. Rien qu'une gamine. Et son bébé jouait dans la poussière. La petite a levé les mains dans la lumière tombant par les fissures entre les perches du toit. Elle avait tout juste appris à ramper, ses bras cédaient sous elle, mais elle a réussi à rejoindre sa mère. C'était une Indienne, c'était une jeune Indienne, et c'était elle qui m'avait téléphoné. Elle était venue le vendredi et avait déposé les papiers. Une jeune fille tranquille au sourire si charmant, de jolies dents, du rouge à lèvres rose. Ses cheveux étaient si bien coupés. Elle portait une robe en tricot, mauve pâle. Des chaussures blanches. Et le bébé était avec elle. J'ai

joué avec ce bébé dans mon bureau. C'était donc elle qui
avait téléphoné, ce jour-là. Elle. Mayla Wolfskin.

Il me faut ce dossier, avait-elle dit. *Ma vie dépend de ce
dossier*, avait-elle dit.

Elle gisait sur le sol. Ses mains étaient liées dans son
dos par du ruban adhésif. Le bébé rampait sur la terre
battue. La petite portait une robe jaune à volants, et ses
yeux, si tendres. Comme les yeux de Mayla. De grands
yeux bruns. Largement ouverts. Elle voyait tout et elle
était désorientée, pourtant elle ne pleurait pas car sa mère
était là et elle croyait que tout allait bien. Mais il avait
ligoté Mayla, l'avait bâillonnée avec du ruban adhésif.
Mayla et moi avons échangé un regard. Elle n'a pas cillé
mais n'a cessé de faire aller son regard entre le bébé et
moi. Je savais qu'elle me demandait de m'occuper de
l'enfant. J'ai hoché la tête. Puis le type est entré et a retiré
son pantalon, l'a envoyé valser. Il portait un pantalon de
toile. Le moindre mot me reste en mémoire, le moindre
petit mot qu'il a prononcé. La façon dont il disait les
choses, d'une voix sourde, puis enjouée, et sourde à nouveau. Puis amusée. Il a dit : Je suis vraiment un sale con. Je
suppose que je suis de ces gens qui détestent les Indiens
en général et en particulier parce que dans le temps ils
étaient en conflit avec ma famille mais en particulier j'ai le
sentiment que les Indiennes sont – ce qu'il nous a appe-
lées, je ne veux pas le répéter. Il a crié contre Mayla et dit
qu'il l'aimait, et pourtant elle avait eu un bébé d'un autre,
elle lui avait fait ça. Mais il voulait toujours d'elle. Il avait
toujours besoin d'elle. Elle l'avait fourré dans cette situation délicate, a-t-il dit, où il l'aimait. On devrait te mettre
en caisse et te jeter dans le lac pour ce que tu as fait à mes

sentiments ! Il a dit que nous n'avons pas de statut légal pour une bonne raison et pourtant nous avons continué à rabaisser l'homme blanc et à lui voler son honneur. Je pourrais être riche, mais j'aime autant vous montrer, à toutes les deux, ce que vous êtes en réalité. On ne me prendra pas, a-t-il dit. J'ai potassé le droit. Marrant. Rire. Il m'a poussée du bout du pied. Je connais aussi bien le droit qu'un juge. T'en connais, des juges ? Je suis sans crainte. Les choses sont à l'envers, a-t-il dit. Mais ici, dans ce lieu, pour moi je les remets à l'endroit. Le fort devrait dominer le faible. Plutôt que le faible le fort ! C'est le faible qui abat le fort. Mais on ne me prendra pas.

Je suppose que j'aurais dû t'envoyer par le fond en même temps que ta voiture, il s'en est soudain pris à Mayla. Mais, ma douce, je n'ai pas pu. J'ai eu tant de peine pour toi et mon cœur s'est brisé. C'est de l'amour, ça, non ? De l'amour. Je n'ai pas pu faire ça. Mais il le faut, tu sais. Toutes tes saloperies d'affaires sont dans ta bagnole. Tu n'as besoin de rien là où tu vas. Je suis désolé ! Je suis désolé ! Il a frappé Mayla, et m'a frappée, et l'a frappée, frappée, et puis l'a retournée à plat dos. Tu veux me dire où est l'argent ? L'argent qu'il t'a donné ? Ah, tu veux ? Ah, tu veux maintenant ? Où ? Il a arraché le ruban adhésif. Elle n'arrivait pas à parler, et puis elle a dit d'une voix haletante. Ma voiture.

Là il l'aurait tuée, je le crois vraiment, mais le bébé a bougé. Le bébé a crié et battu des paupières, l'a regardé dans les yeux sans comprendre. Ah, a-t-il fait, eh ben dis donc. Ben dis donc.

N'en dis pas davantage. Je ne veux pas le savoir, a-t-il lancé à Mayla. Tu représentes encore de l'argent à la banque, a-t-il déclaré au bébé. Je te ramène avec moi… à moins que toi, salope… Il s'est levé et m'a donné un coup de pied, est allé vers Mayla et lui a donné un coup de pied si violent qu'elle a eu du mal à respirer. Puis il s'est penché et m'a dévisagée. Il m'a dit : Je suis désolé. J'ai peut-être bien eu une crise. Je ne suis pas un mauvais bougre, en réalité. Je ne t'ai pas fait mal, au moins ? Il a soulevé le bébé et lui a dit d'une voix de bébé, Je ne sais pas quoi faire des preuves. Quel idiot. Je devrais peut-être brûler les preuves. Tu sais, elles ne sont que des preuves. Il a reposé la petite gentiment. Il a ôté le bouchon du bidon d'essence. Pendant qu'il avait le dos tourné et versait l'essence sur Mayla, j'ai attrapé son pantalon, je l'ai fourré entre mes jambes et j'ai uriné dessus, c'est ce que j'ai fait. Oui ! Parce que je l'avais vu allumer sa cigarette et remettre les allumettes dans sa poche. J'ai été étonnée qu'il ne remarque pas que le pantalon était mouillé d'urine, mais il était absorbé par ce qu'il se proposait de faire. Et il tremblait. Il répétait : Oh non, oh non. Il a encore versé de l'essence sur elle et m'en a aussi aspergée, mais pas le bébé. Ensuite, ensuite, quand il n'a pas pu allumer le feu avec les allumettes sorties de la poche de son pantalon, il s'est retourné et a lancé un regard lourd au bébé. La petite s'est mise à pleurer et nous – Mayla et moi – nous sommes restées allongées absolument immobiles pendant qu'il allait consoler l'enfant. Il a dit : Chuuuut, chuuuut. J'ai une autre pochette d'allumettes, et même un briquet, au pied de la colline. Et toi, il m'a secouée et m'a dit bien en face, toi, *si tu bouges d'un poil je tuerai ce bébé et si tu bouges d'un poil je tuerai Mayla.* Tu vas mourir, mais si tu prononces un mot même un mot là-haut au paradis quand tu seras morte je les tuerai toutes les deux.

Je me suis servi un bol de corn-flakes et un verre de lait. J'ai versé la moitié du lait sur les céréales, les ai saupoudrées de sucre, et mangées. J'ai rempli le bol de céréales une seconde fois, j'ai bu le lait sucré au fond du bol et vidé mon verre. J'ai plongé un bocal à large ouverture dans le sac de croquettes pour chien posé dans l'entrée, rempli le bol de Pearl, et lui ai donné de l'eau fraîche. Pearl est restée à côté de moi pendant que je bassinais le jardin et les massifs de fleurs. Et puis j'ai sauté sur mon vélo pour aller travailler. J'ai vu mon père avant de partir. Il était resté dans la chambre avec ma mère. Il avait veillé près d'elle toute la nuit. Je lui ai demandé des nouvelles du dossier, et il m'a répondu que ma mère refusait d'en parler. Elle avait besoin de savoir que le bébé était hors de danger. Que Mayla était hors de danger.

À ton avis, qu'y a-t-il dans ce dossier ? ai-je demandé.

Quelque chose sur quoi travailler.

Et Mayla Wolfskin ? Alors ?

Elle a été en classe dans le Dakota du Sud, a répondu mon père. Et c'est une parente de l'amie de ta mère, LaRose. Ce qui explique peut-être que ta mère ne veuille pas voir LaRose – elle a peur de craquer, de dire quelque chose.

Ce n'était pas ce que je demandais. Et Mayla Wolfskin, alors, papa ? Est-ce qu'elle est vivante ?

Là est la question.

Qu'en penses-tu ?

Je crois que non, a-t-il murmuré, en regardant par terre.

J'ai regardé par terre, moi aussi, les volutes crème dans le gris du linoléum. Et le gris plus foncé et les petites taches noires, une surprise vertigineuse une fois qu'on les avait remarquées. J'ai examiné ce sol avec attention, en mémorisant sa composition aléatoire.

Pourquoi l'aurait-il tuée ? Papa ?

Il a penché la tête sur le côté, a secoué la tête, fait un pas en avant, et m'a pris dans ses bras. Il m'a tenu comme ça, sans parler. Puis il m'a lâché et s'est éloigné.

Quand je suis arrivé à la station-service de Whitey et Sonja, j'ai garé mon vélo à côté de la porte, où je pouvais le voir, et j'ai commencé mon boulot. Whitey avait un poste à ondes courtes qui captait des signaux dans tout le coin. Il grésillait sans arrêt et rotait des messages embrouillés à proximité du garage. Parfois, Whitey l'éteignait et balançait de la musique. J'ai ramassé tous les papiers de bonbons, les mégots de cigarettes, les tickets de jeux perdants, et autres saletés qui s'étaient accumulées dans la cour gravillonnée et les mauvaises herbes le long de la route. J'ai pris le tuyau et arrosé un autre massif de fleurs disposé dans un pneu de tracteur, celui-là peint en jaune, bordé de sauges argentées et de tritomes rouge vif, les mêmes que j'avais plantés pour ma mère.

Whitey servait l'essence quand il venait des clients, vérifiait l'huile et bavardait. Je lavais les pare-brise. Sonja avait acheté une cafetière électrique Bunn, et Whitey avait installé deux boxes en bois dans le coin est du magasin. La première tasse de café de Sonja coûtait dix cents et les suivantes étaient gratuites, les boxes étaient donc toujours pleins. Clemence faisait de la pâtisserie pour le magasin tous les deux ou trois jours et il y avait du cake à la banane, du quatre-quarts, des biscuits aux flocons d'avoine dans un bocal. Tous les jours pour le déjeuner Whitey me demandait si je voulais un sandwich au steak spécial réserve, et puis nous préparait des sandwiches mortadelle-pain-de-mie-mayonnaise. Dans l'après-midi il prenait sa pause, et quand il revenait Sonja partait chez elle faire une sieste. Ils travailleraient tous les deux jusqu'à sept heures du soir. Ils faisaient l'économie d'un salaire pendant les deux premières années, pour commencer. Ensuite, ils envisageaient d'engager un employé à plein temps et de rester ouvert jusqu'à neuf heures. J'étais payé un dollar de l'heure, glaces, sodas, lait et biscuits du fond du bocal.

Quand je suis arrivé à la maison, mon père m'attendait.
Comment ça s'est passé au travail ?
Bien.
Mon père a regardé ses jointures, replié la main, froncé les sourcils. Il s'est mis à parler à sa main, un truc qu'il faisait quand il n'avait pas envie de dire ce qu'il avait à dire.
J'ai dû emmener ta mère à Minot, ce matin. À l'hôpital. Ils vont la garder deux ou trois jours. J'y retourne demain.
J'ai demandé si je pouvais venir, mais il a répondu qu'il n'y avait rien que je puisse faire.
Il faut qu'elle se repose, c'est tout.
Elle dort tout le temps.
Je suis au courant. Il a marqué un temps, et puis m'a enfin regardé, un soulagement. Elle sait qui c'était, a-t-il lancé. Évidemment, mais elle refuse toujours de me le

DANS LE SILENCE DU VENT

dire, Joe. Il faut qu'elle arrive à braver les menaces de ce type.

Tu as une idée ?

Je ne peux rien révéler, comme tu le sais.

Mais il faudrait que je sache. Il est du coin, papa ?

Ça collerait... pourtant il ne se montrera pas ici. Il sait qu'il se ferait prendre. Ta mère aura quelqu'un à identifier, très rapidement. Pas assez rapidement. Elle ira mieux quand ça commencera. Je suis convaincu qu'elle se souviendra aussi où – où c'est arrivé. Le choc de raconter. Mais ensuite un dénouement ou un autre.

Et Mayla Wolfskin, alors ? Est-ce qu'il l'a gardée avec lui ? Et le bébé ? C'était le bébé que le gouverneur cherchait à adopter ?

Le visage de mon père m'a répondu oui. Mais il a soufflé : j'aurais préféré que tu n'entendes pas tout ce qui a été dit, Joe. Je ne pouvais pourtant pas arrêter ta mère. Je craignais qu'elle n'arrête de parler.

J'ai hoché la tête. Toute la journée les paroles de ma mère étaient remontées en suintant à la surface de tout ce que je faisais, comme une huile noire.

Dans son état normal, elle n'aurait jamais décrit devant toi tout ce qui s'était passé.

Il fallait que je le sache. C'est bien que je le sache.

Mais c'était un poison en moi. Je commençais tout juste à le sentir.

Je dois redescendre là-bas demain, a dit mon père. Veux-tu aller habiter chez tante Clemence ou chez oncle Whitey ?

J'irai habiter chez Whitey et Sonja. Comme ça, ils pourront m'emmener travailler.

Le lendemain, après le travail, je suis retourné en voiture à l'ancienne maison avec Sonja et Whitey. Nous avions pris Pearl. Clemence irait jeter un coup d'œil chez nous et arroser le jardin, tout était donc fermé à clé et je n'avais pas à y retourner pendant un petit moment. Ce qui me réjouissait. Bientôt ce serait l'anniversaire de Mooshum. Tout le monde viendrait pour l'occasion. Je verrais mes cousins. Mais pour le moment, habiter chez Sonja et Whitey, pour moi c'était comme des vacances. La vie pourrait être normale. Chez eux, je dormirais sur le canapé et regarderais la télévision. Il y avait toutes sortes de plats que préparait Whitey parce qu'il avait été cuisinier ; il y avait le vin ou la bière accompagnant le dîner tous les soirs, le whisky après le dîner et de la musique. Du bruit. Je ne savais pas à quel point j'avais eu besoin de bruit.

Nous sommes montés dans la Silverado de Whitey, qui a aussitôt appuyé sur le bouton du lecteur de cassettes. Les Rolling Stones ont jailli de ses caissons de basse et nous avons roulé avec les vitres ouvertes et le vent qui soufflait à l'intérieur jusqu'au moment de prendre l'embranchement et de nous engager sur les gravillons. Ensuite nous avons fait le reste du chemin les vitres fermées contre la poussière. Nous étions dans une capsule de bruit – tous les trois à hurler par-dessus le ventilateur et la pulsation des basses. Tout était drôle avec Whitey – enfin, comme je le savais, drôle pendant en gros quatre heures, drôle le temps de six bières ou de trois whiskys – mais pendant ce temps-là nous avons ri des petits événements et des transactions de la journée. Les tantes de Cappy étaient si économes qu'elles ne mettaient dans la voiture qu'un dollar d'essence à la fois. C'était ce qu'il en coûtait de toute façon pour aller à la pompe et en revenir. L'une et l'autre buvaient chaque fois le café gratuit. Une jeune étudiante était venue décortiquer la vie de Grand-mère Thunder. Elle l'emmenait en voiture tous les jours – d'abord Grand-mère faisait ses commissions et passait voir ses amies et sa famille. Ensuite elle laissait parfois la jeune fille sortir son carnet et noter un enseignement. Elle s'en donnait à cœur joie.

J'ai demandé à Whitey ce qu'il savait de Curtis Yeltow et il a répondu : Tu n'imagines pas les trucs que ce type a faits et dont il s'est sorti. Il a percuté un train de marchandises, il était bourré, et il a survécu. Traité les Indiens de nègres des prairies. Il trouvait ça drôle. A eu une maîtresse à Dead Eye. Acheté de l'or qu'il a stocké au sous-sol de la résidence officielle du gouverneur. Et les armes ? C'est un amoureux et un accro des armes. Il fait collection de boucliers indiens. D'objets traditionnels décorés de perles. Il rend hommage au Noble Sauvage mais a cherché à stocker des déchets nucléaires sur la terre sacrée des Lakotas. A prétendu que la Danse du Soleil est une forme de culte diabolique. Voilà Yeltow. Ah, et il est tout bronzé. C'est un vaniteux, fier de son physique.

Nous sommes arrivés chez eux et Whitey est entré mettre le dîner en route pendant que Sonja et moi nous occupions des chevaux. Tandis que nous sortions le fourrage de l'écurie, de la musique s'échappait à plein tube par les fenêtres ouvertes de la maison et nous entendions aussi la télé bavasser. Il y avait donc du bruit pendant que nous distribuions le foin et un peu de blé aux chevaux, et du bruit si nous passions la tondeuse, et de toute façon le bruit des chiens quand ils nous accueillaient joyeusement et aboyaient pour nous rappeler de remplir leur gamelle.

Sonja mettait les chevaux à l'écurie pour la nuit, vérifiait si les chiens avaient attrapé des tiques et leur examinait les gencives, les yeux et les coussinets, d'un œil critique.

Qu'est-ce que tu as fabriqué aujourd'hui ? demandait-elle à chacun. Elle les réprimandait. Non, pas encore dans les touffes de bardane. Tu pues comme si tu avais mangé de la merde. Qui as-tu laissé te mordre la queue, bon sang ? Chain ? Tu auras droit au fouet si tu sors de la cour, tu le sais bien.

Sonja a parlé de la même façon aux chevaux en les mettant dans leurs stalles, et puis Whitey est sorti et lui a donné une bière fraîche. Il y avait un endroit dehors, tout près, où la prairie descendait en pente vers l'ouest et où l'herbe devenait dorée au coucher du soleil. Deux chaises pliantes étaient posées là, et ils en ont rajouté une pour moi. J'ai bu un soda à l'orange et ils ont repris une bière ou deux, la musique sortait à présent du gros radiocassette de Whitey posé dehors sur les marches. Puis les moustiques ont vrombi et déboulé en formation d'attaque, et nous sommes rentrés.

Whitey avait troqué de l'essence contre des dorés jaunes, ce jour-là, et il avait déjà vidé les poissons. Les filets étaient au réfrigérateur, trempant dans un moule à gâteau plein de lait. Il avait monté au batteur une pâte à frire mousseuse à la bière. Il y avait du raifort râpé à la mayonnaise. Ils prenaient toujours un dessert. Sonja insistait pour manger un dessert, a dit Whitey.

Elle aime les sucreries. Tu as déjà entendu parler de mousse à la framboise ? Je lui en ai préparé une d'après une recette, un jour. Ou le gâteau à la mayonnaise ? On ne sent pas le goût de mayonnaise. Mais elle aime bien le chocolat. Elle est dingue de chocolat. Si je plongeais ma queue dans le chocolat, elle serait toujours après moi.

Il s'est lâché de plus en plus, bien sûr, au fur et à mesure que la soirée avançait, a raconté des trucs, et pour finir Sonja l'a mis au lit.

Quand il a été bordé, Sonja est venue installer le canapé pour moi. C'était un vieux canapé qui sentait la cigarette. Il était recouvert d'un tissu marron et rêche parsemé de petites boules d'un orange fatigué. Sonja a tiré un drap sur les coussins et m'a donné un sac de couchage écossais à la fermeture Éclair cassée. Elle a allumé la télévision, éteint la lumière, et s'est pelotonnée à l'autre bout du divan. Nous avons regardé la télé ensemble pendant une heure ou peut-être même deux. Nous avons parlé de l'argent, à voix basse à cause de Whitey. Sonja m'a fait jurer un nombre incalculable de fois que je n'en avais rien dit – et n'en dirais rien – à personne.

Je meurs de trouille. Et tu devrais être comme moi. Ouvre l'œil. Pas de gaffes, Joe.

Et puis le soir on parlait de la façon dont je devrais utiliser l'argent. Sonja m'a fait promettre d'aller à l'université. Elle a dit qu'elle voulait que sa fille, Murphy, y aille. Elle avait appelé son bébé Murphy parce que ça ne pourrait jamais être un nom de strip-teaseuse. Mais maintenant sa fille avait choisi de s'appeler London. Si je pouvais revenir en arrière, a dit Sonja, je n'aurais jamais dû laisser ma fille avec ma mère pendant que je travaillais. Ma mère avait une mauvaise influence sur sa petite-fille, figure-toi.

Sonja aimait les talk-shows, les vieux films. Parfois je

m'endormais devant la télé, mais avant de succomber je m'efforçais de rester en suspens aussi longtemps que possible entre le sommeil et l'état éveillé. Il arrivait qu'une porte s'ouvre momentanément sur un rêve, mais je revenais aussitôt au canapé. Au poids moelleux de Sonja sur le coussin du bout. À sa chaleur que je sentais si je sortais doucement la plante de mes pieds nus de sous le sac de couchage, qui est devenu le truc sous lequel je préférais dormir parce qu'il camouflait ma trique.

Tous les soirs, Sonja me donnait un oreiller de son lit. L'oreiller sentait le shampoing à l'abricot et aussi une vague senteur sombre – une sorte de décomposition érotique intime comme le cœur d'une fleur fanée. J'y enfouissais mon visage pour l'aspirer. Je somnolais, rêvais, en revenant à l'éclat vacillant de la télé. Aux rires enregistrés, mis en sourdine. Sonja en transe dans une brume bleutée, buvant maintenant de l'eau fraîche. Dehors, le grouillement des insectes d'été. Les chiens se réveillant de temps à autre pour lancer un ou deux aboiements au passage d'un cerf tout au bout du pré. Et Whitey, heureusement, qui pendant tout ce temps ronflait derrière la porte de la chambre à coucher. Le troisième ou quatrième soir, où je faisais des allers et retours entre ce monde et le paradis, Sonja a pris mon talon dans la paume de sa main et l'a serré. Elle s'est mise distraitement à me frotter le cou-de-pied et un éclair de plaisir aveugle m'a parcouru, trop soudain pour que je le contienne. J'ai joui dans un gargouillement de surprise et elle m'a lâché. Un instant plus tard, j'ai entendu un petit craquement sec et coulé un regard dans sa direction. Elle mangeait un bretzel.

Whitey adorait les bouquins de kamikazes. Il avait un mur d'étagères fabriquées à la taille exacte des petits romans de samouraïs, d'espionnage, de complots d'attaques ninja, de westerns de Louis l'Amour, de SF, de Conan le Barbare. Il commençait sa journée à six heures du matin avec une tasse de café et un livre de poche. Pendant que je mangeais à côté de lui, il lisait des passages à haute voix, en murmurant : *son arrière-train souple frémit avec une impatience de prédateur tandis qu'elle se dirigeait vers lui dans la clarté sans lune et sans âme et décidait comment exactement lui rompre la colonne vertébrale... les crocs aussi tranchants que des poignards de Ragna miroitèrent dans le faisceau reflété des phares... sachant que sa vie finirait dès que ses yeux croiseraient cet implacable regard d'obsidienne il...* S'il était captivé par une intrigue, il continuait à lire tandis que Sonja posait sur la table une assiette de bacon et son unique spécialité pour le petit-déjeuner – un mélange de pommes de terre râpées, d'œufs, de poivrons coupés en dés et de jambon, disposé dans un plat à gratin et passé au gril jusqu'à ce que le fromage de cheddar dont il était recouvert forme des bulles et dore. Elle l'appelait ragoût du petit-déjeuner. Dès que nous avions mangé, Whitey marquait sa page et posait le livre. Sonja récurait les assiettes en vitesse, nous sautions dans le pick-up, partions à la station-service et débloquions les pompes. Nous ouvrions à sept heures. Il y avait toujours quelqu'un qui attendait pour prendre de l'essence.

Ce jour-là, deux trucs sont arrivés qui n'étaient pas agréables. Le premier, les boucles d'oreilles puces de Sonja, dont Whitey a dit qu'il ne les avait jamais vues.

Mais si, tu les as déjà vues. Elle lui a balancé un sourire enjôleur.

244

Les boucles d'oreilles étincelaient dans la cuisine sombre. Elle avait enfilé des gants de caoutchouc jaune et grattait la lèchefrite avec vigueur avant que nous partions travailler.

C'est des diamants fantaisie, a-t-elle dit.

Des jolis diamants fantaisie, a remarqué Whitey. Il a eu un regard sournois. Ensuite il l'a toisée d'un air effronté, méchant, pendant qu'elle avait les yeux ailleurs. Son blue-jean aussi semblait tout neuf et la moulait d'une façon qui me rappelait le bouquin de Whitey, *l'arrière-train frémissant d'un implacable...* Nous sommes montés dans le pick-up. Whitey n'a pas mis la musique. À mi-chemin de la ville, Sonja a tendu la main pour allumer le lecteur de cassettes, et d'une claque Whitey l'a repoussée loin des boutons. J'étais assis sur le strapontin derrière eux. C'est arrivé sous mon nez.

Ça va, m'a dit Sonja, par-dessus son épaule. Whitey n'a pas le moral. Il a la gueule de bois.

La mâchoire de Whitey était toujours serrée de cette façon méchante. Il regardait droit devant lui.

Ouais, a-t-il dit. La gueule de bois. Pas le genre de gueule de bois à laquelle tu penses.

Whitey avait un crachat de taulard – tellement lisse, tellement précis. Comme s'il avait passé une période de sa vie sans rien d'autre à faire que cracher. D'un bond, il est descendu de voiture, a claqué la portière, craché, touché une canette, *ping*, et s'est éloigné alors qu'il y avait quelqu'un qui attendait à la pompe. Sonja a simplement changé de place, garé le pick-up et ouvert la station. Elle m'a donné la clé des pompes sans regarder dehors et m'a dit que je devrais m'occuper de cette voiture. Le deuxième truc pas agréable.

J'avais déjà vu ce type, son visage m'était familier, mais je ne le connaissais pas. Tous ses traits étaient fins et réguliers, pourtant il n'était pas beau. C'était un Blanc aux cheveux bruns, aux yeux creux, à la carrure molle mais puissante, un homme baraqué bien habillé – chemise blanche, pantalon marron retenu par une ceinture, chaussures en cuir lacées. Ses cheveux un peu longs étaient ramenés en arrière de façon régulière derrière ses oreilles si bien qu'on distinguait les striures du peigne. Ses oreilles étaient curieusement petites et élégantes, lovées contre sa tête. Ses lèvres étaient minces, rouge foncé, comme s'il avait la fièvre. Quand il a souri, j'ai vu que ses dents étaient blanches et régulières, genre pub pour dentier.

Je me suis approché pour le servir.

Le plein, a-t-il demandé.

J'ai débloqué les réservoirs et mis l'essence. J'ai lavé ses vitres et lui ai demandé ensuite s'il voulait que je vérifie l'huile. Sa voiture était poussiéreuse. C'était une vieille Dodge.

Nooon. Sa voix était cordiale. Il a commencé à compter des billets de cinq dollars qu'il tirait d'une liasse. Il m'en a tendu trois. Ma bagnole crevait de soif, a-t-il remarqué. J'ai roulé toute la nuit. Hé, comment va ?

Parfois les adultes nous repèrent, nous parlent comme s'ils nous connaissaient, mais en réalité ils connaissent nos parents ou un oncle, ou bien ils étaient le prof de l'un d'entre nous. C'est bizarre, et lui c'était un client. Alors je me suis montré poli et j'ai répondu que j'allais bien, merci.

Ah, tant mieux, a-t-il dit. Il paraît que tu es vraiment un gentil garçon.

Je l'ai bien regardé, à présent, j'ai recollé les morceaux. Un gentil garçon ? Le deuxième Blanc qui le disait cet été. J'ai pensé : *Ça pourrait me démolir.*

Tu sais – il m'a dévisagé – j'aimerais bien avoir un gamin comme toi. Je n'ai pas d'enfant.

Ah, c'est dommage, ai-je lancé, avec l'air de penser le contraire. Maintenant j'étais écœuré. Je n'arrivais toujours pas à le situer.

Il a soupiré. Merci. Je ne sais pas. Je suppose que c'est une question de chance, de fonder une vraie famille, tout ça. Avoir une famille aimante. C'est drôlement bien. Ça donne un avantage dans la vie. Même un petit Indien comme toi peut avoir une vraie famille et profiter d'un bon départ, je suppose. Et, tu sais, cela te mettra peut-être à égalité avec un petit Blanc de ton âge ? Qui n'a pas une famille aimante.

J'ai pivoté sur mes talons pour m'en aller.

Oh, j'en ai trop dit. Reviens ! Il a voulu me donner un autre billet de cinq dollars. J'ai continué à marcher. Il a baissé les yeux et mis le contact. Le moteur a toussé et démarré. Voilà, c'est tout moi, a-t-il crié. J'en dis toujours trop. Mais... Il a donné une tape sur le flanc de la voiture. Tu diras ce que tu voudras, tu es le fils du juge.

J'ai tournoyé sur moi-même.

Ma sœur jumelle avait une famille indienne aimante qui l'a soutenue quand elle en a bavé.

Et puis il est parti, et à cause de ce que Linda m'avait raconté, j'ai su que j'avais parlé à Linden Lark.

J'ai décidé que je voulais tout lâcher et rentrer chez moi. J'étais furieux contre Whitey. J'avais servi de l'essence à l'ennemi. Sonja m'inquiétait aussi. Elle est sortie de la station en mâchant un chewing-gum. Comme ses mâchoires s'activaient, les fameuses boucles d'oreilles remuaient et étincelaient. Elle avait remonté ses cheveux en un cône mousseux retenu par des pinces à l'émail rose vif. Son jean lui collait à la peau comme de la peinture. La matinée m'a paru interminable. J'ai dû rester parce que Whitey était parti. Et puis vers onze heures il est revenu, et j'ai compris qu'il avait bu une bière ou peut-être deux. Sonja, de façon insultante, a fait semblant de ne pas remarquer qu'il allait et venait sans dire un mot.

À midi, Sonja nous a préparé des sandwiches avec du pain et de la viande pris dans la glacière, il n'y a donc pas eu de blagues sur nos steaks spécial réserve qui étaient si bons, ni est-ce que je voulais le mien bien cuit. Elle s'est contentée de me tendre le sandwich et une canette de jus de raisin. Plus tard, elle m'a donné celui de Whitey. Dans le sien il y avait de la salade, mais je l'ai mangé quand même en le regardant changer un pneu pour LaRose. Ma mère, Clemence et LaRose avaient été inséparables autrefois. Dans le petit album de maman, on les voyait sur des photos scolaires au pensionnat. Maman parlait toujours du temps où elle était en classe avec elles. LaRose figurait dans ses histoires. Mais depuis, elles ne se rendaient pas souvent visite, ou alors il n'y avait jamais qu'elles deux parlant intensément, à l'écart des autres. On aurait pu croire qu'elles partageaient un secret, sauf que cela durait depuis des années. Parfois Clemence se joignait à elles, et là encore elles partaient toujours toutes les trois, et personne d'autre.

LaRose était tout le temps là sans l'être. Même quand elle vous regardait droit dans les yeux et parlait, on aurait dit que ses pensées étaient ailleurs, insaisissables. LaRose avait eu de si nombreux maris que personne ne se souvenait plus de son nom de famille. Au départ, c'était une Migwan. C'était une femme maigre, à l'ossature fine, qui avait une allure d'oiseau, fumait des cigarillos et enfermait ses cheveux noirs et soyeux dans une scintillante barrette en perles à motif de fleurs. Sonja était sortie pour se mettre à côté de LaRose, nous étions donc là. Trois buveurs de soda regardant un Elvis indien transpirant s'échiner à desserrer une série d'écrous rouillés. Whitey faisait de gros efforts. Son cou s'enflait, ses bras se gonflaient. Son bide était matelassé par les bières bues chaque soir, mais ses bras et sa poitrine étaient encore puissants. Il a pesé de tout son poids sur la clé. Rien. Il s'est remis à genoux, assis sur ses talons. Même la poussière était brûlante ce jour-là. Il a tapé la clé dans sa paume puis s'est relevé d'un coup et l'a balancée dans les mauvaises herbes. Une fois de plus, il a jeté à Sonja ce regard rusé.

Me fais pas tes yeux de serpent, mon salaud, parce que t'arrives pas à défaire une saloperie d'écrou.

LaRose a haussé ses sourcils arqués et leur a tourné le dos à tous les deux.

Viens, m'a-t-elle lancé. Y me faut un autre paquet de clopes.

Elle a posé sa main sur mon dos, un geste de tantine. Elle m'a guidé en avant. Nous sommes entrés dans le magasin et nous étions seuls. Elle a tendu le bras et pris derrière le comptoir ce qu'il lui fallait. Peu m'importait que LaRose soit insaisissable, j'allais l'interroger. Je lui ai demandé si Mayla Wolfskin était de sa famille.

C'est ma cousine, beaucoup plus jeune que moi, a répondu LaRose. Son père était originaire de la réserve de Crow Creek.

Vous avez grandi ensemble ?

LaRose a paresseusement allumé un cigarillo et éteint l'allumette avec de grands va-et-vient exagérés du poignet.

Qu'est-ce qui se passe ?

Je veux savoir, c'est tout.

Tu es du FBI, Joe ? J'ai dit à ce Blanc aux lunettes sales que Mayla était allée en pensionnat dans le Dakota du Sud, et devait poursuivre ses études à l'université des Nations indiennes de Haskell, en Oklahoma. Il y a un programme où ils prennent les plus brillants pour les mettre à un poste spécial au gouvernement, un truc dans ce genre. Il y a une bourse, tout ça. Mayla est passée dans le journal – ma tante a découpé l'article. Sélectionnée pour faire un stage. Elle était craquante. Un bandeau blanc dans les cheveux, un pull qu'elle avait dû tricoter en cours de travaux manuels, des mi-bas. C'est tout ce que je sais. Elle a travaillé pour ce gouverneur, là, tu sais. Qui a fait toutes ces entourloupes. Et s'en est toujours tiré.

Sonja est entrée et a vendu à LaRose les cigarillos qu'elle fumait déjà. J'ai regardé dehors et vu que Whitey s'en allait au Dead Custer.

Ah, merde, a dit Sonja. Ça ne va pas, ça.

LaRose a dit : mon pneu.

Je m'en occupe.

Elle m'a souri – le reflet d'un sourire. Elle avait un visage triste et calme qui ne s'éclairait jamais tout à fait. Sa peau délicate, soyeuse et brune était parcourue de fines rides si l'on était assez près pour sentir la poudre à la rose qui était sa particularité. Une dent en argent luisait quand elle fumait.

Tente ta chance avec ce pneu, mon garçon.

Je voulais lui en demander davantage sur Mayla, mais pas si Sonja était par là. D'abord, je suis allé récupérer la clé dans les mauvaises herbes. Quand je suis revenu, j'ai vu que les femmes avaient sorti des chaises pliantes et les avaient installées dans une faille d'ombre à côté du bâtiment. Elles sirotaient des sodas.

Vas-y ! Sonja a agité la main. De la fumée s'est élevée de ses doigts. Je m'occuperai des clients, au cas où.

J'ai examiné les écrous. Et puis je me suis relevé, je suis entré dans le garage de Whitey et j'ai pris la clé à cliquet.

Oooh, s'est écriée LaRose quand je suis ressorti avec.

Bon choix, a remarqué Sonja.

J'ai pris l'ouverture adaptée pour fixer la clé sur le vieil écrou. J'ai déversé toute ma force sur le manche. Mais l'écrou n'a pas bougé. Dans mon dos j'ai entendu Cappy, Zack et Angus exécuter un saut à vélo et atterrir à côté des pompes dans un tourbillon de gravillons.

Je me suis retourné. Je transpirais à grosses gouttes.

Qu'esse t'as là ? a demandé Cappy.

Ils n'ont pas prêté attention à LaRose ni, de façon plus calculée, à Sonja. Ils se sont approchés pour se mettre en cercle autour du pneu crevé.

Complètement rouillé, mon pote.

Chacun a essayé la clé à cliquet. Zack s'est même tenu en équilibre sur le manche et a sauté doucement, mais l'écrou paraissait soudé. Cappy a demandé le briquet de Sonja, a exposé le boulon à la flamme. Cela n'a pas marché non plus.

Tu as du WD-40 ?

J'ai montré à Cappy où se trouvait le dégrippant sur l'établi de Whitey. Cappy en a mis un tout petit peu

251

autour de la base du boulon et a frotté de la poussière sur l'écrou et dans l'ouverture de la clé. Il a fixé la clé, plus serrée.

Remonte dessus, a-t-il demandé à Angus.

Cette fois l'écrou a cédé, et nous avons laissé la voiture sur le cric pendant que nous roulions le pneu dans le garage. Whitey avait un abreuvoir pour trouver les trous dans les pneus, et il était fort pour mettre une rustine, mais il était au Dead Custer.

Je suis sorti et j'ai regardé Sonja.

Tu devrais peut-être aller le chercher, a-t-elle dit, en détournant les yeux, et j'ai remarqué qu'elle avait ôté ses boucles d'oreilles.

Nous avons réussi à faire sortir Whitey au bout de seulement trois bières. Le pneu de LaRose a été réparé. Nous avons eu un brusque coup de feu et puis tout s'est calmé. Nous avons fermé boutique et sommes montés dans le pick-up. Ni l'un ni l'autre n'a touché au lecteur de cassettes. Nous sommes rentrés en silence mais Sonja et Whitey paraissaient seulement fatigués maintenant, complètement sonnés par la chaleur. À la maison, ça s'est passé comme d'habitude – j'ai aidé Sonja pour les tâches de routine. Nous avons mangé, sans que personne ne dise grand-chose. Whitey a bu, morose, mais Sonja s'en est tenue au 7UP. Je me suis endormi sur le canapé, avec un ventilateur qui soufflait sur moi et sur les cheveux de Sonja tourbillonnant doucement autour de son profil dans la lumière de saphir.

Il y a eu un grand fracas. Les lumières étaient éteintes et il n'y avait pas de lune. Tout était noir, le ventilateur continuait pourtant à brasser l'air autour de moi. Dans la chambre, véhémence en sourdine. Grincement régulier de la voix de Whitey. Un grand bruit sourd. Sonja.

Arrête, Whitey.

C'est lui qui te les a filées ?

Ya pas de lui. Y a que toi, mamour. Lâche-moi. Le claquement d'une gifle, un cri. Non. Je t'en prie. Joe est là.

Rin à foute.

Maintenant il la traitait de tous les noms.

Je me suis levé et avancé vers la porte. Mon sang battait et affluait. Le poison qui se consumait en moi frémissait le long de mes nerfs. J'ai pensé que j'allais tuer Whitey. Je n'avais pas peur.

Whitey !

Le silence s'est installé.

Sors de là et bats-toi avec moi.

J'ai cherché à me rappeler ce qu'il m'avait appris sur la façon de bloquer les coups, de garder les coudes au corps, le menton bas. Il a fini par ouvrir la porte et j'ai reculé d'un bond, les poings en l'air. Sonja avait allumé la lampe. Whitey portait un caleçon jaune semé de piments rouges. Sa coiffure années 50 pendait de son front en longues mèches fines. Il a levé les mains pour lisser ses cheveux en arrière et je l'ai frappé au bide. Le coup s'est répercuté le long de mon bras. Ma main s'est engourdie. Je me la suis cassée, ai-je songé, ce qui m'a rendu euphorique. Je lui ai décoché un nouveau coup de poing mais il m'a coincé les bras et a dit : Oh merde, oh merde, Joe. Moi et Sonja. C'est entre nous que ça se passe, Joe. T'en mêles pas. Tu sais ce que c'est tromper ? Sonja me trompe. Un connard lui a offert des boucles d'oreilles en diamant...

En faux diamants, a-t-elle lancé.

Je reconnais des diamants quand j'en vois.

Il m'a lâché et a reculé. Il a essayé de retrouver un peu de dignité. Il a levé les mains.

Je ne la toucherai pas, tu vois ? Même si un connard qu'elle fait marcher lui a payé des boucles d'oreilles en diamant. Je ne la toucherai pas. Mais elle est sale. Il a roulé des yeux vers elle, rouges de larmes maintenant. Sale. Quelqu'un d'autre, Joe...

Mais je savais que ce n'était pas vrai. Je savais d'où venaient ces boucles d'oreilles.

C'est moi qui les lui ai offertes, Whitey, ai-je dit.

Toi ? Il a vacillé. Il avait emporté une bouteille dans la chambre. Comment ça se fait que tu lui as donné des boucles d'oreilles ?

C'était son anniversaire.

Il y a un an.

Qu'est-ce que ça peut te foutre, ducon ! Je les ai trouvées dans les toilettes de la station-service. Et t'as raison. C'est pas des faux diamants. Je crois que c'est des cubic zirconias véritables.

D'accord, Joe, a-t-il dit. Joli bluff.

Il a regardé Sonja en pleurant. S'est appuyé contre la porte. Puis il m'a observé en fronçant les sourcils. *Qu'est-ce que ça peut te foutre, ducon !* a-t-il marmonné. C'est comme ça qu'on parle à son oncle ? Tu as dépassé les bornes, mon garçon. Il a tendu la main qui tenait la bouteille et pointé son majeur sur moi.

Tu. As. Dépassé. Les. Bornes.

Mais c'est ma tante. J'ai le droit de lui faire un cadeau d'anniversaire. Ducon.

Il a fini la bouteille, l'a jetée derrière lui, s'est enflé et penché en avant. Tu l'as cherché, petit homme !

Il y a eu un craquement de quelque chose qui volait en éclats, et Whitey s'est affaissé, les bras serrés autour de sa tête. Sonja l'a sorti de l'embrasure de la porte à coups de pied, l'a poussé dans le salon, et a dit : Fais le tour. Attention au verre. Entre, Joe.

Et puis elle a fermé la porte à clé derrière moi.

Couche-toi, a-t-elle dit, en désignant le lit. Et dors. Je reste là.

Elle s'est assise dans le rocking-chair et a posé délicatement le goulot de la bouteille cassée sur la table de nuit à côté de son coude. Je me suis glissé entre les draps. L'oreiller sentait le gel capillaire acide de Whitey, je l'ai écarté et me suis allongé sur mon bras. Sonja a éteint la lumière et j'ai scruté l'air sombre.

Il pourrait être mort là-dehors, ai-je remarqué.

Mais non. C'était une bouteille vide. Et pis, je sais exactement comment taper.

Je parie qu'il dit pareil pour toi.

Elle n'a pas répondu.

Pourquoi que t'as raconté ça ? a-t-elle demandé. Pourquoi que t'as raconté que tu me les avais offertes, les boucles d'oreilles ?

Parce que c'est vrai.

Ah, l'argent.

Je ne suis pas idiot.

Elle est restée silencieuse. Et puis je l'ai entendue pleurer doucement.

J'avais envie de quelque chose de joli, Joe.

T'as vu ce qui est arrivé ?

Ouais.

C'est comme t'as dit. Ne touche pas à l'argent. Et où tu les as mises, les boucles d'oreilles ?

Je les ai jetées.

Ça m'étonnerait. C'est des diamants.

Mais elle n'a pas répondu. Elle a continué à se balancer, c'est tout.

Le lendemain matin, Sonja et moi sommes partis tôt. Je n'ai pas vu Whitey.

Il va faire passer ça en marchant dans les bois, a expliqué Sonja. T'inquiète. Maintenant il sera gentil pendant un bon moment. Mais il vaudrait peut-être mieux que tu dormes chez Clemence, cette nuit.

Nous avons roulé jusqu'en ville, pas de musique. J'ai regardé les fossés par ma vitre.

Laisse-moi descendre tout de suite, ai-je demandé quand nous sommes passés à côté de chez Clemence et de notre tournant. Parce que j'arrête le boulot.

Oh, mon petit cœur, non, a-t-elle répondu. Mais elle s'est rangée sur le côté et arrêtée. Elle avait relevé ses cheveux en queue de cheval, entourée d'un nœud vert. Elle portait un survêtement d'un vert criard passepoilé de blanc, et des chaussures de sport moelleuses. Ce jour-là, elle avait mis du rouge à lèvres carmin foncé. J'ai dû lui lancer un très long regard tragique parce qu'elle a répété *Oh, mon petit cœur, non.* Je pensais un truc du genre : ce rouge foncé de ses lèvres, s'il était imprimé sur moi, embrassé sur moi, deviendrait du sang brûlant solidifié qui se marquerait au fer rouge dans ma chair et laisserait une marque noire brûlée en forme de lèvres de femme. Je m'apitoyais sur mon sort. Je l'aimais toujours, encore pire qu'avant, même si elle m'avait trahi. Ses yeux bleus brillaient d'un éclat sournois.

Allez viens, a-t-elle dit. Je vais avoir besoin d'aide. S'il te plaît ?

Mais je suis descendu de voiture et j'ai remonté la route.

La porte de derrière donnant sur la cuisine était ouverte. Je suis entré et j'ai appelé.

Tante C. ?

Elle est remontée de la cave, un pot de confiture d'amélanchier à la main, et a dit qu'elle croyait que j'avais un boulot.

J'ai laissé tomber.

C'est de la paresse. Retourne donc là-bas.

J'ai secoué la tête et refusé de la regarder.

Oh. Ça les a repris ? Whitey a recommencé ?

Ouais.

Tu vas rester ici, alors. Tu peux dormir dans l'ancienne chambre de Joseph – la pièce à couture maintenant, mais bon. Mooshum est dans la chambre d'Evey. Je lui ai installé un lit de camp. Il refuse de dormir dans le lit moelleux d'Evey.

Ce jour-là, j'ai donné un coup de main à Clemence. Elle cultivait un joli jardin comme celui que faisait ma mère avant, et elle avait déjà des petits pois. Oncle Edward travaillait à sa mare derrière la maison, tâchait de réguler l'entrée et la sortie de l'eau, contrôlait les larves de moustiques, et je l'ai aidé lui aussi. Whitey est passé déposer mon vélo, mais je ne suis même pas sorti pour le voir. Nous avons mangé du gibier frit avec de la moutarde et des oignons revenus à la poêle. Leur télévision était comme d'habitude en réparation à cent kilomètres de là et j'avais sommeil. Mooshum est parti en titubant dans la chambre d'Evey et je suis allé dans celle de Joseph. Mais quand j'ai ouvert la porte et vu la machine à coudre coincée à côté du lit, les piles de tissu pliées et le tableau au mur couvert de centaines de bobines de fil aux couleurs vives, quand j'ai vu les morceaux de patchwork, la boîte à chaussures étiquetée fermetures Éclair, et la même pelote à épingles en forme de cœur sauf que celle de ma mère était vert cendré, j'ai pensé à mon père qui tous les soirs entrait dans notre pièce à couture, et combien la solitude avait suinté sous la porte puis s'était répandue à travers le couloir pour tenter d'arriver jusqu'à ma chambre. J'ai demandé à Clemence : Tu crois que ça embêterait Mooshum si j'allais roupiller dans sa chambre ?

Il parle en dormant.

Ça m'est égal.

Clemence a ouvert la porte d'Evey et demandé à Mooshum si ça l'embêtait, mais il ronflait déjà doucement. Clemence a dit que ça ne posait pas de problème, et je me suis enfermé dans la chambre. Je me suis déshabillé et glissé dans le lit de ma grande cousine, qui était somptueux, effondré, et sentait la poussière. Le ronflement de Mooshum était un ronronnement hypnotisant de très vieil homme. Je me suis endormi aussitôt. À un moment, juste après le lever de la lune, car il y avait de la lumière dans la chambre, je me suis réveillé. Mooshum parlait bel et bien, je me suis donc retourné et collé un oreiller sur la tête. Je me suis assoupi, mais il a dit un truc qui m'a pris à l'hameçon, et petit à petit, tel un poisson tiré de l'obscurité, j'ai commencé à remonter à la surface. Mooshum ne parlait pas simplement au hasard et de façon décousue comme le font les gens qui laissent échapper des bribes d'une langue des rêves. Il racontait une histoire.

Akii

Au début c'était une femme comme les autres, a dit Mooshum, douée pour un certain nombre de choses – fabriquer des filets, attraper des lapins au collet, dépouiller le gibier et tanner les peaux. Elle aimait le foie de cerf. Elle s'appelait Akiikwe, Femme Terre, et comme celle dont elle portait le nom, elle était solide. Elle avait une ossature lourde et un cou large et court. Son époux, Mirage, apparaissait et disparaissait. Il regardait d'autres femmes. Elle l'avait surpris bon nombre de fois, mais restait avec lui. C'était un chasseur hardi malgré ses mauvaises habitudes et tous deux s'y entendaient pour survivre. Ils se débrouillaient toujours pour avoir de quoi nourrir leurs enfants, et de la viande supplémentaire venait même à eux, car surtout elle, Akii, voyait en rêve où trouver les animaux. Elle avait un cœur astucieux et un regard sans fin, grâce auquel elle tenait bien ses enfants. Akii et son mari n'étaient jamais pingres, et comme je l'ai dit ils étaient toujours très forts quand il s'agissait de trouver de quoi manger même en plein hiver – c'est-à-dire, jusqu'à l'année où l'on nous imposa de rester dans nos limites. L'année de la réserve.

Quelques-uns avaient labouré comme l'homme blanc, et mis des semences en terre, mais il faut un grand nombre d'années pour bâtir une vraie ferme qui vous gardera en vie l'hiver. Nous avions chassé tous les animaux avant la Lune du Petit Esprit et il ne restait même plus un lapin. L'agent du gouvernement avait promis des provisions pour nous dépanner et compenser la perte de notre territoire, mais elles ne sont jamais arrivées. Nous avons franchi nos limites pour remonter sillonner le Canada, mais les caribous avaient disparu depuis longtemps, il ne restait plus de castors, ni même de rats musqués. Les enfants pleuraient et un vieil homme fit bouillir des lanières de son pantalon en peau de cerf pour qu'ils les mâchonnent.

À cette époque-là, Akii sortait tous les jours et revenait immanquablement avec un petit quelque chose. Elle perça un trou dans la glace à coups de hache et, au prix de grands efforts, elle et son mari le maintinrent ouvert jour et nuit, ils y pêchèrent jusqu'à ce qu'elle prenne un poisson qui lui dit : *Maintenant mes semblables vont aller dormir et vous mourrez de faim.* Et, en effet, par la suite elle ne parvint plus à prendre un seul poisson. Elle vit Mirage l'observer avec un drôle d'air, et à son tour elle l'observa avec un drôle d'air. Il gardait les enfants derrière lui quand ils dormaient, et la hache près de lui sous sa couverture. Il s'était lassé d'Akii, et prétendit donc qu'il voyait ce qui était en train d'arriver. En ces temps de disette, certaines personnes devenaient possédées. Un *wiindigoo* était capable de projeter son esprit à l'intérieur de quelqu'un. La personne se transformait en animal et voyait dans ses semblables des proies à dévorer. C'était ce qui se passait, décréta son mari. Il s'imagina que les yeux d'Akii se mettaient à briller dans le noir. Ce qu'il fallait faire, c'était tuer la personne sur-le-champ. Mais pas sans accord préalable. On ne pouvait agir seul. Il y avait une certaine façon de procéder pour tuer un *wiindigoo*.

Mirage rassembla quelques hommes, et les persuada que Akii devenait très puissante et serait bientôt incontrôlable. Elle s'était incisé le bras pour que son bébé boive le sang, pour que ce bébé devienne à son tour *wiindigoo*. Elle regardait ses enfants comme si elle s'apprêtait à bondir dessus à tout moment, et suivait chacun de leurs mouvements. Et puis, quand ils voulurent la ligoter, elle se débattit. Il fallut six hommes pour y parvenir, qui s'en sortirent en piteux état – mordus et lacérés. Une autre femme emmena les enfants pour qu'ils ne voient pas ce qui allait se passer. Mais on en laissa un, l'aîné. La seule personne qui pouvait tuer un *wiindigoo* était quelqu'un du même sang. Si son mari la tuait, la famille d'Akiikwe risquait de se venger. Une sœur ou un frère auraient pu faire l'affaire, mais ils refusèrent. On donna donc un couteau au garçon et on lui ordonna de tuer sa mère. Il avait douze ans. Les hommes la tiendraient. Il devrait lui trancher le cou. Le garçon se mit à pleurer, mais on lui dit qu'il fallait de toute façon qu'il le fasse. Il s'appelait Nanapush. Les hommes le poussèrent à tuer sa mère, tentèrent de lui donner du courage. Mais il se mit en colère. Il planta le couteau dans l'un des hommes qui retenaient sa mère. Celui-ci portait un manteau en peau et la blessure ne fut pas très profonde.

Ah, s'exclama sa mère, tu es un bon fils. Tu ne me tueras pas. Tu es le seul que je ne mangerai pas ! Puis elle se débattit avec tant de violence qu'elle échappa à tous les hommes. Mais ils la terrassèrent.

Il savait, Nanapush, qu'elle avait menacé de manger ces hommes simplement parce qu'on la tourmentait. C'était une bonne mère, qui avait appris à vivre à ses enfants. Les hommes la ramenèrent solidement ligotée. Son mari l'attacha à un arbre et la laissa là pour qu'elle y meure de froid ou de faim. Elle hurla et se débattit contre les lanières, mais finit par se taire. Ils crurent qu'elle s'affaiblissait et la laissèrent donc seule, cette nuit-là. Mais le chinook se leva et l'air devint plus doux. Elle mangea de la neige. Il devait y avoir quelque chose de bon dans la neige, parce que de ses doigts solides elle défit les nœuds et dénoua les cordes. Elle commença à s'éloigner. Son fils sortit en rampant de la tente et décida de partir avec elle, mais ils furent suivis et rattrapés quand ils parvinrent au lac. Une fois de plus, les hommes la ligotèrent.

Et Mirage élargit le trou dans lequel Akii avait pêché, là où la glace était plus mince. Les hommes décidèrent de la mettre dans l'eau, tous ensemble, de sorte qu'aucun d'eux ne soit tenu pour responsable. Ils renforcèrent les liens et cette fois lui attachèrent un bloc de pierre aux pieds. Puis ils la fourrèrent dans le trou et dans l'eau glacée. Ne la voyant pas remonter, ils s'éloignèrent, sauf son fils, qui refusa de partir avec eux. Il s'assit sur la glace et entonna son chant de mort. Quand son père passa devant lui, le garçon lui demanda son fusil et dit qu'il abattrait sa mère si jamais elle remontait.

Peut-être qu'à ce moment-là son père n'avait pas les idées très claires, car il donna son fusil à Nanapush.

Quand les hommes furent hors de vue, d'une violente poussée Akii passa la tête par le trou. Elle avait réussi à se libérer du bloc en l'envoyant valser d'un coup de pied, et avait respiré l'air qui se trouve juste sous la surface de la glace. Nanapush l'aida à sortir de l'eau et l'enveloppa dans sa couverture. Puis ils pénétrèrent dans les bois et marchèrent jusqu'à ce qu'ils n'aient plus la force d'avancer davantage. La mère avait son silex et son briquet dans une poche tout contre sa peau. Ils firent un feu et un abri. Akii raconta à son fils que pendant qu'elle était sous l'eau le poisson lui avait parlé, il lui avait dit qu'il la plaignait et qu'elle devrait avoir un chant de chasse. Elle le chanta à son fils. C'était un chant des bisons. Pourquoi un chant des bisons ? Parce que les poissons regrettaient les bisons. Quand les bisons venaient au bord des lacs et des rivières, par les chaudes journées d'été, ils se débarrassaient de leurs grosses tiques savoureuses que les poissons mangeaient, et leurs bouses attiraient d'autres insectes que les poissons appréciaient aussi. Ils souhaitaient le retour des bisons. Il m'a demandé où étaient partis les bisons, expliqua Akii. Je n'ai pas su lui répondre. Le garçon apprit le chant, mais avoua qu'il se demandait s'il n'était pas inutile. Personne n'avait vu un seul bison depuis des années.

Tous deux dormirent, cette nuit-là. Ils dormirent, et dormirent encore. Quand ils se réveillèrent, ils étaient si faibles qu'ils songèrent qu'il serait plus facile de mourir. Mais Nanapush avait sur lui du fil de fer pour un piège. Il sortit en rampant et tendit le collet à quelques pas de leur petit abri.

Si un lapin se fait prendre, il me dira où sont les animaux, assura Akii.

Ils se rendormirent. Quand ils se réveillèrent, un lapin se débattait dans le collet. La mère rampa jusqu'au lapin et écouta ce qu'il disait. Puis elle revint en rampant vers son fils, le lapin à la main.

Le lapin s'est offert à toi, annonça-t-elle. Tu dois le manger et jeter tous ses os jusqu'au dernier dans la neige, pour qu'il puisse revivre.

Nanapush fit rôtir l'animal, le mangea. Par trois fois il demanda à sa mère d'en prendre un peu, mais elle refusa. Elle cacha son visage dans la couverture pour qu'il ne le voie pas.

Va, maintenant, dit-elle. J'ai entendu le même chant chez le lapin. Autrefois, les bisons brassaient la terre de sorte que l'herbe pousse mieux et que les lapins la mangent. Tous les animaux regrettent les bisons, mais ils regrettent aussi ceux de notre peuple, les vrais Anishinaabegs. Prends le fusil et pars droit vers l'ouest. Un bison est revenu par-delà cet horizon. La vieille femme t'attend. Si tu repasses et que je suis morte, ne pleure pas. Tu as été un très bon fils.

Alors Nanapush s'en fut.

Mooshum a cessé de parler. J'ai entendu son lit grincer, et puis le râle léger et régulier de son ronflement. J'étais déçu et j'ai songé à le secouer pour le réveiller et découvrir la fin de l'histoire. Mais finalement je me suis endormi à mon tour. Quand je me suis réveillé, je me suis demandé ce qui s'était passé. Mooshum était à la cuisine, avalant à petits coups le gruau d'avoine clairet parfumé au sirop d'érable qu'il adorait prendre le matin. Je lui ai demandé qui était ce Nanapush, le garçon dont il avait parlé dans l'histoire. Mais j'ai eu droit à une réponse tout à fait autre.

Nanapush ? Mooshum a eu un petit rire sec et grinçant.

Un vieil homme sujet à la folie ! Comme moi, mais pire. On aurait dû l'éliminer. Face au danger, il réagissait forcément en imbécile. Quand l'autodiscipline était de rigueur, chez Nanapush l'avidité l'emportait. Il a été vieux avant l'âge à force d'absurdités et de mensonges. Le Vieux Nanapush, comme on l'appelait, ou *akiwenziish*. Parfois le vieux dépravé faisait des miracles grâce à un comportement répugnant. Les gens allaient le voir, quoique en secret, pour obtenir des guérisons. En fait, quand j'étais un jeune homme je lui ai moi-même apporté des couvertures, du tabac, et j'ai appris de lui des secrets pour satisfaire ma première femme, dont les yeux s'étaient mis à vagabonder. Junesse était un peu plus vieille que moi, et au lit elle souhaitait ardemment chez un homme une patience qui ne vient qu'avec l'âge. Que devrais-je faire ? ai-je supplié le vieillard. Dis-le-moi !

Baashkizigan ! Baashkizigan ! a répondu Nanapush. Ne sois pas timide. Prends ton temps la prochaine fois, et si une autre panne arrive, pense que tu traverses le lac en pagayant contre un vent violent et ne t'arrête pas avant d'avoir échoué ton canoë sur le rivage.

C'est ainsi que j'ai gardé ma femme et en suis venu à respecter le vieil homme. Il jouait au fou pour démêler ses amis de ses ennemis. Mais il disait la vérité.

Et sa mère, alors ? ai-je demandé. Parle-moi de la femme qu'aucun homme ne pouvait tuer. Quand elle l'a envoyé à la recherche du bison. Qu'est-il arrivé ?

Quelles salades me débites-tu là, mon garçon ?

Ton histoire.

Quelle histoire ?

Celle que tu m'as racontée hier soir.

Hier soir ? Je n'ai pas raconté d'histoire. J'ai dormi d'une seule traite. J'ai bien dormi.

Bon d'accord, ai-je songé. Il va falloir que j'attende qu'il dorme de nouveau à poings fermés. Peut-être que cette fois j'entendrai la fin.

J'ai donc attendu la nuit suivante, en tâchant de rester éveillé. Mais j'étais fatigué et ne cessais de m'assoupir. J'ai dormi un bon moment. Et puis dans mes rêves j'ai entendu un léger grincement de brindilles, je me suis réveillé et j'ai encore une fois trouvé Mooshum assis. Il avait oublié d'ôter son dentier, qui flottait. Il claquait des dents, sans parler, comme il le faisait parfois quand il était très en colère. Mais ses dents ont fini par tomber de sa bouche et il a trouvé des mots.

Ah, ces premières années sur la réserve, quand ils nous ont entassés ! Sur quelques kilomètres carrés, finalement. Nous mourions de faim pendant que les vaches des pionniers s'engraissaient à l'herbe clôturée de nos anciens territoires de chasse. Au cours de ces premières années, notre père blanc au ventre rond mangeait dix canards pour son dîner sans même nous envoyer les pattes. Ce furent de mauvaises années. Nanapush vit son peuple mourir de faim et disparaître, puis sa mère fut attaquée sous prétexte qu'elle était un *wiindigoo* mais les hommes ne parvinrent pas à la tuer. Ils étaient perdus. En train de mourir. Pourtant dans son état d'inanition le lapin lui redonna quelques forces, il décida donc de partir en quête de ce bison. Il prit la hachette de sa mère et le fusil de son père.

En se traînant, tout au long du chemin Nanapush entonna le chant des bisons, même s'il le faisait pleurer. Il lui brisait le cœur. Il se souvenait que lorsqu'il était un petit garçon les bisons avaient rempli le monde. Un jour, quand il était enfant, les chasseurs étaient descendus à la rivière. Nanapush était monté sur un arbre pour regarder derrière lui d'où venaient les bisons. Ils couvraient la terre, en ce temps-là. Ils étaient sans fin. Il avait vu cette splendeur. Où étaient-ils partis ?

Certains vieillards soutenaient que les bisons avaient disparu par un trou dans la terre. D'autres gens avaient vu des Blancs les abattre par milliers depuis le wagon d'un train, et les laisser pourrir sur place. De toute façon, ils avaient cessé d'exister. Pourtant, tout en continuant d'avancer d'un pas mal assuré, Nanapush chantait le chant des bisons. Il se disait qu'il devait y avoir une raison. Et finalement, il baissa les yeux. Il aperçut des traces de bisons ! Il eut du mal à y croire. La faim vous fait voir des choses. Mais après avoir suivi ces traces un certain temps, il vit que c'était bien un bison. Une vieille femelle, aussi folle et décatie que Nanapush le deviendrait, et moi, et tous ceux qui ont survécu à ces années-là, les derniers d'un si grand nombre.

Le froid augmentait sans cesse. Nanapush continua d'avancer tant bien que mal sur les traces du bison, qui entrait et sortait en chancelant d'une zone rude de taillis et d'épais couvert dans laquelle, songea-t-il, l'animal irait sans doute se mettre à l'abri. Mais non. La bête s'avança dans une plaine violemment plate où le vent soufflait de face avec une force meurtrière. Nanapush comprit qu'il lui faudrait abattre la femelle aussitôt. Il rassembla jusqu'à la plus petite parcelle de volonté contenue dans son corps affamé et poursuivit son chemin, mais le bison resta en tête, plus à l'aise que lui dans sa marche contre la neige.

Nanapush chanta le chant des bisons à pleins poumons, en continuant à aller de l'avant. Et enfin, dans cette blanche âpreté, la bête entendit son chant. Elle s'arrêta pour écouter. Se tourna vers lui. Tous les deux étaient peut-être à vingt pas l'un de l'autre, maintenant. Nanapush voyait que l'animal n'était pas beaucoup plus qu'une peau flottant sur des os branlants. Pourtant la femelle avait été gigantesque, et dans ses yeux bruns il y avait un abîme de chagrin qui ébranla Nanapush malgré son désespoir.

Vieille Femme Bison, ça m'embête de te tuer, déclara-t-il, car tu as réussi à vivre à force d'intelligence et de courage alors que ton peuple a été anéanti. Sans doute t'es-tu rendue invisible. Et pourtant, comme tu es le seul espoir qui reste à ma famille, peut-être m'attendais-tu.

Nanapush rechanta le chant, parce qu'il savait que le bison comptait l'entendre à nouveau. Quand il eut terminé, la bête le laissa la viser droit au cœur. La vieille femelle s'effondra en continuant à fixer Nanapush de son regard plein d'émotion, et celui-ci tomba à côté d'elle, épuisé. Quand quelques minutes se furent écoulées, il se secoua et plongea son couteau dans le bas-ventre. Un jet de vapeur fleurant bon le sang le ramena à la vie et il travailla vite, arrachant les entrailles, nettoyant à fond la cage thoracique. Tout en travaillant, il mastiquait des tranches de cœur et de foie cru. Pourtant ses mains tremblaient et ses jambes cédaient sans cesse sous lui. Il savait qu'il n'avait pas les idées claires. Puis la neige tomba. Il fut pris dans le mugissement aveugle.

Les chasseurs dans les plaines peuvent survivre à une tempête meurtrière en s'aménageant un abri dans une peau de bison dépouillé aussitôt, mais il est dangereux de pénétrer dans l'animal. Tout le monde le sait. Pourtant dans son délire, aveuglé et attiré par sa chaleur, Nanapush se glissa à l'intérieur de la carcasse. Quand il fut là, le confort subit le fit défaillir. Le ventre plein et environné de chaleur, il perdit connaissance. Et pendant qu'il était inconscient, il devint un bison. Ce bison femelle adopta Nanapush et lui dit tout ce qu'elle savait.

Bien sûr, quand la tempête fut terminée, Nanapush découvrit qu'il avait gelé contre les côtes de la bête. Il était solidement retenu par du sang coagulé. Il avait traîné son fusil à l'intérieur et l'avait gardé à portée de main pour tirer, il réussit donc à se percer un trou d'aération, bien que l'explosion l'ait laissé sourd pendant des jours entiers. Il ne parvint pas à faire partir son fusil une autre fois. Il enfonça le canon dans le trou d'aération afin d'éviter qu'il gèle, et attendit. Pour garder le moral, il se mit à chanter.

Une fois la tempête passée, sa mère partit à sa recherche. Elle avait eu la vie sauve en précipitant un porc-épic au bas d'un arbre. Elle l'avait tué avec une grande tendresse, puis avait flambé les piquants dans la chair si bien qu'elle avait tiré avantage de chaque élément. Elle s'en était allée à la recherche de son fils quand la neige avait cessé. Elle avait même fabriqué une luge qu'elle traîna derrière elle si jamais il avait été blessé ou, dans le meilleur des cas, avait tué un animal. Bientôt elle repéra la forme sombre aux longs poils hirsutes, à demi dégagée de la neige. Elle courut, la luge cahotant derrière elle, mais quand elle arriva devant le bison, ses genoux flanchèrent sous l'effet de la frayeur, elle fut tellement étonnée de l'entendre chanter le chant que lui avait enseigné le poisson. Puis ses idées s'éclaircirent et elle éclata de rire. Elle sut aussitôt comment son idiot de fils s'était piégé tout seul. C'est ainsi qu'à coups de hache Akii sortit Nanapush du bison, le ficela sur la luge et le transporta dans les bois. Là, elle construisit un abri de broussailles et alluma un feu pour le dégeler. Puis tirant la luge ils retournèrent là-bas maintes fois et rapportèrent jusqu'au dernier petit morceau du bison à leur famille et leurs parents.

Quand les hommes reçurent de la viande des mains de la femme qu'ils avaient voulu tuer, et du fils qui l'avait protégée, ils eurent honte. Elle était généreuse, pourtant elle prit ses enfants et ne retourna pas auprès de son mari.

Un grand nombre de gens furent sauvés par cette vieille femme bison, qui s'offrit à Nanapush et à sa mère impossible à tuer. Nanapush en personne disait que lorsqu'il était triste à cause des deuils qui tout au long de sa vie ne cessaient de se répéter, sa vieille grand-mère bison lui parlait et le consolait. Ce bison savait ce qui était arrivé à la mère de Nanapush. Elle disait que la justice *wiindigoo* devait s'exercer avec une grande prudence. Il faudrait construire un lieu pour que les gens puissent agir convenablement. Elle dit bien des choses, éduqua Nanapush, de sorte qu'au fil de sa vie il deviendrait sage dans son idiotie.

Mooshum retomba d'un bloc, poussa un grand soupir et démarra son ronflement doux et rauque. Je me suis endormi à mon tour, aussi brusquement que Nanapush à l'intérieur du bison, et quand je me suis réveillé j'avais oublié l'histoire de Mooshum – même si je m'en suis souvenu plus tard dans la journée, quand mon père est venu me chercher, parce qu'il a prononcé le mot carcasse. Il était très pâle et exalté, et il s'adressait à oncle Edward, en disant : *Ils ont mis sa foutue carcasse en détention préventive.* À ce moment-là, je me suis souvenu de toute l'histoire de Mooshum, aussi nette qu'un rêve, et j'ai su en même temps qu'on avait attrapé le violeur de ma mère.

Qui est-ce ? Qui ? ai-je demandé à mon père, alors que nous remontions notre route à pied.

Chaque chose en son temps, a-t-il répondu.

À la maison, ma mère était de nouveau sur pied, elle faisait du ménage, courant en tous sens, vive comme une araignée. Puis sur une chaise, haletante, effondrée, abandonnant des tâches commencées ou à demi terminées. Elle s'est relevée, un vrai manche à balai. Elle allait et venait en courant, du réfrigérateur à la cuisinière et au congélateur. Après sa longue retraite, cette énergie papillonnante était perturbante. Elle était passée de zéro à cent cinquante kilomètres/heure, ce qui ne semblait pas normal, même si mon père avait l'air content et s'activait pour finir ce qu'elle avait entrepris. Ils ne m'ont même pas remarqué, alors je suis parti.

Maintenant qu'ils avaient mis la carcasse en détention préventive, maintenant qu'on faisait quelque chose, j'ai eu une sensation de légèreté. J'ai eu l'impression que je pouvais revenir à mes treize ans et profiter de mon été. J'étais content d'avoir quitté la station-service. J'ai filé sur la route.

La maison de Cappy, entourée elle aussi de lotissements

laissés en plan, se trouvait en gros à cinq kilomètres à l'est du terrain de golf de Hoopdance. Le terrain de golf empiétait sur la réserve, un problème qui opposait la ville au conseil tribal et restait à résoudre. Ce dernier avait-il le droit de louer à bail des terres tribales à un golf qui s'étendait en dehors de la réserve et versait le plus gros de ses bénéfices à des non-Indiens ? Et qui serait responsable, au cas où un golfeur serait frappé par la foudre ? Si la question avait été débattue par-devant mon père, je ne le savais pas, mais tout le monde trouvait que les Indiens devraient avoir le droit de jouer au golf gratuitement – ce qui bien sûr n'était pas le cas. Cappy et moi allions parfois là-bas à vélo chercher des balles perdues, que nous envisagions de revendre aux joueurs. Pourtant, quand je suis arrivé chez lui et le lui ai proposé, il a répondu qu'il avait envie de faire autre chose mais qu'il ne savait pas quoi. Je ne savais pas non plus. Alors nous sommes partis à vélo chez Zack, Angus était là et nous nous sommes donc retrouvés tous les quatre.

Sur la plage du lac la plus proche de la ville il y avait une église – ou pour être plus précis, l'église en bloquait l'accès. La paroisse était propriétaire de la route menant à la plage et y avait installé une barrière à bétail qui se verrouillait. Après la barrière, il y avait des panneaux – alcool interdit, entrée interdite, tout interdit. Sur la plage catholique il y avait une statue de la Vierge aux couleurs passées, entourée de cailloux. Elle était drapée de chapelets, dont l'un appartenait à la tante d'Angus. À cause de ce chapelet, me semble-t-il, nous avions le sentiment que nous avions le droit d'être là. Bien sûr, dans la mesure où le terrain avait

été donné à l'Église catholique du temps de notre désespoir, à l'époque même où Nanapush avait abattu le bison,
il était vrai que nous n'en avions pas seulement le droit,
nous étions propriétaires du terrain, de l'église, de la statue, du lac, et même de la petite maison du père Travis
Wozniak. Nous étions propriétaires du cimetière qui
s'étendait derrière à flanc de colline, et du charmant bois
de vieux chênes qui venait buter contre les tombes. Mais
propriétaires ou pas de toute la structure, une fois arrivés
là après avoir effrontément remonté la colline, sauté par-
dessus la barrière à bétail, et filé à toute vitesse vers la
plage, nous avons rencontré Youth Encounter Christ
– YEC, les Jeunes à la Rencontre du Christ.

Quand nous sommes passés à vélo, ils étaient assis en
tailleur, en rond, à l'autre bout de l'herbe tondue. J'ai vu
d'un coup d'œil que c'était un mélange de gamins de la
réserve, que pour beaucoup je connaissais, et d'inconnus,
probablement des bénévoles des lycées et universités
catholiques venus passer l'été. J'avais vu ces bénévoles
voyageant en groupes, vêtus de leur tee-shirt orange vif
frappé sur la poitrine de l'image en noir du Sacré-Cœur.
La plupart de ceux qui leur parlaient étaient déjà convertis, ce qui avait dû être une déception. En tout cas, nous
sommes passés en vitesse et avons laissé nos vélos près du
ponton. Nous nous sommes frayé un chemin à travers les
broussailles pour atteindre une autre partie de la plage qui
était plus intime.

On va cacher nos pantalons, a suggéré Angus, au cas où
il y en aurait un qui se montrerait pour nous voler nos
affaires. Les voleurs d'affaires ce n'était pas franchement le
genre à se montrer, mais au bout d'une demi-heure passée

à poil dans l'eau à nous baigner et à chahuter, nous avons quand même eu deux visiteurs. L'un était un grand type à la poitrine creuse et aux cheveux blond sale, plus âgé que nous, probablement un étudiant, affligé des pires boutons qu'on ait jamais vus. L'autre, eh bien, elle était tout le contraire. C'était, je suppose qu'on pourrait le dire, un rêve. Et c'est le nom qu'ensuite nous lui avons donné. Fille de Rêve. Peau caramel. Grands yeux doux d'un brun de velours. Cascade de cheveux bruns retenus par un charmant bandeau. Short. Bien foutue. Des seins qui pointaient délicatement sous son vilain tee-shirt orange du Sacré-Cœur. Je me détendais allongé sur le dos en regardant le ciel quand tout cela est arrivé. J'ai roulé sur le ventre et vu que mes copains étaient partis. Ils s'étaient rapprochés du rivage, et dans l'eau jusqu'à la taille hachaient les vaguelettes du tranchant de la main. Cappy se lissait les cheveux en arrière tout en parlant, et tout à coup j'ai remarqué qu'il faisait beaucoup plus vieux et costaud que Zack, Angus ou moi. Je suis entré dans l'eau en nageant, me suis planté à côté de mes amis.

Je vais donc une fois de plus vous demander de partir, a dit le boutonneux.

Et moi je vais une fois de plus vous demander pourquoi, a dit Cappy.

Une fois encore, pour être bien clair – le type de YEC a marqué un temps d'arrêt, levé le pouce et désigné le ciel, un geste que Angus n'a cessé d'imiter à partir de ce jour-là. Cette plage est réservée aux activités autorisées par la paroisse. Je vous demande poliment de partir.

Nooon, a lancé Cappy. On veut pas partir. Il a propulsé une giclée d'eau à travers son poing. Il lorgnait paresseusement Fille de Rêve. Elle n'avait pas parlé du tout. Mais son regard était posé sur lui.

Qu'est-ce que tu en penses ? Il l'a désignée d'un signe de tête. Tu penses qu'on devrait partir ?

Fille de Rêve a répondu d'une voix claire : Je pense que vous devriez partir.

D'accord, a reconnu Cappy, si tu le dis. Et il est sorti de l'eau.

J'ai coulé un regard oblique dans sa direction quand il est passé à grandes enjambées. Sa bite pendait lourdement entre ses jambes. Quelqu'un a crié. C'était le type.

Retourne là-bas !

Et puis le boutonneux s'est élancé pour refouler Cappy dans l'eau par la force. Cappy l'a repoussé et Fille de Rêve s'est éloignée, mais elle s'est retournée pour bien regarder. D'un coup de pied Cappy a fauché le bondieusard, a passé les bras autour de lui dans un genre de prise de catch, et s'est mis à le tremper dans l'eau. Pas méchamment, pas pire que lorsque nous chahutions, mais le type a recommencé à crier et Cappy a arrêté.

Hé, mec, Cappy s'accrochait à son épaule. Le boutonneux a dégueulé dans le lac et nous nous sommes écartés. Je suis désolé, mec, a dit Cappy. Il a tendu la main pour tapoter le dos orange, mais le visage du type est devenu d'un horrible violet cadavre et nous avons entendu ses dents du fond grincer.

Il est fou de rage ou ce genre-là, a dit Cappy. Et sans crier gare le type s'est retourné comme une crêpe et s'est mis a battre des bras et des jambes comme un dingue, à remuer la tête, et il se serait noyé sur place si nous ne l'avions pas attrapé et porté sur le bord. Nous l'avons allongé. J'étais le seul à avoir des chaussettes. J'en ai roulé une et la lui ai fourrée dans la bouche. Nous l'avons tenu dans nos bras à tour de rôle, en lui parlant, tout en nous rhabillant en vitesse. Sa crise s'est arrêtée et j'ai ôté la chaussette. Nous avons envoyé Angus chercher le père Travis.

Pendant que Angus était parti et que le type respirait bien mais était toujours dans le cirage, Cappy a dit : Et maintenant qu'est-ce qu'on fait ? Réfléchis vite, Numéro Un.

On entre à YEC.

Ouais, a dit Zack. Chercher de nouvelles formes de vie. L'YEC, une peuplade primitive fondée sur le chapelet…

Pigé, a dit Cappy. On se convertit. Ce type nous a convertis.

Ouais c'est ça, a dit le boutonneux, en ouvrant les yeux à demi. Il s'est évanoui et a encore dégueulé. Nous l'avons tourné sur le côté pour qu'il ne s'étouffe pas, et il a crachoté, ce qui l'a réveillé.

On est cool, maintenant, mec, a dit Cappy. Tu nous as montré la voie. Nous avons senti une étincelle qui descendait sur nous.

Elle est venue, ai-je dit. L'étincelle.

Jésus nous sauve, a lancé Zack, puis il a répété ces paroles un nombre incalculable de fois en une psalmodie douce mais qui enflait peu à peu et qui a paru encourager le type maigrichon, dont le prénom avons-nous appris était Neal, à se mettre debout en même temps que nous et à lever une main tremblotante au milieu des nôtres pour sentir l'Esprit. En avançant habités par l'Esprit, nous sommes sortis des broussailles, tout habillés, formant un petit groupe autour d'un Neal ruisselant, et en criant ce que criait Zack. Le Saint-Esprit est là ! *Là* sur nous. Alléluia. Louée soit la forme du Christ. Louée soit Sa Rés' Érection. Lait de la Sainte Mère. Agneau de Bonté Divine. Saintes Entrailles timbrées ! Zack était un catholique taré. Le père Travis avait quitté les culs-bénits pour régler une affaire pressante et revenait maintenant en toute hâte avec Angus. Sa soutane tournoyait autour de ses cuisses filant en longues foulées. Mais trop tard. Tout ce qu'il a vu c'était nous, entourés d'une meute de tee-shirts orange, nous étreignant, pleurant, levant les mains au ciel. Il n'a rien pu faire d'autre, lorsque Cappy lui est tombé dessus en hurlant *Merci, merci, Jésus,* que lui tapoter le dos assez violemment pour qu'il en grogne, et me regarder comme un faucon pris au piège. J'ai évité de croiser les yeux du père Travis après ce regard. Je me suis détourné et cogné à Fille de Rêve, qui se tenait un peu à l'écart, ayant dans ses pensées la vérité et Cappy sortant de l'eau. J'ai vu ces trucs-là sur son visage. Et j'ai vu qu'il n'y avait pas de conflit. Ce qui revient à dire qu'elle était amoureuse.

Elle s'appelait Zelia et avait fait le long voyage depuis Helena, dans le Montana, pour convertir les Indiens, dont aucun ne vivait dans un tipi et beaucoup avaient la peau plus claire que la sienne, ce qui la déroutait.

Zack a demandé pourquoi elle n'était pas restée dans le Montana convertir les Indiens de là-bas.

Quels Indiens ? a-t-elle répondu.

Oh, ceux-là, a dit Cappy aussitôt. Ils sont déjà tous Mormons, Témoins de Jéhovah et ainsi de suite, ces Indiens du Montana. Personne ne s'en approche. Tu devrais continuer à convertir dans le coin. C'est plein de païens, par ici.

Oh, a dit Zelia. C'est-à-dire que nous ne marchons pas trop sur les plates-bandes des autres missions, en tout cas.

Elle était mexicaine, d'une famille très unie. Ils avaient été contre son travail de missionnaire en zone dangereuse, a-t-elle expliqué, mais elle avait fini par avoir gain de cause.

En fait, toi aussi tu es Indienne, lui ai-je dit. Elle a paru vexée, alors j'ai ajouté : Tu es peut-être une noble maya.

Tu es probablement une Aztèque, a lancé Cappy. C'était plus tard dans l'après-midi. Nous nous étions ins-crits aux deux dernières journées de stage d'été du père Travis, pour voir Fille de Rêve. Cappy et elle commen-çaient à flirter ensemble.

Oui, je crois bien que tu es aztèque. Cappy l'a regar-dée d'un air mi-sérieux mi-moqueur. Tu serais du genre à plonger la main dans la poitrine d'un homme et à lui arracher le cœur.

Elle a détourné les yeux, mais elle a souri.

Zack a tendu le poing et l'a gonflé et dégonflé avec un bruit de succion. Badoum. Badoum. Mais ni l'un ni l'autre ne l'a regardé. Nous savions tous les trois que nous n'avions aucune chance. Cappy était le seul. Mais nous avions quand même envie d'être près d'elle et nous espé-rions qu'elle tenterait de nous convertir pour de vrai.

À la maison, l'énergie de ma mère n'avait qu'à peine décru. Elle avait deux raies colorées sur la figure. Je me suis rendu compte qu'elle s'était barbouillée de rouge à joues. Elle prenait des comprimés de fer et d'autres cachets. Il y avait six flacons, là dans le placard de cuisine. Elle avait préparé des crêpes aux baies d'amélanchier pour le dîner. Papa et maman sont restés assis là, la mine sceptique, à m'écouter leur raconter en détail comment je m'étais inscrit à Youth Encounter Christ, ou YEC, et que je devais être là-haut à l'église le lendemain.

Mon père a plissé les paupières. Tu lâches Whitey pour t'inscrire dans un atelier de psychothérapie de groupe pour les jeunes ?

J'ai lâché Whitey parce qu'il a flanqué une raclée à Sonja.

Ma mère s'est raidie.

D'accord, s'est empressé de dire mon père. Qu'est-ce qu'on y fait ?

On met en scène des situations de la vie réelle. Par exemple, si on nous propose de la drogue. On imagine que Jésus est là pour s'interposer entre, disons, Angus et le dealer. Ou moi et le dealer, disons, non pas que ça arrive.

Exact, a dit mon père, vous êtes des buveurs de bière, si je me souviens bien. Jésus vous arrache-t-il les canettes des pattes ? Les vide-t-il par terre ?

C'est ce que nous sommes censés visualiser.

Intéressant, a dit ma mère. Sa voix était neutre, solennelle, ni caustique ni faussement enthousiaste. J'avais cru que c'était la même mère, mais avec un visage creux, des coudes saillants, des jambes pleines de pointes. Pourtant je commençais à remarquer qu'elle était quelqu'un de différent de la maman d'avant. Celle que je considérais comme la vraie. J'avais cru que ma vraie mère ressurgirait à un moment ou à un autre. Que je récupérerais ma maman d'avant. Mais il m'est venu à l'esprit que cela risquait de ne pas arriver. La foutue carcasse lui avait volé quelque chose. Une part chaleureuse de son être avait disparu et risquait de ne pas revenir. Il ne serait pas facile de connaître cette nouvelle femme redoutable, et moi j'avais treize ans. Je n'avais pas le temps.

Le deuxième jour à Youth Encounter Christ a été plus réussi que le premier – ce matin-là nous avons reçu nos tee-shirts et les avons enfilés directement sur nos affaires, en tapotant le Sacré-Cœur entouré d'épines imprimé par-dessus notre propre cœur. Nous sommes descendus au lac et nous avons commencé à chanter en play-back les chants que tout le reste du groupe connaissait. Neal était notre meilleur ami, maintenant. Les autres gamins de la réserve, de vrais dévots dont les parents étaient diacres ou prépa-raient des gâteaux pour les enterrements, lui avaient raconté que nous formions tous les quatre la pire bande de l'école, ce qui n'était même pas vrai. Ils ne cherchaient qu'à l'aider à s'épater lui-même, car depuis le début il avait avoué le peu d'estime qu'il se portait. Malheureuse-ment pour nous et pour nos chances de salut à long terme, ce n'était qu'un camp de deux semaines. Nous avions été convertis alors qu'il ne restait plus qu'une journée. Nous assistions donc aux séances de bilan. Et comme ils fai-saient le bilan des perspectives qui s'étaient ouvertes durant les deux semaines, nous n'avions pas véritablement de quoi participer.

Une fille dont nous connaissions la sœur, Ruby Smoke, a déclaré avoir été sauvée d'un serpent. J'ai senti Zack agité de tremblements à côté de moi, et je lui ai envoyé un grand coup de coude. Angus connaissait la musique et a murmuré des louanges, mais Cappy a demandé, d'un ton pince-sans-rire : Quel genre de serpent était-ce, et le père

Travis s'est penché en avant en lui jetant un regard oblique.

Ruby était une grande fille qui avait des cheveux courts et laqués, striés de rouge sec, et des anneaux aux oreilles. Des tonnes de maquillage. Son petit ami, Toast, je ne me souviens pas de son vrai nom, personne ne s'en souvenait, était là aussi – très maigre, il avait un short de basketteur et un triste dos voûté. Il a lancé un coup d'œil à Cappy, sans méchanceté, et a dit : Mêle-toi de ce qui te regarde. Un serpent est un serpent.

Cappy a levé les mains : Je posais la question, c'est tout ! Il a fixé le sol des yeux.

Mais puisque ça t'intéresse, a repris Ruby, c'était un méga serpent, marronnasse, et strié. Et il avait les yeux dorés et une tête en triangle comme un serpent à sonnettes.

Un crotale des prairies. Tu as été sauvée d'un crotale des prairies, ai-je dit.

Le père Travis s'est fait menaçant, mais Ruby a eu l'air contente.

Ça va, mon père, a-t-elle assuré, l'oncle de Joe est prof de sciences.

En fait, ai-je poursuivi, encouragé, j'ai l'impression que tu as été sauvée d'un fer-de-lance, qui est de loin le serpent le plus meurtrier du monde. S'il te mord la main, on te coupe le bras. C'est le traitement. Ou alors tu as pu être sauvée du maître de la brousse, qui mesure jusqu'à trois mètres, se met en embuscade pour attendre sa proie et peut terrasser une vache. On ne voit rien quand un fer-de-lance attaque, il bouge à la vitesse de l'éclair.

Tous ont regardé Ruby et hoché la tête, électrisés, et

quelqu'un a dit : Bien joué, Ruby. Elle a eu l'air fier. Et puis le père Travis a pris la parole : Parfois des choses arrivent très vite, comme ça, raison pour laquelle dans cet atelier de psychothérapie de groupe nous travaillons pour vous préparer à ces instants rapides comme l'éclair. Il ne s'agit pas là de tentation, à vrai dire. Vous réagissez instinctivement. La tentation est un processus plus lent et vous la connaîtrez davantage le matin juste après le réveil et le soir, quand vous ne savez pas trop quoi faire de votre peau, que vous êtes fatigués, et pas encore prêts au sommeil. Vous êtes tentés, à ce moment-là. Voilà pourquoi nous apprenons des stratégies pour rester occupés, pour prier. Mais un poison qui agit rapidement, c'est autre chose. Il frappe à une vitesse aveugle. Vous pouvez être piqué par la tentation n'importe quand. C'est une pensée, une indication, un bruit dans votre cerveau, un pressentiment, une intuition qui vous mène vers des lieux plus obscurs que vous ne l'avez jamais imaginé.

J'étais assis là, absolument figé, rempli par ses paroles d'une étrange panique.

Assis en rond, nous nous sommes tous pris par la main, nous avons baissé la tête et récité le Je Vous Salue, Marie, qu'il n'est pas nécessaire d'être catholique pour connaître sur cette réserve car les gens le marmonnent à toute heure, à l'épicerie, dans les bars ou les couloirs d'école. Nous en avons récité dix, en mentionnant à chaque fois le fruit de vos entrailles, une expression que Zack trouvait insoutenable et ne pouvait même pas prononcer de peur d'éclater de rire. La journée a passé plus ou moins de cette façon – en confessions, discours de motivation, larmes, prières théâtralisées. Des moments qui fichaient la trouille quand nous devions nous regarder droit dans les yeux. Je dis qui fichaient la trouille parce que j'ai dû regarder Toast droit dans les yeux, des trous brûlés, indéchiffrables, et qui appartenaient à un gars, alors quel intérêt. Cappy s'est retrouvé les yeux plongés dans ceux de Zelia. C'était censé être une rencontre d'âme à âme. Un truc spirituel. Mais Cappy a avoué qu'il s'était chopé la pire trique de sa vie.

L'énergie virevoltante qui avait saisi ma mère était consumée et elle se reposait – mais sur le canapé, pas bouclée dans sa chambre. Quand je suis rentré à la maison, mon père m'a invité à m'asseoir à côté de lui sur une vieille chaise de cuisine rouillée, près du jardin. La fin d'après-midi était fraîche et l'air agitait le fourré de négondo bordant la cour. Le grand peuplier de Virginie cliquetait près du garage. Mon père a renversé la tête en arrière pour capter sur son visage le soleil qui se couchait lentement.

Je lui avais demandé des nouvelles de la foutue carcasse, et il tâchait de réfléchir à une réponse.

Qui est-ce ?

Mon père a secoué la tête.

Le fait est que, a dit mon père, le fait est que. Il choisissait ses mots avec grand soin. Il sera procédé à la lecture de l'acte d'accusation, au cours de laquelle le juge décidera s'il peut ou non être poursuivi. Pourtant même à l'heure actuelle, il est possible que nous poussions le bouchon un peu loin. L'avocat de la défense est en train de déposer une requête pour sa libération. Gabir est dans les parages, mais il n'a pas de véritable affaire. La plupart des affaires de viol ne remontent pas si haut, mais nous avons Gabir. La défense parle d'attaquer le Bureau des Affaires indiennes. Alors que nous savons que c'est lui. Alors que tout concorde.

Qui est-ce ? Pourquoi ne peut-on pas le pendre, et voilà ?

Mon père a enfoui sa tête dans ses mains, et je lui ai demandé pardon.

Non, a-t-il répondu, soucieux. Je voudrais pouvoir le pendre. Crois-moi. Je me vois en juge à la potence facile dans un vieux western ; je prononcerais la condamnation avec joie. Mais à part jouer au cow-boy dans mes pensées, il y a la justice traditionnelle anishinaabe. Nous nous serions réunis pour décider de son sort. Notre système actuel pourtant...

Elle ne sait pas où c'est arrivé, ai-je remarqué.

Mon père a baissé le menton. Nous n'avons rien de solide sous nos pieds. Pas de juridiction claire, pas de description précise de l'endroit où le crime a eu lieu. Il a retourné un bout de papier sur lequel il a tracé un cercle, et a tapoté son crayon dessus. Il a dessiné une carte.

Là, c'est la maison-ronde. Juste derrière, il y a la parcelle Smoker, maintenant tellement divisée qu'elle ne peut pas servir à grand-chose à qui que ce soit. Ensuite une bande qui a été vendue – terrain privé. La maison-ronde se trouve au bout des terres sous tutelle tribale, sur lesquelles notre tribunal a compétence, sauf évidemment s'il s'agit d'un Blanc. Donc la loi fédérale s'applique. En descendant jusqu'au lac, ce sont aussi des terres tribales. Mais seulement d'un côté, il y a un coin qui fait partie du parc régional, où s'applique la loi de l'État. De l'autre côté de cette prairie, d'autres bois, nous avons un prolongement des terres de la maison-ronde.

D'accord, ai-je dit, en regardant le dessin. Très bien. Pourquoi ne peut-elle pas inventer un endroit ?

Mon père a tourné la tête et m'a regardé longuement. La peau sous ses yeux était d'un gris violet. Ses joues étaient des plis lâches.

Je ne peux pas lui demander ça. Donc le problème demeure. Il a commis le crime. Où ? Était-ce une terre tribale ? un terrain privé ? une propriété blanche ? de l'État ? Nous ne pouvons pas engager de poursuites judiciaires si nous ne savons pas quelle est la loi qui s'applique.

Si c'était arrivé n'importe où ailleurs…

Oui, mais c'est arrivé ici.

Tu le savais depuis que maman en a parlé.

Et toi aussi, a dit mon père.

Depuis que ma mère avait rompu son silence en ma présence et mis en branle tout ce qui a suivi, j'avais insisté auprès de mon père pour qu'il me raconte ce qui se passait. Et dans une certaine mesure il le faisait, encore qu'il ne me racontait pas tout, loin de là. Par exemple, il n'a rien dit des chiens. Le lendemain du jour où nous avions parlé, une équipe de sauvetage a débarqué sur notre réserve. Du Montana, d'après ce qu'avait entendu dire Zack.

Nous roulions à vélo sans but, en faisant de la roue arrière dans la poussière, tournant autour de la grande cour gravillonnée près de l'hôpital, sautant par-dessus des touffes vagabondes de luzerne et de balsamine. C'était samedi, et Zelia et tous les autres moniteurs du camp faisaient une dernière visite en car au Peace Garden. Une fois terminé leur atelier d'apprentissage du commandement, ils partiraient tous. L'atelier durait trois jours et Cappy était Worf.

Il m'a fait son défi Klingon, *Heghlu meh qaq jajvam*, a tenté d'exécuter un dérapage à 360°, et a mordu la poussière.

C'est un beau jour pour mourir ! a-t-il hurlé.

Ouais, putain ! ai-je braillé.

Angus réussissait mieux les imitations de Data. Je vous en prie, poursuivez donc ces charmantes querelles, a-t-il dit. C'est tout à fait fascinant. Il a levé le doigt.

À ce moment-là, Zack est arrivé à vélo et nous a raconté ce qui se passait en bas, au bord du lac, avec les équipes de sauvetage, la police et les camionnettes remorquant des bateaux de pêche réquisitionnés. Le temps que nous y arrivions, nous les avons aperçus, les chiens et leurs maîtres-chiens dans quatre embarcations en aluminium équipées de moteurs hors-bord qui ne devaient pas faire plus de 15 CV. Les chiens étaient de races différentes ; il y en avait un au pelage doré, un avorton qui paraissait être un croisement entre Pearl et le corniaud indien galeux d'Angus, un labrador noir au poil soyeux, et un berger allemand.

Ils cherchent une voiture qui a coulé, a dit Zack. Voilà du moins ce que je sais.

Moi, je savais que c'était la voiture de Mayla. Grâce à ce qu'avait raconté maman, je savais que son agresseur l'avait envoyée au fond du lac. Je savais aussi qu'ils cherchaient Mayla. Je n'ai pas pu m'empêcher d'imaginer comment il avait pu lester son corps et la remettre tant bien que mal dans l'auto. Je ne voulais pas penser à ces trucs-là, mais mon esprit laissait ces horribles pensées s'agiter. Nous avons observé les sauveteurs toute la journée, les chiens humant l'air au-dessus de l'eau, et leur maîtres guettant le moindre de leurs mouvements. Ça n'avançait pas vite. Ils passaient sur l'eau, calmes, méthodiques, établissant une grille invisible sur le fond du lac. Ils ont travaillé jusqu'à la nuit tombée, puis ont arrêté et monté leurs tentes et leur cantine près du rivage.

Le lendemain, nous sommes arrivés tôt et nous nous sommes rapprochés, de façon spectaculaire, en fait. Ce n'était pas notre intention. Nous avons laissé nos vélos et nous nous sommes glissés vers le campement sans qu'on nous remarque – il y avait là un regain d'agitation. Ils s'étaient fixé un but et nous avons vu deux plongeurs en tenue partir dans l'un des bateaux et se laisser descendre dans la fosse que nous connaissions tous. Il y avait une berge escarpée, et l'eau à l'endroit où elle touchait le rivage descendait aussitôt à une profondeur qu'au fil de notre enfance nous avions fini par imaginer être de trente mètres, mais qui s'est révélée de sept mètres. Au-dessus se dressait une falaise, sur laquelle nous nous sommes nichés pour suivre les opérations toute la journée. Nous avions faim, soif, et parlions de filer discrètement, quand une dépanneuse a descendu la route creusée d'ornières dans un vrombissement de moteur. Elle a reculé aussi près de l'eau que les sauveteurs ont pu sans danger lui faire signe d'approcher. Nous sommes restés cachés dans les broussailles et nous étions là quand une voiture, une Chevy Nova bordeaux, a été remontée au treuil sur la berge, ruisselante d'algues et d'eau. Nous nous attendions, bien sûr, à voir un corps, et Angus a chuchoté de nous tenir prêts – qu'on aurait des cauchemars. Il avait vu son oncle noyé. Pourtant il n'y avait personne dans la voiture. Nous regardions à travers les algues, mais perchés là où nous jouissions d'une vue imprenable sur l'intérieur de la voiture. Nous avons vu l'eau boueuse passer au travers et s'écouler. Les vitres étaient toutes baissées. Les portières ont bientôt été ouvertes. Personne, rien, ai-je d'abord pensé, sauf une chose.

Une chose qui a provoqué en moi un choc qui s'est d'abord traduit par un picotement superficiel puis s'est enfoncé, toute la journée, toute la soirée, et enfin cette nuit-là, jusqu'à ce que je la revoie au moment où je m'endormais, et me réveille en sursaut.

Sur la plage arrière de la voiture traînait un fouillis de jouets – certains en plastique, un ours en peluche écrabouillé peut-être, tous étaient agglutinés de sorte qu'on ne pouvait pas bien distinguer ce qu'était chacun, à part un lambeau de toile, un morceau de tissu à carreaux bleu et blanc assorti à la tenue de la poupée bourrée d'argent.

9

Le Long Adieu

Mooshum était né neuf mois après la saison de la cueillette des baies, un moment joyeux où les familles se retrouvaient et campaient partout dans les bois. Je suis parti cueillir des baies en compagnie de mon père, racontait toujours Mooshum, et je suis revenu en compagnie de ma mère. Il trouvait que c'était une fameuse blague et fêtait toujours sa conception, non pas sa naissance, car il avait fini par se convaincre qu'il était né à Batoche pendant le siège de 1885, ce dont mon père doutait en secret. Il était vrai, pourtant, que Mooshum était encore enfant lorsque sa famille avait quitté sa jolie maison, ses terres, son écurie et son puits d'eau douce, et fui Batoche après que Louis Riel avait été capturé et condamné à être pendu. Ils étaient descendus vers le sud, avaient passé la frontière et n'avaient pas précisément été reçus à bras ouverts. Tout de même, ils avaient été acceptés par un chef indien plein de bonté qui déclara au gouvernement des États-Unis qu'il rejetait peut-être ses enfants métis et ne leur donnait pas de terres, mais que les Indiens les accueilleraient dans leur cœur. Les généreux Indiens allaient traverser des moments difficiles les années suivantes, alors que les métis qui savaient déjà cultiver la terre et élever le bétail s'en sortaient mieux, finissaient par prendre le dessus, et même par regarder de haut ceux qui les avaient sauvés. Pourtant au fil de son existence Mooshum s'était défait de ses manières de Michif. Première chose à être éliminée, le catholicisme, puis il s'était mis à parler une langue chippewa pure et non plus mâtinée de français, et s'était même confectionné un costume pour danser lors des powwows alors qu'il n'avait renoncé ni à la gigue ni à l'alcool. Il était, comme on disait en ce temps-là, revenu à la couverture. Non pas qu'il ait été vêtu d'une couverture. Mais il lui arrivait d'en jeter une sur ses épaules, de s'en aller à pied à la maison-ronde et de participer aux cérémonies célébrées dans les bois. C'était un grand ami de tous les fauteurs de troubles qui se donnaient du bon temps ainsi que de ceux qui luttaient désespérément pour conserver leur réserve, un sol qui ne cessait de changer sous leurs pieds selon les caprices du gouvernement, les comptages de population de l'agent des Affaires indiennes, et quelque chose qui avait pour nom répartition par lots. Bon nombre d'agents s'étaient enrichis sur les rations volées pendant ces années-là, et bon nombre de familles s'étaient tournées face au mur et avaient péri par manque de ce qu'on leur avait promis.

Et maintenant, a remarqué Mooshum, le jour où nous étions réunis pour fêter son anniversaire, il y a de la nourriture en abondance. De la nourriture partout. De gros Indiens ! On n'aurait jamais vu un gros Indien de mon temps.

Grand-mère Ignatia Thunder était assise près de lui sous la tonnelle à l'ancienne que Whitey et oncle Edward avaient montée pour l'occasion. Ils avaient posé de jeunes peupliers tout juste coupés sur des pieux pour créer un abri offrant de l'ombre, et les feuilles étaient encore fraîches et brillantes. Les anciens étaient assis sur des chaises pliantes en plastique tressé et buvaient du thé chaud bien que la journée fût douce. Clemence m'avait ordonné de rester près de Mooshum, de le surveiller et de prendre soin qu'il ne soit pas accablé par la chaleur. Grand-mère Ignatia secouait la tête devant les gros Indiens.

J'ai eu un gros Indien pour mari, autrefois, a-t-elle confié à Mooshum. Sa quéquette était grosse et longue, mais il n'y avait que le bout qui dépassait de sa panse. Et bien sûr, je n'aimais pas me mettre en dessous de toute façon par crainte de finir écrasée.

Miigwayak! Bien sûr. Que faisais-tu ? a demandé Mooshum.

Je cabriolais en haut, naturellement. Mais ce ventre, *yai*! Il est devenu aussi gros qu'une colline et je ne voyais pas par-dessus. Je hurlais. Tu es toujours là-bas derrière ? Crie donc. Comme la plupart des gros Indiens, il avait un petit cul. Ah mon vieux, les muscles de ses fesses étaient durs, eux aussi. Il me faisait voltiger comme dans un numéro de cirque. Et il me plaisait vraiment beaucoup, c'était le bon temps.

Awee, s'est écrié Mooshum. Sa voix était mélancolique.

Mais malheureusement ça ne devait pas durer, a dit Grand-mère Ignatia. Un jour où nous allions à un train d'enfer, il s'est arrêté. Il lui arrivait d'être épuisé, bien sûr, vu qu'il était si corpulent, alors moi, dessus, j'ai continué à y aller à fond. Son mât était toujours dressé et dur comme l'acier. Mais j'ai pensé qu'il s'était peut-être endormi, il était tellement silencieux. Crie donc ! ai-je demandé. Mais rien. Ça par exemple, c'est bizarre qu'il dorme pendant tout ce temps ! Il doit faire un rêve magnifique, je me dis. Et je ne m'arrête pas avant que tout soit terminé – terminé plein de fois, en ce qui me concerne, *eyyyy*. Finalement, je descends de son ventre. Ça par exemple, il tient encore ! je me dis. Je rampe jusqu'à l'autre bout de son corps. Vite fait, je me rends compte qu'il ne respire pas. Je lui tapote le visage, rien. Il est mort et bien mort, mon adorable gros mari. J'ai pleuré cet homme-là une bonne année.

Awee, a dit Mooshum. Une mort joyeuse. Et un noble amant pour toi, Ignatia, puisqu'il t'a satisfaite même depuis l'autre côté. Je voudrais mourir ainsi, mais qui m'en donnera l'occasion ?

Elle tient toujours debout ? a demandé Ignatia.

Pas toute seule, a reconnu Mooshum.

Eyyyy, s'est exclamée Ignatia. Après cent ans d'utilisation intensive, ce serait un miracle. Si au moins tu priais davantage, a-t-elle gloussé.

Les épaules frêles de Mooshum étaient agitées de tremblements. Prier pour avoir la trique ! Elle est bien bonne. Je devrais peut-être prier saint Joseph. Il était menuisier et travaillait le bois.

Les religieuses, là, jamais elles n'ont parlé du saint patron du *manaa* !

Mooshum a lancé : Je dirai une prière à saint Jude, celui qui s'occupe des causes perdues.

Et moi je prierai saint Antoine, le responsable des objets perdus. Tu es si vieux que tu ne peux probablement pas trouver ta quéquette dans le pantalon que t'a fait mettre Clemence aujourd'hui.

Oui, ce pantalon. C'est du beau tissu.

Un de mes autres maris, a dit Ignatia, celui à la petite bite, avait un pantalon comme le tien. De très bonne qualité. Il baisait comme un lapin. Dedans-dehors, dedans-dehors à toute vitesse, mais pendant des heures. J'étais là sur le dos à m'inventer des histoires dans ma tête, perdue dans mes pensées. C'était reposant. Je ne sentais rien. Et puis un jour, tiens. *Howah* ! j'ai crié. Qu'est-ce qui t'arrive ? Elle a poussé ?

Oui, je l'ai arrosée, a-t-il répondu entre deux dedans-dehors-dedans-dehors. Et j'y ai mis de l'engrais.

Yai ! j'ai crié, encore plus fort. Quel produit tu as pris ?

Je plaisante, femme. Je l'ai rallongée avec de l'argile de la rivière. Oh, non !

Tout à coup, de nouveau je ne sentais plus rien.

Elle est tombée, a-t-il annoncé.

Tout le *wiinag* ?

Non, rien que la partie en argile. Il était très découragé. Oh mon amour, s'est-il écrié, je voulais te faire hurler comme un lynx. Je donnerais ma vie pour te rendre heureuse. Je lui ai répondu : Ça ne fait rien, je vais te montrer une autre façon.

Alors je lui ai montré un ou deux trucs, et il a si bien appris que j'ai produit des sons que ses oreilles n'avaient jamais entendus. Une fois, en tout cas, nous avions une lanterne qui se balançait à un crochet au-dessus du pied du lit. Il me prenait comme le lapin, et la lanterne s'est décrochée et lui est tombée sur le cul. Je l'ai entendu raconter cette histoire à ses amis. Ils rigolaient bien, et puis le voilà qui ajoute : j'ai eu de la chance, tout de même. Si j'avais été en train de faire ce que la patronne m'a appris, ce qui la rend tellement heureuse, la lanterne, elle me serait tombée sur la tête.

Yai ! Mooshum a postillonné du thé. Je lui ai tendu une serviette, Clemence m'ayant également chargé d'éviter qu'il ait de la nourriture dans les cheveux, que, contre la volonté de sa fille, il portait selon son goût, tombant en mèches grasses autour de son visage.

Dommage, vraiment, qu'on ne se soit pas essayés quand on était jeunes, a dit Ignatia. Maintenant tu es beaucoup trop flétri pour moi, mais si je me souviens bien, tu étais sacrément beau.

C'est vrai, a dit Mooshum.

J'ai tamponné le thé qui lui coulait dans le cou avant qu'il n'atteigne le col blanc amidonné de sa chemise. J'ai tourné la tête à quelques filles, a poursuivi Mooshum, mais quand ma jolie femme était en vie, j'accomplissais mon devoir de catholique.

Là, pas de problème, a dit Ignatia en s'étranglant de rire. Tu étais fidèle ou pas ?

J'étais un fidèle, a dit Mooshum. À la pointe, dans ce secteur.

Mais quelle pointe ? a lancé Ignatia, d'un ton sec. Elle soutenait toujours les enthousiasmes extraconjugaux des femmes, mais se montrait d'une intolérance absolue à l'égard de ceux des hommes. Oh, attends, mon vieil ami, comment pouvais-je l'oublier ? À la pointe ! *Eyyyy*, très drôle.

Anishaaindinaa. Oui, bien sûr, elle vivait à la pointe, cette Lulu. Et tu as eu ton fils avec elle.

La surprise m'a fait sursauter, mais ni l'un ni l'autre ne l'a remarqué. Était-il connu de tous que j'avais un oncle sans jamais l'avoir su ? Qui était ce fils de Mooshum ? J'ai essayé de la boucler, mais bien entendu, en regardant autour de moi j'ai vu qu'une grande partie des invités étaient des Lamartine et des Morrissey, et puis Ignatia a prononcé son nom.

Cet Alvin s'est bien débrouillé dans la vie.

Alvin, un ami de Whitey ! Alvin avait toujours semblé faire partie de la famille. Bon. Quand je raconte cette histoire à des Blancs, ils sont étonnés, et quand je la raconte à des Indiens, ils ont toujours une histoire comme la mienne. Et le plus souvent ils ont découvert la vérité sur leur famille en sortant avec le garçon ou la fille qui n'était pas pour eux, ou en tout cas, la plupart du temps ils ont commencé à piger leur famille à un moment ou à un autre de leur adolescence. Peut-être était-ce parce que personne ne songeait à expliquer l'évidence qui avait toujours été là, ou peut-être que, petit, je n'avais tout simplement jamais écouté. En tout cas, j'ai compris à ce moment-là que Angus était plus ou moins mon cousin, puisque Star était une Morrissey et sa sœur, la mère d'Angus, avait été mariée au petit frère d'Alvin, Vance, quoique dans la mesure où Vance et Alvin n'avaient pas le même père, le lien était plus ténu. Avais-je déjà entendu le nom qu'on donnait à ce genre de cousin, me suis-je alors demandé, sous la tonnelle, ou devrais-je poser la question à Mooshum et Ignatia ?

Excusez-moi, ai-je dit.

Mais oui, mon garçon, ce que tu es poli ! Grand-mère Ignatia a soudain remarqué ma présence et son regard acéré de corbeau m'a transpercé.

Si Alvin est mon demi-oncle et que la sœur de Star a

été mariée à Vance et qu'ils ont eu Angus, qu'est-ce qu'il est pour moi, Angus ?

Un parti acceptable, a lâché Grand-mère Ignatia, d'une voix rauque. *Anishaaindinaa.* Je plaisante, mon garçon. Tu pourrais épouser la sœur d'Angus. Mais tu poses une bonne question.

C'est ton cousin au quatrième degré, a assuré Mooshum. Tu ne le traites pas comme un cousin à part entière, mais il est plus proche de toi qu'un ami. Tu le défendrais, mais pas jusqu'à la mort. *Not to the death.*

Il a dit *da dett.* Aujourd'hui, la plupart d'entre nous prononcent les *th* sauf si nous avons grandi en parlant chippewa, mais nous continuons à en laisser tomber des tas par habitude. Mon père trouvait qu'en tant que juge il était important qu'il les prononce jusqu'au dernier. Ce n'était pourtant pas le cas de ma mère. Quant à moi j'ai laissé mes *d* quand je suis entré à l'université, pour adopter le *th.* Comme grand nombre d'Indiens. J'ai écrit un affreux poème, autrefois, sur tous les *d* abandonnés qui flottaient partout sur les réserves, qu'une amie a lu. Elle a jugé l'idée pas inintéressante, et sa matière principale étant la linguistique, elle a écrit un article là-dessus. Plusieurs années après qu'elle avait écrit cet article, je l'ai épousée, là-bas sur la réserve, et j'ai remarqué que dès que nous en passions les limites nous laissions tomber nos *th* et reprenions nos *d.* Mais elle avait eu beau étudier la linguistique, elle n'avait pas de mot pour le genre de cousin qu'était Angus pour moi. J'ai trouvé que Mooshum définissait le mieux ce lien, en disant que j'étais tenu de défendre Angus, mais sans plus. Je n'avais pas à mourir pour lui, ce qui était un soulagement.

À ce moment-là d'autres personnes sont arrivées et se sont assises avec nous, une foule à vrai dire, tout autour de Mooshum, et le groupe entier a tourné son attention vers l'endroit où il était assis sous la tonnelle. Des gens armés d'appareils photos ont choisi avec soin où se placer, et ma mère et Clemence ont posé pour des photos, leur tête de part et d'autre de celle de Mooshum. Puis Clemence est retournée en courant dans la maison, et il y a eu un silence rompu par les exclamations de petits enfants repoussés aux limites de la foule. Le gâteau ! Le gâteau !

Clemence et Edward étant occupés à tripoter leur appareil photo, mes cousins Joseph et Evey ont donc été chargés d'apporter le merveilleux gâteau.

Clemence avait construit une grande génoise rectangulaire couverte d'un glaçage au sucre additionné de whisky, le préféré de Mooshum, et l'avait glacée à même une plaque d'agglo doublée de papier alu. Le gâteau avait la taille d'un plateau de bureau, orné avec recherche des lettres composant le prénom de Mooshum, et piqué d'au moins cent bougies, déjà allumées, brûlant de tous leurs feux tandis que mes cousins s'avançaient à pas prudents. Les gens se sont écartés sur leur passage. Je me suis mis sur le côté quand ils l'ont tenu bien en face du visage de Mooshum. Ce gâteau était éblouissant. Ignatia semblait jalouse. Les petites flammes se reflétaient dans les pauvres yeux âgés de Mooshum tandis que les gens chantaient Joyeux Anniversaire en ojibwé et en anglais, avant d'entonner un air michif. Les bougies ont flamboyé avec davantage d'éclat au fur et à mesure qu'elles brûlaient en répandant leur cire sur le glaçage, jusqu'à ce qu'il ne subsiste d'elles que de simples petits bouts.

Souffle-les ! Fais un vœu ! ont crié les gens, mais Mooshum paraissait hypnotisé par leur clarté. Grand-mère Ignatia s'est penchée et lui a parlé droit dans l'oreille. Il a finalement hoché la tête, et s'est courbé au-dessus du gâteau au moment même où une brise vagabonde passait sous la tonnelle, une petite rafale. Croyez-vous qu'elle aurait éteint les bougies ? Bien au contraire. Elle leur a fourni assez d'oxygène pour flamboyer une dernière fois, et c'est alors que les petites flammes se sont réunies en une seule qui a embrasé le mélange de cire et de glaçage au whisky. Le gâteau a pris feu en produisant un doux *vlouf*, et les flammes ont bondi assez haut pour s'enchevêtrer dans les mèches grasses de Mooshum, à l'instant où il se penchait en avant, la bouche en cul de poule. J'ai encore à l'esprit l'image de sa tête environnée par le brasier. On ne voyait que ses yeux ravis et son sourire joyeux, tandis qu'apparemment il se consumait. Mon grand-père et le gâteau auraient pu être détruits sur-le-champ, si oncle Edward n'avait eu la présence d'esprit de vider une carafe de citronnade sur la tête de Mooshum. De façon tout aussi providentielle, Joseph et Evelina, toujours cramponnés à l'agglo, ont à toutes jambes emporté le gâteau en feu dans l'allée, où les flammes se sont éteintes après avoir fini de dévorer le glaçage liquoreux. Oncle Edward a été une fois de plus le héros du jour quand il a simplement décollé la pellicule roussie à l'aide d'un long couteau à pain. Il a décrété le reste du gâteau mangeable, et même amélioré par le coup de chaud. Quelqu'un a apporté des litres de crème glacée et la fête a redémarré. On m'a demandé d'emmener Mooshum dans la maison pour qu'il se remette de ces émotions fortes. Une fois là, Clemence a voulu lui couper les mèches roussies.

Le feu n'avait atteint ni sa peau ni son cuir chevelu, mais le fait d'avoir pris feu l'avait surexcité. Il était soucieux que Clemence ne coupe que les parties de sa chevelure irrémédiablement noires et racornies.

D'accord, j'essaie, papa. Mais ça pue, tu sais.

Elle a abandonné la partie.

Oh tiens, Joe. Reste donc avec lui !

Il était allongé sur le canapé, la tête soutenue par un oreiller, sous une couverture au crochet, rien qu'un tas de brindilles et un grand sourire. Dans l'effervescence, son râtelier blanc s'était décollé, j'ai donc été chercher un verre d'eau et il l'a plongé dedans. Par malheur, j'ai choisi un gobelet en plastique opaque, du genre de ceux dans lesquels les enfants boivent du Kool-Aid. Pendant que j'avais le dos tourné, un petit de quatre ans s'en est emparé et s'est précipité dehors en buvant joyeusement l'eau du dentier, imitant son cousin plus âgé, jusqu'à ce qu'apparemment ce même enfant redemande du Kool-Aid à sa mère et qu'elle voie ce qu'il y avait au fond du verre. Je suis resté auprès de Mooshum, sans rien savoir de ces drames. Mes cousins étaient revenus mais ils étaient beaucoup plus âgés que moi et occupés à exécuter les ordres que leur mère ne cessait de leur donner. Mes amis, qui avaient promis de venir, n'étaient pas encore là. Cette fête allait durer une éternité. Plus tard on danserait, il y aurait des violons, une guitare électrique et un clavier, encore de quoi manger. Mes amis attendaient probablement la venaison d'Alvin cuite à la braise dans une fosse, ou les plats venant de chez eux. Quand une fête dans ce genre commençait sur la réserve, elle finissait toujours par être animée d'une vie qui lui était propre. La tradition voulait que ceux qui n'étaient

pas invités débarquent, et chaque fête prévoyait le nécessaire – comme pour ceux qui débarquaient ivres et devenaient trop chahuteurs. Mais de tout cela, solennellement
exposé sur le canapé du séjour, Mooshum était protégé.
Appartenant à l'histoire, mais en mesure de piquer un rou-
pillon. Je suis resté avec lui pendant qu'il s'assoupissait et
dormait. Mais quand Sonja est entrée, il s'est mis au gar-
de-à-vous comme un soldat. La tenue de Sonja a dû s'insinuer dans son inconscient. Elle portait une chemise en
daim délicatement frangée qui collait à ses seins tel un
péché non pardonné. Et ce jean, qui lui faisait des jambes
tellement longues et minces. Les yeux me sont sortis de la
tête. Des bottes de cow-boy neuves garnies de lézard ! Et
elle avait les fameuses puces en diamant aux oreilles. Qui
tremblaient dans la lumière douce.

J'ai esquivé quand elle a voulu m'embrasser le sommet
du crâne, et me suis éloigné pour qu'elle s'assoie sur ma
chaise, mais je suis resté dans la pièce, les bras croisés, à
la fusiller du regard. Je savais que cette chemise avait été
achetée avec l'argent de ma poupée, et elle m'avait l'air
chère. Sonja avait de nouveau utilisé beaucoup de mon
argent. Et ces bottes ! Tout le monde allait le remarquer.

Sonja s'est courbée pour être près de Mooshum. Ils
parlaient à voix basse de façon agaçante, et elle secouait la
tête, en riant. Il la regardait, la mine implorante et édentée, dégoulinante d'une admiration d'amoureux transi.
Elle s'est penchée et l'a embrassé sur la joue, puis elle lui
a tenu la main et a parlé encore un peu, et tous les deux
ont ri, ri comme des fous jusqu'à ce que je m'en aille,
écœuré.

Mes parents étaient assis dans le coin des adultes sous la tonnelle, et ma mère, sans parler beaucoup, répondait du moins d'un hochement de tête à mon père qui s'adressait à elle. L'orchestre s'installait près de la remise. Derrière, Whitey et les autres buveurs étaient assis par terre et faisaient circuler une bouteille. Whitey était à présent dans une passe morose. Il était assis dans un coin de la cour et regardait fixement la fête, en s'efforçant de suivre les événements grâce à sa double vision, marmonnant de sombres pensées qui par chance étaient d'une incohérence totale. J'ai aperçu Doe Lafournais et la tante Josey de Cappy. Il y avait Star, et aussi la maman de Zack, et son petit frère et sa petite sœur. Mais pas de Zack, pas d'Angus ni de Cappy. Je ne voulais pas demander où ils étaient au cas où ils manigançeraient un truc, alors j'ai pris mon vélo sur le côté du garage et je suis parti. J'étais pratiquement sûr que Zelia était pour quelque chose dans l'absence de Cappy et en effet, en roulant vers l'église j'ai croisé Zack et Angus qui descendaient la colline en zigzag, le plus lentement possible, pas de Cappy.

Il est resté là-bas. Ils vont se retrouver au cimetière à la nuit tombée, a expliqué Zack.

Nous étions tous les trois anéantis à cette pensée, même si nous avions renoncé à Zelia dès le premier jour. Nous sommes retournés à vélo à la fête, qui pullulait de danseurs de gigue s'élançant sur l'herbe, et Grand-mère Ignatia au milieu, fière de montrer ses pas compliqués. Nous avons mangé autant que nous avons pu, puis nous avons piqué des bières que nous avons versées dans des canettes de soda vides. Nous avons bu et traîné dans les parages en écoutant l'orchestre, en regardant Whitey s'accrocher à

Sonja tandis qu'ils dansaient le two-step, jusqu'à ce qu'il soit tard. Mon père a dit que je devrais rentrer à la maison à vélo, et c'est ce que j'ai fait, arrivant dans la cour en louvoyant. J'ai fait monter Pearl dans ma chambre et j'étais sur le point de m'endormir quand j'ai entendu mes parents rentrer. Je les ai entendus monter l'escalier en discutant à voix basse, et puis je les ai entendus entrer dans leur chambre comme ils l'avaient toujours fait. Je les ai entendus refermer la porte avec ce petit déclic final qui signifiait que tout était calme et paisible.

Si les choses pouvaient rester ainsi, calmes et paisibles, si l'agresseur mourait en prison. S'il se suicidait. Je ne pouvais pas vivre avec des si.

J'ai besoin de savoir, ai-je déclaré à mon père le lendemain matin. Il faut que tu me dises à quoi ressemble la carcasse.

Je te le dirai quand je pourrai, Joe.

Est-ce que maman sait qu'il risque de sortir ?

Mon père a agité son doigt sur ses lèvres. Pas précisément, non. Enfin, si. Mais nous n'avons pas parlé. Elle régresserait, a-t-il ajouté en vitesse. Son visage s'est tordu. Il a passé la main sur ses traits comme pour les effacer.

Il faut que je m'occupe d'elle, que je garde un œil sur lui.

Il a hoché la tête, et au bout d'un moment il s'est levé et à pas lourds s'est approché de son bureau. Tandis qu'il fouillait dans sa poche pour y trouver ses clés, j'ai aperçu la vulnérable coquille d'œuf brune de son crâne, les fines mèches blanches. Il avait pris l'habitude de verrouiller ce tiroir, mais là il l'a ouvert et en a sorti un dossier. Il a ouvert le dossier, est venu vers moi, et en a sorti une photo. Une photo d'identité judiciaire. Il m'a mis la photo dans les mains.

Ta mère n'a pas encore décidé si elle va en parler ou non. C'est à elle de voir. Alors ne dis rien à personne.

Un bel homme puissant mais pas séduisant, au teint pâle et aux yeux noirs et brillants dont on ne voyait pas le blanc, juste la toute petite tache de vie bleuâtre. Sa bouche entrouverte était pleine de dents blanches et parfaites, et ses lèvres étaient minces et rouges. C'était le client. L'homme qui avait pris de l'essence la veille du jour où j'avais quitté le garage.

Je l'ai déjà vu, ai-je remarqué. C'est Linden Lark. Il a pris de l'essence chez Whitey.

Mon père ne m'a pas regardé, mais sa mâchoire s'est affaissée, ses lèvres se sont durcies.

Quand ?

Sans doute juste avant de se faire coincer.

Mon père a repris la photo entre le pouce et l'index et l'a glissée dans le dossier. Je voyais bien que cela lui faisait mal aux doigts de la toucher, que l'image muette dégageait une force hérissée d'aspérités. D'un geste brutal il a remis le dossier dans le tiroir, puis il est resté planté là à regarder les papiers éparpillés partout sur son bureau. Il a desserré la main posée sur son cœur, l'a ouverte, a tripoté un bouton de chemise.

Pris de l'essence chez Whitey.

Nous avons entendu ma mère, dehors. Elle enfonçait dans la terre de fines perches qu'elle avait coupées, les installait le long de ses plants de tomates. Ensuite elle déchirerait de vieux draps en lanières pour attacher les tiges âcres et musquées, afin qu'elles puissent grimper à leur aise. Les plants portaient déjà des fleurs en étoile teintées d'un jaune doux et amer.

Il nous a étudiés, a dit mon père à mi-voix. Sait qu'on ne peut pas le retenir. Pense qu'il peut s'en tirer. Pareil que son oncle.

Comment ça ?

Le lynchage. Tu le sais.

De l'histoire ancienne, papa.

Le grand-oncle de Lark était dans la bande des lyncheurs. D'où, je pense, le mépris.

Je me demande s'il se doute même combien les gens d'ici s'en souviennent, ai-je remarqué.

Nous connaissons les familles des hommes qui ont été pendus. Nous connaissons les familles des hommes qui les ont pendus. Nous savons même que les nôtres étaient innocents du crime pour lequel ils ont été pendus. Un historien local a déterré l'affaire et l'a prouvé.

Dehors, ma mère rangeait les outils. Ils s'entrechoquaient dans son seau. Elle a branché le tuyau et s'est mise à arroser son jardin en pluie fine, l'eau éclaboussant en douceur dans un mouvement de va-et-vient.

On l'aura de toute façon, ai-je dit. Pas vrai, papa ?

Mais il avait les yeux fixés sur son bureau comme si à travers le plateau en chêne il voyait le dossier qui était en dessous et à travers l'enveloppe en papier kraft la photo et à partir de la photo peut-être une autre photo ou un autre rapport relatif à une violence ancienne qui ne s'était pas encore purgée.

Après la mort de sa mère, Linden Lark avait gardé la ferme en limite de Hoopdance. Il avait vécu dans la maison, une bâtisse branlante d'un étage à la peinture écaillée, qui avait eu autrefois des massifs de fleurs et de vastes potagers. À présent, bien sûr, tout était envahi de mauvaises herbes et isolé du reste par le ruban de balisage de la police criminelle. Des chiens avaient fouillé et re-fouillé les lieux, les champs et les bois entourant la maison, sans rien trouver.

Pas de Mayla, ai-je dit.

Papa discutait avec moi, plus tard ce jour-là – la maison était silencieuse. Je jouais à mon jeu. Il était entré. Cette fois, il m'a raconté des choses. Le gouverneur du Dakota du Sud avait déclaré que l'enfant qu'il désirait adopter venait d'une agence des services sociaux de Rapid City, et sa déclaration avait été confirmée. Là-bas, les employés avaient expliqué qu'environ un mois plus tôt quelqu'un, un homme supposait-on, avait laissé le bébé endormi dans son siège-auto au rayon meubles de Goodwill. Il y avait eu un mot épinglé au vêtement du bébé, informant celui qui le trouverait que ses parents étaient morts.

Et c'est le bébé de Mayla ?

Mon père a hoché la tête.

On a montré une photo à ta mère. Elle a identifié le bébé.

Et où est maman ? ai-je demandé.

Mon père a haussé les sourcils, encore étonné.

Je viens de la déposer au travail.

Quelques jours après avoir identifié le bébé, ma mère a repris des horaires réguliers au bureau. Il y avait du travail en retard, des questions de pourcentage de sang à examiner de près, des prétendants à la généalogie curieux de découvrir s'ils n'auraient pas eu pour grands-mères de romantiques princesses indiennes. Il y avait des enfants qui revenaient une fois adultes, des personnes adoptées hors de la réserve et coupées de leur tribu, volées, en somme, par les services sociaux de l'État, et aussi ceux qui avaient abandonné l'idée d'être Indiens mais dont les enfants rêvaient de ce lien et organisaient sur la réserve des vacances en famille chargées de sens, pour approfondir leur héritage. Maman avait fort à faire, et pourtant c'était avant que l'argent des casinos attrape les candidats au lasso par troupeaux entiers. Apparemment, elle pouvait travailler aussi longtemps que Lark était en détention préventive. Aussi longtemps que le bébé était en sécurité. Il y a eu quelques jours où les choses étaient normales – mais normales pourvu qu'on retienne son souffle. Nous avons entendu dire que la petite était chez ses grands-parents, George et Aurora Wolfskin. Elle y était placée de façon permanente, ou au moins le temps que Mayla revienne. Si jamais elle revenait. Et puis, en gros le quatrième jour, ma mère a dit à mon père qu'il fallait qu'elle parle à Gabir Olson et à l'agent spécial Bjerke car, maintenant que la sécurité de l'enfant n'était plus en cause, elle s'était soudain rappelé où se trouvait ce dossier manquant.

Parfait, a répondu mon père. Où ça ?

Là où je l'ai laissé, sous le siège avant de la voiture.

Mon père est sorti et il est revenu, la chemise en papier kraft dans les mains.

Ils sont repartis à Bismarck et je suis retourné habiter chez Clemence et Edward. Les banderoles d'anniversaire étaient toutes décrochées. Les canettes de bière écrasées. Les feuilles de la tonnelle avaient séché. Le calme était revenu dans la maison de Clemence et d'Edward, mais un calme joyeux car il y avait tout le temps des gens qui passaient. Pas seulement de la famille ou des amis, mais des gens qui venaient exprès pour Mooshum, des étudiants et des professeurs. Ils branchaient un magnétophone et l'enregistraient pendant qu'il évoquait le temps jadis ou parlait michif, ojibwé ou cree, ou ces trois langues à la fois. Mais, en fait, il ne leur racontait pas grand-chose. Toutes ses vraies histoires venaient la nuit. Je dormais près de lui dans la chambre d'Evey. Environ une heure ou deux après le début de la nuit, je me réveillais et l'entendais parler.

La maison-ronde

Quand on lui ordonna de tuer sa mère, expliqua Nanapush, une large crevasse s'ouvrit dans son cœur. La faille était si profonde qu'elle s'enfonçait à l'infini. Du côté avant l'événement, son amour pour son père et la foi en tout ce que faisait son père gisaient là, froissés et jetés au rebut. Et pas cette seule foi en lui, d'autres aussi. Il était vrai qu'il pouvait y avoir des *wiindigoog* – des gens qui en temps de disette perdaient tous scrupules humains et convoitaient la chair d'autrui. Mais il arrivait aussi qu'on soit accusé à tort. Le traitement pour un *wiindigoo* était souvent simple : de grandes quantités de soupe chaude. Personne n'avait essayé la soupe sur Akii. Personne n'avait consulté la sagesse des anciens. Ceux qu'il avait aimés, y compris ses oncles, s'étant tout bonnement retournés contre sa mère, Nanapush ne pouvait plus croire en eux ni dans ce qu'ils disaient ou faisaient. Du côté de la faille où se trouvait Nanapush, cependant, ses jeunes frères et sœurs, que l'absence de leur mère avait fait pleurer, existaient. Et sa mère, aussi. Et l'esprit du vieux bison qui lui avait servi d'abri.

Cette vieille femme bison donna son point de vue à Nanapush. Elle lui dit qu'il avait survécu en agissant à l'inverse de tout le monde. Là où ils abandonnaient, il sauvait. Là où ils se montraient cruels, il était bon. Là où ils trahissaient, il était loyal. Nanapush décida alors qu'en toute chose il serait imprévisible. Ayant perdu toute confiance en l'autorité, il décida de se tenir à l'écart des autres, de penser par lui-même, et d'aller jusqu'à faire les choses les plus ridicules qui lui passaient par la tête.

Tu peux emprunter cette voie, lui dit la vieille femme bison, pourtant même si tu deviens un imbécile, avec le temps on te prendra pour un sage. On viendra à toi.

Nanapush n'avait aucune envie qu'on vienne à lui.

Ce ne sera pas possible, assura la femme bison. Mais je peux te donner quelque chose qui t'aidera – cherche dans ta tête et vois ce à quoi je pense.

Nanapush chercha dans sa tête et vit un bâtiment. Il vit même comment construire le bâtiment. C'était la maison-ronde. La vieille femelle continua de parler.

Ton peuple a été réuni par nous les bisons, autrefois. Vous saviez comment nous chasser et nous utiliser. Vos clans vous édictaient des lois. Vous aviez nombre de règles pour procéder. Des règles qui nous respectaient et vous obligeaient à travailler ensemble. Maintenant nous avons disparu, mais comme tu t'es abrité dans mon corps, à présent tu comprends. La maison-ronde sera mon corps, les perches mes côtes, le feu mon cœur. Elle sera le corps de ta mère et devra être respectée de la même façon. Comme la mère qui est attentive à la vie de son bébé, ton peuple devrait penser à ses enfants.

C'est ainsi que c'est arrivé, a dit Mooshum. J'étais un jeune homme quand les gens l'ont construite – ils ont suivi les instructions de Nanapush.

Je me suis assis pour regarder Mooshum, mais il s'était retourné et mis à ronfler. Je suis resté éveillé en pensant à ce lieu sur la colline, au vent sacré dans l'herbe, et à la bâtisse qui avait hurlé à mes oreilles. J'apercevais une partie de quelque chose de plus vaste, une idée, une vérité, mais rien qu'un fragment. Je ne voyais pas le tout, mais rien qu'une ombre de ce mode de vie.

J'étais là depuis trois ou quatre jours quand Clemence et oncle Edward sont allés à Minot acheter un congélateur neuf. Ils sont partis tôt le matin, avant que je sois debout. Mooshum s'était levé à six heures, comme d'habitude. Il avait bu le café, mangé tous les œufs, les tartines grillées et les pommes de terre sautées au beurre que Clemence avait préparés, même ma part. Quand je suis descendu à la cuisine, j'ai pris une rondelle de pâté de viande froid qu'elle avait laissé pour le déjeuner, je l'ai fourrée entre deux tranches de pain de mie et arrosée de ketchup. J'ai demandé à mon Mooshum ce qu'il voulait faire ce jour-là, et il a eu l'air vague.

Va retrouver ceux de ton âge. Il a agité la main. Moi, je suis paré.

Clemence a demandé que je reste avec toi.

Saaah, elle me traite comme un chiard. Allez, va ! Vas-y et amuse-toi bien !

Puis Mooshum s'est approché d'un pas vacillant de la vieille commode d'Evey, il a fouillé dans les affaires de son tiroir du haut jusqu'à ce qu'il en sorte une vieille chaussette grise. Tout en l'agitant sous mon nez, avec un regard éloquent, il a plongé la main dedans. Il avait mis son dentier, ce qui d'ordinaire annonçait de la visite. D'un air de triomphe rusé il a tiré un billet de dix dollars ramolli du fond de la chaussette, et l'a agité devant mes yeux.

Prends ça ! Vas-y, fais la fête. *Majaan* !

Je n'ai pas pris le billet.

Tu prépares un mauvais coup, Mooshum.

Un mauvais coup, a-t-il dit en s'asseyant, un mauvais coup. Puis il a ajouté, saisi d'une indignation sourde : Comment un homme peut-il donc être un homme !

Je peux peut-être t'aider, ai-je proposé.

Eh, d'accord. Clemence garde ma bouteille tout en haut du placard de la cuisine. Tu pourrais aller me la chercher ?

Il n'était même pas midi, mais j'ai pensé : quel mal y a-t-il donc ? Il avait vécu assez vieux pour mériter de boire un coup de whisky quand il en avait envie. Clemence ne lui en avait donné qu'une fois pour son anniversaire, et puis des litres de thé des marais pour neutraliser l'effet. J'étais perché sur le plan de travail, essayant de trouver l'endroit où Clemence cachait la bouteille, quand Sonja est entrée par la porte de derrière. Elle portait un cabas en plastique muni de poignées solides, et j'ai d'abord cru qu'elle était

310

de nouveau allée dépenser mon argent et venait montrer ses achats à Clemence. Je suis redescendu tant bien que mal, la bouteille à la main, et j'ai lancé, d'un ton belliqueux : Alors, tu es retournée dévaliser les magasins ! Je me suis planté devant elle. On va déterrer ces livrets, ai-je dit. On va faire le tour et récupérer tout cet argent, Sonja.

D'accord, a-t-elle répondu, ses yeux bleus adoucis par le chagrin. Très bien.

Arrêtez de parler d'argent. Mooshum s'est approché de Sonja en trébuchant. L'a prise par le bras. Il a parlé d'une voix doucereuse.

Le vieil homme que je suis a de l'argent et aussi une bouteille, *ma chère niinimoshenh*.

Mooshum a guidé Sonja et son gros cabas vers la chambre à coucher.

File d'ici maintenant, m'a-t-il lancé. Ouste ! Il a tendu la main vers la bouteille.

Mais j'ai tenu bon.

Je ne vais nulle part, ai-je déclaré. Clemence m'a demandé de rester ici.

Je les ai suivis dans la chambre. Ils m'ont regardé, désarmés. Je me suis assis sur le lit.

Je ne m'en vais pas, du moins pas avant de voir ce qu'il y a dans ce cabas.

Mooshum m'a gratifié d'un grognement indigné. Il m'a arraché la bouteille et s'est envoyé une petite gorgée. Sonja s'est assise, la mine renfrognée, et a gonflé les lèvres. Elle portait un de ses survêtements, fastueux et rose, et un tee-shirt au décolleté plongeant ; un cœur en argent au bout d'une chaîne en argent pointait vers la ligne ombreuse et pigeonnante où ses seins étaient ramenés l'un contre l'autre. Ses cheveux brillaient dans la lumière tombant de la fenêtre derrière elle.

Joe, c'est le cadeau d'anniversaire de Mooshum.

Quoi ?

Ce qui est dans le sac.

Eh bien, alors, donne-le-lui.

C'est… euh… un cadeau de grande personne.

Un cadeau de grande personne ?

Sonja a fait une grimace qui signifiait *quel con*.

Ma gorge s'est nouée. Mes yeux ont fait plusieurs fois l'aller et retour entre Mooshum et Sonja. Ils évitaient de se regarder.

Je vais te demander de partir gentiment, Joe.

Mais tout en parlant elle a commencé à sortir des affaires du cabas – pas précisément des vêtements – des lambeaux de tissu, des trucs brodés de sequins, des pompons scintillants et quelques longs brins de cheveux et de fourrure. Des sandales à talons à grands lacets de cuir. J'avais déjà vu ces trucs-là, sur elle, dans mon dossier étiqueté DEVOIRS.

Je ne pars pas. Je me suis assis à côté de Mooshum, sur son lit de camp bas.

Mais si ! Sonja m'a regardé fixement. Joe ! Son visage s'est durci d'une façon que je n'avais encore jamais vue. Fous le camp.

Non.

Non ? Elle s'est levée, les mains sur les hanches, et a gonflé les joues, furax.

J'étais furax, moi aussi, mais ce que j'ai dit m'a étonné.

Tu vas me laisser rester. Parce qu'autrement je parlerai de l'argent à Whitey.

Sonja s'est figée sur place, puis rassise. Elle tenait à la main un bout de tissu brillant. Elle m'a dévisagé. Une expression distante, décontenancée, a gagné peu à peu son visage. Un voile brillant a envahi ses yeux, lui donnant un air tellement jeune.

Vraiment, a-t-elle dit. Sa voix était triste, un murmure. Vraiment ?

J'aurais dû partir, sur-le-champ. Une demi-heure plus tard je regretterais de ne pas l'avoir fait, mais je me réjouirais aussi d'être resté. Mon sentiment n'a jamais été sans mélange par rapport à ce qui s'est passé ensuite.

L'argent, encore, *saaah*, s'est écrié Mooshum, écœuré. Ce qui m'a fait penser à l'argent et aux boucles d'oreilles en diamant de Sonja.

J'ai attrapé la bouteille de Mooshum et bu un coup. Le whisky a fait son effet et mes yeux ont larmoyé à leur tour.

C'est un gentil garçon, a dit Mooshum.

Sonja ne me quittait pas des yeux. Vous croyez ? Vous croyez vraiment que c'est un gentil garçon ? Elle s'est assise et a flanqué sur son genou le soutien-gorge scintillant qu'elle tenait à la main.

Il s'occupe bien de moi. Mooshum a bu un coup et m'a de nouveau tendu la bouteille. Je l'ai passée à Sonja.

Tu vas en parler à Whitey, hein ?

Elle m'a lancé un vilain sourire, un sourire qui m'a secoué. Et puis elle s'est envoyé une grande lampée. Mooshum a bu une gorgée et m'a une fois de plus tendu la bouteille. Sonja a plissé les paupières jusqu'à ce que le bleu de ses yeux devienne noir. Alors c'est toi et Whitey. O.K, d'accord. Je vais me changer à la salle de bains. Vous, les gars, ne bougez pas. Et si jamais tu racontes quoi que ce soit à qui que ce soit, Joe, je te coupe ta pauvre petite bite.

La mâchoire m'en est tombée, et Sonja a eu un rire méchant. Tu ne peux pas avoir les deux, sale petit faux jeton hypocrite. C'est terminé, je ne ferai plus la maman avec toi.

Elle a sorti un lecteur du fond de son cabas, l'a branché dans une prise du mur et y a glissé une cassette.

Quand je vais revenir, mets la musique, a-t-elle ordonné. Puis elle est partie à la salle de bains, de l'autre côté du couloir, avec son cabas.

Mooshum et moi sommes restés assis sur le lit en silence. Je me suis souvenu de les avoir vus tous les deux parler à voix basse pendant la fête, et qu'ils m'avaient vraiment agacé. Ma tête s'est mise à bourdonner. J'ai bu un autre coup à la bouteille de Mooshum. Au bout d'un moment Sonja est revenue, a fermé la porte derrière elle et a tourné la clé dans la serrure, puis s'est retournée.

Je suppose que nous l'avons tous les deux regardée bouche bée.

Appuie sur Play, Joe, a-t-elle grogné.

La musique a démarré, une série de plaintes et de psalmodies lointaines et graves. Les cheveux de Sonja étaient retenus à la verticale dans un cône métallique qui faisait office de fontaine, répandant des tonnes de cheveux, davantage qu'elle n'en avait en réalité, sur ses épaules et sur son dos. Elle était outrageusement maquillée – ses sourcils étaient des ailes noires, ses lèvres d'un rouge cruel. Un élégant fourreau gris en soie pendait depuis son cou jusqu'à ses jambes et lui couvrait les bras. Elle a tiré de sa manche un long poignard onduleux. Puis elle a levé

les bras telle une déesse antique prête à sacrifier une
chèvre, ou bien un homme vivant ligoté à une dalle de
pierre. Elle a tenu le poignard dans ses deux mains, puis
l'a passé dans une seule, les yeux rivés à la lame. Elle a
poussé un bouton invisible. Le poignard s'est illuminé et
a flamboyé. La musique s'est muée en gémissements gut-
turaux et grinçants, puis en une brusque série de glapisse-
ments. À chaque glapissement, elle détachait un bout de
Velcro qui retenait les pans de la robe. Elle nous a
allumés un moment. La robe était fendue sur les côtés.
Un sein cuirassé apparaissait. Une jambe dans la sandale
lacée jusqu'à la cuisse. Finalement, après un chœur de
psalmodies et de hurlements, il y a eu un brusque cri
aigu. Et le silence. Elle a laissé choir son vêtement de
cérémonie. J'ai agrippé le bras de Mooshum. Je ne voulais
pas perdre une seule seconde à le regarder, mais je ne
voulais pas non plus qu'il tombe à la renverse et se cogne
la tête. Je ne l'ai jamais, jamais oubliée, dans l'obscure
splendeur de la chambre d'Evey. Elle était grande, chaussée de ces sandales à talons. Avec ses cheveux pris dans
ce cône, elle touchait presque le plafond. Ses jambes n'en
finissaient pas et elle portait une culotte de bikini qui
paraissait en fer forgé, cadenassée. Son ventre était parfait
et souple, tonifié je ne sais comment. Je ne l'avais jamais
vue faire de la gym. Et mes amours, ses seins, eux aussi
enfermés dans des pans d'armure en plastique, se pres-
saient contre les soudures du plastron, qui avait été
fabriqué orné de faux mamelons érigés. Peaux et foulards
flottaient autour d'elle. Elle a pris le poignard entre ses
dents puis a commencé à se frotter et à se passer la fourrure et le tissu partout sur le corps. Elle portait de fins

gantelets en vinyle. Elle en a ôté un, s'est fouettée doucement, a astiqué sa ceinture de chasteté avec, puis m'a
balancé une gifle. J'ai manqué m'évanouir. Je me suis de
nouveau agrippé à Mooshum. Il haletait de bonheur. De
l'autre gantelet, Sonja m'a frappé en plein sur l'œil. Les
tambours ont démarré. Son ventre et ses hanches se sont
mis à onduler sur un tempo différent – si rapide que ses
mouvements sont devenus flous. Mooshum m'a donné la
bouteille. Je me suis étranglé. Sonja a tournoyé. M'a
envoyé un coup de pied dans le genou. Je me suis plié en
deux de douleur mais sans jamais la quitter des yeux. Les
tambours se sont tus. Elle a joué avec les lanières de cuir
qui retenaient les pièces de son soutien-gorge blindé, puis
l'a brusquement laissé tomber. Et ils étaient là. Ne portant que des pompons dorés qu'elle a fait virevolter
d'abord dans un sens, puis dans l'autre, en nous hypnotisant. J'avais le vertige quand les tambours se sont arrêtés.
La respiration de Mooshum est devenue saccadée.
J'entendais le grattement de la cassette. Sonja a tiré sur les
nœuds de ses sandales et les a ôtées, me les a jetées à la
tête. Elle a fait claquer l'ouverture du cône retenant ses
cheveux qui sont tombés autour de son visage en une
cascade furieuse. Elle m'a aussi jeté le cône à la figure.
Pieds nus, elle s'est rapprochée et a commencé à agiter les
hanches sur les hurlements des loups, mais quand elle a
passé la main dans son bikini en fer et en a lentement tiré
une clé au bout d'un cordon de soie, Mooshum était
prêt. Il lui a arraché la clé, et sans qu'un tremblement ne
secoue son vieux poing il a ouvert le cadenas, l'a détaché,
jeté sur le côté, et il y avait un string en fourrure douce,
épaisse et noire. Bon, c'était de la peau de lapin. Et alors.

Sonja s'est mise à califourchon sur les genoux de Mooshum, mais a veillé à ne pas peser de tout son poids. A
pris ses seins ornés de pompons en coupe dans ses mains.

Joyeux anniversaire, vieil homme, a-t-elle dit.

Le sourire de Mooshum a rayonné. Des larmes ont roulé
dans les sillons parcourant ses joues. Il lui a passé les bras
autour de la taille, a posé son front entre ses seins, et dans
un gémissement a inspiré à fond. Il n'a pas inspiré une
seconde fois.

Oh non. Sonja a levé les bras et couché Mooshum avec
précaution sur son lit de camp. Elle a posé son oreille sur
sa poitrine et écouté.

Je n'entends pas son cœur, a-t-elle remarqué.

Je me suis cramponné à Mooshum, moi aussi. Faut-il
lui faire du bouche à bouche ? Pratiquer la réanimation
cardio-pulmonaire ? Quoi ? Sonja ?

Je ne sais pas.

Nous avons baissé les yeux vers lui. Ses paupières étaient
fermées. Il souriait. Je ne l'avais jamais vu plus heureux.

Il est dans un rêve maintenant, a dit tendrement Sonja.
Ses paroles ont jailli à travers un sanglot. Il est en train de
partir. Ne le dérangeons pas. Elle s'est penchée sur Mooshum, lui a lissé les cheveux en arrière, en murmurant.

Il a ouvert les yeux, lui a souri, les a refermés.

Peut-être que son cœur bat, après tout ! Sonja s'est mise
à genoux et a de nouveau posé son oreille sur la poitrine
de Mooshum, en se mordant la lèvre.

J'entends un ou deux coups sourds, a-t-elle annoncé,
soulagée.

Abasourdi, j'ai observé Mooshum, guetté des signes de
vie. Mais il n'a pas bougé.

Ramasse mes affaires, a demandé Sonja, la tête toujours sur la poitrine de Mooshum. Oui, a-t-elle dit. Il y a un battement. Ils arrivent vraiment lentement, c'est tout. Et je crois qu'il a respiré.

J'ai fait le tour de la pièce en ramassant ses affaires, les ai emportées dans la salle de bains et mises dans le cabas. J'ai rapporté le survêtement et les chaussures de tennis dans la chambre et lui ai tourné le dos pendant qu'elle les enfilait. Je ne voulais pas la regarder.

Quand elle a été rhabillée, elle a pris le cabas contenant son costume de strip-teaseuse et l'a laissé tomber à mes pieds.

Garde-le, branle-toi dedans, je m'en fiche, a-t-elle lancé. Elle a ramassé un pompon tombé à terre que je n'avais pas vu et me l'a jeté à la figure.

Je suis vraiment désolé, ai-je dit.

Désolé ça ne suffit pas. Mais je m'en fiche complètement. Tu sais d'où je viens ?

Non.

Des environs de Duluth. C'est une jolie ville, non ?

Ouais, je suppose.

J'ai fréquenté une école catholique. J'ai fini la classe de quatrième. T'sais comment je me suis débrouillée ?

Non.

Maman. Maman était catholique. Ouais. Elle allait à la messe. Elle allait… elle travaillait sur les bateaux. T'sais ce qu'elle faisait ?

Non.

Elle allait avec des hommes, Joe. T'sais ce que ça veut dire ?

J'ai marmonné un truc.

Et voilà comment je suis arrivée, en premier lieu. Et puis aussi, elle essayait de garder son argent pour elle. T'sais ce que ça veut dire, Joe ?

Non.

Elle a été battue plein de fois. Elle s'est droguée, aussi. Et devine ? Je n'ai jamais rencontré mon papa. Je ne l'ai jamais vu, mais des fois maman était gentille avec moi, d'autres fois non, ça dépendait. J'ai lâché l'école, j'ai eu un bébé. J'ai rien appris. Que dalle. Ma mère disait si t'as rien, tu peux toujours être strip-teaseuse. Juste danser comme ça, tu vois ? Fais rien d'autre, tu danses juste comme ça. J'avais une amie, c'était ce qu'elle faisait, elle gagnait de l'argent. J'ai dit oui, que je ferais pas d'autres trucs. Tu crois que j'ai fait d'autres trucs ?

Non.

Je me suis retrouvée coincée dans cette vie. Et puis j'ai rencontré Whitey, tu vois. On ouvre d'autres bars à danseuses pendant la saison de la chasse. Whitey m'a courtisée. A suivi la tournée. Whitey s'est mis à me protéger. Il m'a demandé d'arrêter. Viens vivre avec moi, qu'il a dit. J'ai pas demandé s'il allait m'épouser. Tu sais pourquoi, Joe ?

Non.

Je vais te dire. Je pensais pas que je méritais qu'on m'épouse, voilà. Pourquoi même un Elvis sur le retour qui a qu'un bridge comme dentition, un vieux type pas plus instruit que moi, un alcoolo qui me bat, pourquoi même un gars dans ce genre-là m'épouserait, hein ?

Je ne sais pas. Je croyais...

Tu croyais qu'on était mariés. Ben, non. Whitey ne m'a pas fait cet honneur, même si j'ai eu une alliance bon

319

marché. Je m'en fous pas mal, maintenant. Et toi. J'ai été gentille avec toi, non ?

Oui.

Mais tout du long ça te démangeait. En douce tu reluquais mes nichons en croyant que je le savais pas. Tu crois que j'avais pas remarqué ?

J'avais le visage tellement rouge et bouillant que ma peau brûlait.

Ouais, j'ai remarqué, a dit Sonja. Regarde un bon coup, maintenant. De près. Tu vois ça ?

Je n'ai pas pu regarder.

Ouvre tes foutues mirettes.

J'ai regardé. Une fine cicatrice blanche montait le long de son sein gauche et tournait autour du mamelon.

Mon manager a fait ça avec un rasoir, Joe. Je refusais de prendre un groupe de chasseurs. Tu crois que tes menaces me fichent la frousse ?

Non.

Ouais, non. Tu pleures, hein ? Pleure autant que tu voudras, Joe. Des tas d'hommes pleurent après avoir fait une vacherie à une femme. C'est fini, j'ai plus de fille. Je te considérais comme mon fils. Mais t'es devenu une sous-merde de plus. Un couillon de et-moi-et-moi. C'est tout ce que t'es.

Sonja est partie. Je suis resté auprès de Mooshum. Le temps s'est effondré. Ma tête résonnait comme si on m'avait cogné. Parfois chez les vieilles personnes la respiration est si légère qu'on ne la perçoit pas. L'après-midi s'est écoulé et l'air a viré au bleu avant que Mooshum finisse par bouger. Ses yeux se sont ouverts et puis refermés. J'ai couru chercher de l'eau et lui en ai donné une petite gorgée.

Je suis toujours là, a-t-il remarqué. La déception lui faisait une toute petite voix.

Je suis encore resté auprès de Mooshum, sur le bord de son lit, en réfléchissant à son désir de connaître une mort joyeuse. J'avais eu l'occasion de voir la différence entre le sein droit et le sein gauche de Sonja, mais j'aurais voulu ne jamais l'avoir eue. Pourtant, je m'en réjouissais. Le conflit qui m'habitait déformait mon cerveau. Une quinzaine de minutes avant que Clemence et Edward ne rentrent avec le congélateur, j'ai regardé mes pieds et remarqué le pompon doré traînant au pied du lit. Je l'ai ramassé et mis dans la poche de mon jean.

Je ne garde pas le pompon dans une boîte spéciale ni rien – plus maintenant. Il est dans le tiroir du haut de ma commode, où les trucs finissent par échouer, comme la chaussette dépareillée et avachie de Mooshum dans laquelle il mettait son argent. Si ma femme l'a remarqué, elle n'a rien dit. Je ne lui ai jamais parlé de Sonja, pas vraiment. Je ne lui ai pas raconté que j'avais fourré le reste du costume de Sonja dans une poubelle que le Bureau des Affaires indiennes était chargé de ramasser, près des bureaux tribaux. Elle ne saurait pas que j'avais mis ce pompon souvenir là où je tomberais dessus par hasard, volontairement. Parce que chaque fois que je le regarde, je repense à la façon dont j'ai traité Sonja et comment elle m'a traité, ou comment je l'ai menacée et tout ce qui en a résulté, comment je n'étais qu'un type semblable aux autres. Comment cela m'a démoli quand j'y ai vraiment réfléchi. Un couillon de et-moi-et-moi. C'était peut-être vrai. Pourtant, après y avoir réfléchi un bon moment – en fait, toute ma vie – je voulais être mieux que ça.

❇

Doe avait construit sur le devant de la maison une petite terrasse en bois qui, comme ont tendance à l'être toutes nos terrasses, était encombrée de déchets utiles. Il y avait des pneus neige stockés dans des sacs-poubelle noirs, des crics rouillés, un barbecue de table tordu, des outils amochés et des jouets en plastique. Cappy était effondré parmi tous ces débris dans une chaise pliante affaissée. Il se passait les deux mains sur les cheveux tout en scrutant les planches labourées par les griffes de chien. Il n'a même pas levé la tête quand je me suis approché et assis sur un vieux banc de pique-nique.

Salut.

Il n'a pas réagi.

Bon, *aaniin*…

Toujours rien.

Après encore beaucoup de rien, il s'est avéré que Zelia était repartie à Helena avec le groupe religieux, ce que je savais déjà, et après encore davantage de rien Cappy a lâché : Zelia et moi, on a fait un truc.

Un truc ?

On a tout fait.

Tout ?

Tout ce qui nous est passé par la tête… enfin, il y a peut-être encore d'autres choses, mais on a essayé…

Où ?

Au cimetière. C'était le soir de l'anniversaire de ton Mooshum. Et après avoir fait quelques trucs là-bas…

322

Sur une tombe ?

J'sais pas. On était genre en limite des tombes, sur les côtés. Pas en plein sur une tombe.

Tant mieux ; ça pourrait porter malheur.

C'est sûr. Et puis après, on est allés au sous-sol de l'église. On l'a encore fait deux ou trois fois, là-bas.

Quoi !

Dans la salle de catéchisme. Il y a un tapis.

Je suis resté silencieux. J'avais la tête qui tournait. Bien joué, ai-je fini par dire.

Ouais, et puis elle est partie. Je peux rien faire. J'ai mal. Cappy m'a regardé comme un chien à l'agonie. Il s'est tapoté la poitrine et a murmuré : Ça fait mal en plein là.

Les femmes, ai-je dit.

Il m'a regardé.

Elles te démolissent.

Comment tu le sais ?

Je n'ai pas répondu. Son amour pour Zelia n'était pas comme mon amour pour Sonja, qui était devenu un truc pollué par l'humiliation, la déloyauté, et même de plus grosses vagues de sentiments qui me mettaient en pièces et me rejetaient à terre. En comparaison, l'amour de Cappy était pur. Il commençait à peine à se manifester. Elwin possédait un pistolet à tatouer et faisait du troc contre ses services. Cappy a annoncé qu'il voulait aller chez lui et que Elwin lui grave le nom de Zelia en caractères gras sur la poitrine.

Non, ai-je protesté. Allez. Fais pas ça.

Il s'est levé. Ben si !

Je n'ai réussi à le convaincre d'attendre qu'en lui racontant que lorsque ses pectoraux auraient grossi grâce à ses exercices de musculation, les lettres pourraient être plus grandes. Nous sommes restés assis là un grand moment, moi tâchant de distraire Cappy, sans que ça marche. J'ai fini par partir quand Doe est rentré et a envoyé Cappy s'attaquer au tas de bois. Cappy s'est approché de la hache, l'a attrapée et s'est mis à fendre les bûches à grands coups tellement frénétiques que j'ai eu peur qu'il se coupe une jambe. Je lui ai conseillé de se calmer, mais il m'a lancé un regard mort et a cogné tellement fort sur un bout de bois qu'il a fait un bond de trois mètres.

En repartant sans me presser vers notre maison, où mon père et ma mère étaient censés être rentrés cet après-midi-là, j'ai eu de nouveau ce sentiment de ne pas vouloir aller chez moi. Mais je ne voulais pas non plus retourner où que ce soit où se trouvait Sonja. Penser à elle me faisait penser à tout. Dans mon esprit se présentait l'image de ce lambeau de tissu à carreaux bleu et blanc, et la certitude que je ne cessais de repousser que la poupée avait été dans cette voiture. En jetant la poupée, j'avais de toute évidence détruit une preuve, peut-être même quelque chose qui révélerait où était Mayla. Où elle gisait, en un lieu si obscur que même les chiens ne parvenaient pas à la trouver. J'ai chassé de ma tête la pensée de Mayla. Et de Sonja. J'ai tenté aussi de ne pas penser à ma mère. À ce qui s'était peut-être passé à Bismarck. Toutes ces pensées étaient des raisons pour lesquelles je ne voulais pas aller chez moi, ni être seul. Elles me tombaient dessus, enveloppant mon esprit, recouvrant mon cœur. Sur mon vélo, j'ai tâché de me débarrasser des pensées en passant sur les tertres de terre derrière l'hôpital. Je me suis mis à monter et descendre à fond de train, en sautant si haut que lorsque je retombais mes os en étaient ébranlés. Tournoyant. Dérapant. Soulevant des nuages de poussière qui m'ont rempli la bouche jusqu'à ce que j'aie envie de vomir, que j'aie soif et que je dégouline de sueur au point que je pouvais enfin retourner chez moi.

Pearl a entendu mon vélo approcher, et elle était au bout de l'allée, à m'attendre. J'ai mis pied à terre et posé mon front sur son front. J'aurais voulu pouvoir être à sa place. Je serrais Pearl contre moi quand j'ai entendu ma mère hurler. Et hurler de nouveau. Et puis j'ai entendu grincer la voix profonde de mon père, entre ses hurlements. La voix de ma mère a viré et dégringolé, tout à fait comme moi à vélo, s'écrasant brutalement, jusqu'à ce qu'enfin elle ne soit plus qu'un grommellement stupéfait.

J'étais dehors, mon vélo à la main, appuyé dessus. Pearl était à côté de moi. Finalement, mon père est sorti par la porte-moustiquaire de derrière et a allumé une cigarette, ce que je ne l'avais jamais vu faire. Il avait le visage jaune d'épuisement. Ses yeux étaient si rouges qu'ils paraissaient bordés de sang. Il s'est retourné et m'a vu.

Ils l'ont relâché, c'est ça ? ai-je dit.

Il n'a pas répondu.

C'est ça, papa.

Au bout d'un moment il a tiré sur sa cigarette, baissé les yeux.

Tout le poison électrique qui s'était écoulé de moi à vélo a resurgi et je me suis mis à sermonner mon père, avec des mots. Des mots stupides.

Tu n'attrapes que des ivrognes et des voleurs de hot-dogs.

Il m'a regardé, étonné, puis a haussé les épaules et tapoté la cendre de sa cigarette.

N'oublie pas les contrevenants et les affaires de gardes d'enfants.

Les contrevenants ? Ah oui. Est-ce qu'il y a un endroit où on n'a pas le droit de se garer sur la réserve ?

Essaie donc l'emplacement réservé au président tribal.

Et les gardes d'enfants. Une vraie plaie. Tu l'as dit toi-même. Tu as zéro autorité, papa, un gros zéro, tu ne peux rien faire. Alors pourquoi le faire quand même ?

Tu sais pourquoi.

Non, justement. Je lui ai hurlé au nez et suis entré pour être en compagnie de ma mère, mais en matière de compagnie il n'y avait rien quand je suis arrivé à l'intérieur. Elle fixait de son regard vide la blancheur vide du réfrigérateur, et quand je me suis avancé devant elle, elle a parlé d'une voix étrange et calme.

Salut, Joe.

Après que mon père est entré, elle est montée à l'étage d'une démarche lente de dévote, et lui était cramponné à son bras.

Ne la laisse pas, papa, s'il te plaît. J'ai dit cela, affolé, quand il est redescendu seul. Mais il ne m'a même pas jeté un coup d'œil en réponse. Je suis resté planté face à lui, l'air gêné, les mains pendantes.

Pourquoi est-ce que tu le fais ? lui ai-je demandé, dans une explosion de colère. Pourquoi se donner cette peine ?

Tu veux le savoir ?

Il s'est levé, s'est approché du réfrigérateur, a fouillé dedans et sorti un truc rangé tout à l'arrière de la clayette du fond. Il l'a rapporté à la table. C'était un des ragoûts de Clemence que nous n'avions pas mangé, là depuis si long-temps que les nouilles avaient viré au noir, mais planqué assez près des serpentins de refroidissement pour qu'il ait gelé et donc ne pue pas, pas encore.

Pourquoi je continue. Tu veux le savoir ?

D'une tape brutale, il a retourné le ragoût sur la table. Il a soulevé la cocotte. Le contenu était strié de peluches blanches mais conservait sa forme oblongue. Mon père s'est de nouveau levé et a sorti la ménagère du meuble de cuisine. J'ai cru qu'il avait fini par devenir fou, et en le regardant je pouvais à peine parler.

Papa ?

Je vais t'illustrer ça, fiston.

Il s'est assis et m'a agité deux fourchettes sous le nez. Puis d'un air tranquille et concentré, il a posé délicatement un gros couteau à découper au sommet du ragoût gelé, et tout autour il s'est mis à empiler une fourchette, une autre fourchette, l'une chevauchant la suivante, il a ajouté une cuillère ici, un couteau à beurre, une louche, une spatule, jusqu'à ce qu'il obtienne un fouillis plus ou moins organisé en une sculpture étrange. Il a apporté les quatre autres couteaux de boucher que ma mère gardait toujours bien tranchants. C'étaient de bons couteaux, tout en acier jus-qu'au bout du manche en bois. Puis il s'est rassis, en se frottant le menton.

Voilà, a-t-il dit.

J'ai dû avoir l'air effrayé. J'étais effrayé pour de bon. Son comportement était celui d'un fou.

Voilà quoi, papa ? ai-je demandé d'un ton prudent. Comme on s'adresserait à quelqu'un qui délire.

Il a frotté ses pattes grises et dégarnies.

Voilà la loi indienne.

J'ai hoché la tête et regardé l'édifice de couteaux et de couverts posés au sommet du ragoût affaissé.

O.K., papa.

Il a désigné le bas de la composition et m'a regardé en haussant les sourcils.

Euh, des décisions de justice pourries ?

Tu as fourré ton nez dans le vieux *Manuel* Cohen de mon père. Tu seras juriste si tu ne finis pas en prison. Il a donné un petit coup dans les nouilles noires et pelucheuses. Prends *Johnson contre McIntosh*. Nous sommes en 1823. Les États-Unis ont cent quarante-sept ans, et le pays tout entier est fondé sur la volonté de s'emparer des terres indiennes aussi vite que possible et d'autant de façons qu'on puisse humainement le concevoir. La spéculation foncière est la Bourse de l'époque. Tout le monde est dans le coup. George Washington. Thomas Jefferson. Tout comme John Marshall, le président de la Cour suprême, qui a rédigé la décision dans cette affaire et bâti la fortune familiale. La folie foncière est impossible à gérer par le gouvernement naissant. Les spéculateurs acquièrent des droits sur des terres indiennes détenues par traité et sur des terres dont les Indiens sont encore les propriétaires et les occupants – les Blancs parient littéralement sur la variole. Étant donné les pattes qu'il a fallu graisser sans vergogne pour que cette douteuse affaire passe en justice, une affaire plaidée par rien moins que Daniel Webster, la décision a été surprenante. Ce n'est pourtant pas la décision elle-même, qui continue d'être dégueulasse, ce sont les *obiter dicta*, la formulation incidente additionnelle de l'avis. Le président Marshall a fait tout ce qu'il a pu pour retirer tout droit indien sur toutes terres vues – c'est-à-dire, « découvertes » – par des Européens. Au fond, il a perpétué la doctrine médiévale de la découverte en faveur d'un gouvernement qui était soi-disant fondé sur les droits et les libertés de l'individu. Marshall a investi le gouvernement du droit absolu à la terre et n'a donné aux Indiens rien de plus que le droit à l'occupation, un droit qui pouvait leur être retiré à tout moment. Et encore aujourd'hui, ses termes sont utilisés pour continuer à nous déposséder de nos terres. Mais ce qui exaspère particulièrement l'être doué d'intelligence, c'est que le langage dont il s'est servi subsiste dans la loi, à savoir que nous étions des sauvages tirant notre subsistance de la forêt, et que nous laisser nos terres c'était laisser une nature sauvage inutilisable, que notre caractère et notre religion sont d'une valeur tellement inférieure que le génie supérieur de l'Europe doit assurément prendre l'ascendant, et ainsi de suite.

À ce moment-là, j'ai pigé. J'ai désigné le bas du fatras.

Je suppose que ça c'est *Lone Wolf contre Hitchcock*.

Et *Tee-Hit-Ton*.

J'ai demandé à papa ce que représentait le premier couteau qu'il avait posé sur le ragoût, en le mettant en équilibre.

Worcester contre Georgia. Bon, ce serait une meilleure base. Mais celle-là – mon père a taquiné du bout de sa fourchette un coin de gadoue particulièrement répugnante dans le tas – là, c'est celle que j'abolirais à la minute même si j'avais le pouvoir d'un chaman de cinéma. *Oliphant contre Suquamish*. Il a secoué la fourchette et la puanteur a flotté vers moi. Nous a privés du droit de poursuivre en justice des non-Indiens qui commettent des délits sur nos terres. Donc même si…

Il n'a pas pu poursuivre. J'ai espéré que nous allions bientôt nettoyer le gâchis, mais non.

Donc même si je pouvais poursuivre Lark…

D'accord, papa, ai-je dit, calmé. Pourquoi le fais-tu ? Pourquoi restes-tu ici ?

Le ragoût commençait à suinter et à dégeler. Mon père a disposé les couverts et les couteaux restants pour qu'ils forment un édifice tenant tout seul. Il avait suspendu avec soin les bons couteaux de maman. Il les a regardés et a hoché la tête.

Il y a les décisions de justice que de nombreux autres juges tribaux et moi tentons de prendre. Des décisions solides sans avis joints qui vont dans tous les sens. Tout ce que nous faisons, quelle qu'en soit la banalité, doit être réalisé avec beaucoup de sérieux. Nous tâchons ici de donner une base solide à notre souveraineté. Nous tâchons de repousser les limites de ce qui nous est permis, de faire un pas plus loin que le bord. Nos archives seront un jour examinées à la loupe par le Congrès et des décisions sur la possibilité d'étendre notre juridiction seront prises. Un jour. *Nous voulons le droit de poursuivre les criminels de toutes races sur toutes les terres comprises dans nos limites originelles.* Raison pour laquelle je m'efforce de diriger ce tribunal de façon rigoureuse, Joe. Ce que je fais maintenant c'est pour l'avenir, même si cela te paraît bien mince, insignifiant, ou ennuyeux.

Maintenant c'était Cappy et moi, tous les deux tâchant de nous rompre le cou sur notre parcours de vélo. J'étais allé avec lui sur notre chantier de construction parce qu'il avait fendu jusqu'à la dernière bûche de sa cour et tout réduit en petit bois. Ce n'était pourtant pas suffisant, et il voulait monter les mustangs de Sonja. Dans l'état d'esprit où il se trouvait, je me disais qu'il allait les monter jusqu'à ce qu'ils en crèvent. Et puis, je ne voulais pas voir Sonja, ni Whitey non plus, mais je cherchais désespérément à distraire Cappy, je lui ai donc promis que lorsque nous aurions traîné dans le coin et retrouvé Angus, nous irions monter à cheval, même si je n'en avais pas l'intention. De temps en temps, quand nous faisions une pause ou que nous nous cassions la figure, Cappy joignait les mains sur son cœur et on entendait craquer quelque chose. J'ai fini par lui demander ce que c'était.

C'est une lettre d'elle. Et je lui ai répondu.

Nous soufflions fort. Nous avions fait la course. Il a sorti la lettre, l'a agitée sous mon nez et puis l'a soigneusement repliée et glissée dans son enveloppe déchirée. Zelia avait la même adorable écriture ronde qu'avaient toutes les lycéennes, avec des petits *o* en guise de points sur les i. Cappy a agité une autre enveloppe, fermée, portant le nom et l'adresse de Zelia.

Il me faut un timbre, a-t-il dit.

Nous avons donc filé à vélo au bureau de poste. J'espérais que Linda ne travaillerait pas ce jour-là, mais si, elle était là. Cappy a sorti ses sous et acheté un timbre. Je n'ai pas regardé Linda, mais j'ai senti ses yeux tristes et globuleux posés sur moi.

Joe, a-t-elle dit. J'ai fait le cake à la banane que tu aimes.

Mais je lui ai tourné le dos, je suis ressorti, et j'ai attendu Cappy.

La dame m'a donné ça pour toi, a dit Cappy. Il m'a tendu une brique enveloppée dans du papier alu. Je l'ai soupesée. Nous avons enfourché nos vélos et nous sommes partis à la recherche d'Angus. J'ai songé à jeter le cake contre un mur ou dans un fossé, mais je ne l'ai pas fait. Je l'ai gardé.

Nous sommes arrivés chez Angus, qui est sorti mais nous a annoncé que sa tante l'obligeait à aller à confesse, ce qui nous a fait rigoler.

Qu'est-ce que c'est ? D'un signe de tête, il a montré la brique que j'avais dans la main.

Du cake à la banane.

J'ai faim, a-t-il dit. Alors je le lui ai lancé et il l'a mangé pendant que nous roulions vers l'église. Il a tout mangé, ce qui était un soulagement. Il a roulé l'alu en boule et l'a fourré dans sa poche. Il le revendrait avec ses canettes. J'avais imaginé que pendant que Angus allait à l'église se confesser, Cappy et moi attendrions dehors sous le sapin, où il y avait un banc, ou bien en bas sur le terrain de jeux, même si nous n'avions pas de cigarette à partager. Mais Cappy a mis son vélo dans le range-vélos à côté de celui d'Angus, et j'ai donc aussi garé le mien.

Hé, me suis-je écrié. Tu entres ?

Cappy avait déjà monté la moitié des marches. Angus a dit : Non, les gars vous pouvez rester dehors, ça ne fait rien.

Moi, je vais à confesse, a annoncé Cappy.

Quoi ? Est-ce que tu es baptisé, au moins ? Angus s'est arrêté.

Ouais. Cappy a continué à monter. Bien sûr.

Oh, a dit Angus. Et tu as fait ta confirmation ?

Ouais, a répondu Cappy.

De quand date ta dernière confession ? a demandé Angus.

Ça te regarde ?

C'est que le père posera la question.

Je lui dirai.

Angus m'a lancé un coup d'œil. Cappy paraissait hyper sérieux. Il avait sur le visage une expression que je n'avais encore jamais vue, ou pour être plus précis, son expression et son regard ne cessaient de changer – entre désespoir, colère et une extase douce et rêveuse. J'étais tellement troublé que je l'ai attrapé par les épaules et lui ai parlé bien en face.

Tu ne peux pas faire ça.

Cappy m'a terrifié, à ce moment-là. Il m'a serré dans ses bras. Quand il a reculé, j'ai vu que Angus était encore plus consterné que moi.

Écoute, je crois que je me suis trompé d'heure, a-t-il dit. S'il te plaît, Cappy, viens, on va nager.

Non, non, tu as l'heure exacte, a dit Cappy. Il nous a touché les épaules. Entrons.

L'église était presque vide. Il y avait quelques personnes qui attendaient pour le confessionnal et quelques-unes à l'avant qui priaient aux pieds de la Sainte Vierge, là où était posé un brûle-veilleuses dont les flammes vacillaient dans des coupes en verre rouge. Cappy et Angus se sont glissés sur le banc du fond, où ils se sont agenouillés, le dos rond. Angus était le plus près du confessionnal. Il m'a regardé de biais par-dessus la tête courbée de Cappy, a fait une grimace en roulant des yeux et secoué la tête en désignant la porte de l'église, comme pour dire : Sors-le de là ! Après avoir pénétré dans le confessionnal et fermé derrière lui la draperie de velours, il a repassé la tête à l'extérieur et fait la même grimace. Je me suis faufilé tout près de Cappy et j'ai dit : S'il te plaît, cousin, je t'en supplie, foutons le camp d'ici. Mais Cappy avait les yeux fermés et s'il m'a entendu il n'en a rien montré. Quand Angus est ressorti, Cappy s'est levé comme un somnambule, il est entré dans le confessionnal et a tiré le rideau derrière lui.

Il y a eu des bruits mystérieux – le volet du curé qui coulissait, les murmures allant de l'un à l'autre – et puis l'explosion. Le père Travis a jailli par la porte en bois et aurait attrapé Cappy si celui-ci n'avait roulé sous le rideau et à demi rampé, à demi crapahuté le long du banc. Le père a foncé dans l'autre sens, bloquant la sortie, mais Cappy avait déjà bondi plus loin que nous, faisant une course de haies de banc en banc pour gagner l'avant de l'église, atterrissant dessus à chaque bond dans une époustouflante série de sauts qui l'ont presque amené à l'autel.

Le visage du père Travis était devenu si blanc que des taches de rousseur brun rouge habituellement invisibles ressortaient comme dessinées à l'aide d'un crayon bien taillé. Il n'a pas fermé les portes derrière lui avant de marcher sur Cappy – une erreur. Il ne s'attendait pas non plus à la rapidité de Cappy, ni à l'habitude qu'il avait d'échapper à son grand frère dans un espace réduit. De sorte que malgré tout son entraînement militaire le père Travis a commis plusieurs erreurs de tactique. Apparemment, il lui aurait suffi de prendre l'allée centrale et il aurait facilement bloqué Cappy derrière l'autel, et Cappy a joué là-dessus. Il a feint d'être désorienté, a laissé le père Travis s'avancer à grands pas avant de foncer vers le bas-côté et de faire semblant de trébucher, ce qui a incité ce dernier à virer à droite dans sa direction, le long d'un des bancs. Quand le curé est arrivé au milieu du banc, Cappy a renversé l'agenouilloir et détalé vers la porte ouverte, où nous nous tenions à côté de deux vieillards sidérés. Le père Travis aurait pu lui couper la route s'il était reparti en courant dans l'autre sens, mais il a tenté de franchir l'agenouilloir et a fini par débouler le long des stations du chemin de croix. Cappy est sorti. Le père Travis avait une foulée plus longue que lui et il a gagné du terrain, mais plutôt que de dévaler les marches, Cappy, bien entraîné comme nous l'étions tous à glisser sur la rampe en fer, s'en est servi et a pris de l'élan, un gracieux départ qui l'a précipité tête baissée sur le chemin de terre, suivi de trop près par le père Travis pour qu'il songe même à attraper son vélo.

Cappy portait ses bonnes chaussures, mais, je l'ai remarqué, le père Travis aussi. Il ne courait pas en sobres souliers noirs de curé, il avait peut-être joué au basket ou fait du jogging avant de passer entendre les confessions. Tous deux ont piqué un sprint acharné sur la route gravillonnée et poussiéreuse qui de l'église menait en ville. Cappy a hardiment traversé la grand-route et le père Travis l'a suivi. Cappy a coupé par les jardins qu'il connaissait bien et a disparu. Mais malgré sa soutane, qu'il avait retroussée et coincée dans sa ceinture, le père Travis était juste derrière lui, filant vers le Dead Custer Bar et la station-service de Whitey. Nous nous sommes émerveillés à la vue des mollets pâles aux muscles solides du père dont les contours s'estompaient au soleil.

Qu'est-ce qu'on devrait faire ?

Se tenir prêts, ai-je dit.

Angus et moi avons sorti nos vélos du range-vélos et tenu celui de Cappy entre nous. Nous espérions qu'il gagnerait assez de terrain sur le père Travis pour pouvoir sauter en selle et déguerpir avec nous. Nous avons surveillé le bout de route bien au-delà des arbres, car c'était là que Cappy apparaîtrait si le père Travis ne l'attrapait pas. Bientôt, Cappy a déboulé. Un instant plus tard, le père Travis. Puis ils ont disparu et Angus a dit : il cherche à le perdre en zigzaguant entre les logements du Bureau des Affaires indiennes. Il connaît aussi ces jardins-là. Nous nous sommes retournés pour surveiller le bout de route suivant où ils apparaîtraient, et de nouveau Cappy était en tête, le père Travis pas loin derrière. Cappy connaissait les portes qui s'ouvraient à l'avant et à l'arrière de chaque immeuble, et il s'est rué tour à tour dans l'hôpital, la supérette, la maison de retraite, le minuscule casino que nous avions à l'époque, et en est ressorti. Il est revenu sur ses pas et a traversé le Dead Custer, est entré chez Whitey et en est ressorti. Il a pris la route que nous avions empruntée qui passait devant chez la vieille madame Bineshi, dans l'espoir de surprendre les chiens et qu'ils plantent leurs crocs dans la longue robe du père Travis, mais ils sont passés sans encombre. Cappy a dévalé la colline et sauté comme à la marelle d'une tombe à l'autre à travers le cimetière, puis tous deux ont fait un crochet qui les a menés d'un bout à l'autre du terrain de jeux – c'était fascinant à regarder. Cappy a mis les balançoires en branle, traversé en quelques bonds la cage à singes et touché terre en douceur. Le père Travis a atterri comme un chimpanzé, les poings sur le sol, mais a poursuivi son chemin. Ils ont remonté la colline à toutes jambes, deux zéros minuscules qui maintenant grossissaient tandis que Cappy courait vers nous, prêt à sauter sur le vélo que nous tenions et à s'enfuir à toute allure. On aurait réussi. Il aurait réussi. Il est arrivé tellement près. Le père Travis a fait une pointe de vitesse qui l'a amené à une main du col de chemise de Cappy. Cappy est sorti en flottant de sous cette main. Mais elle s'est abattue et a empoigné sa roue arrière.

Cappy a sauté de vélo, mais le père Travis, le visage violacé, la respiration sifflante, l'a attrapé par les épaules et soulevé dans les airs. Angus et moi avions lâché nos vélos pour plaider sa cause. Bien que nous n'ayons pas pu savoir exactement ce que Cappy avait l'intention de confesser, c'était maintenant évident. Il avait confessé ce que nous craignions qu'il confesse.

Mon père, ça fait mauvais effet, a dit Angus.

Posez-le par terre, s'il vous plaît, père Travis. J'ai essayé d'imaginer la voix de mon père dans cette situation. Cappy est mineur, ai-je ajouté. C'était peut-être absurde, pourtant le père Travis tenait à présent la chemise de Cappy, il avait levé le poing et son poing s'est arrêté en l'air.

Un mineur, qui est venu vers vous chercher de l'aide, père Travis.

Un rugissement à la Worf a secoué le père Travis et il a jeté Cappy par terre. Son pied a reculé, mais Cappy a roulé hors de portée. Nous avons ramassé nos vélos parce que le père Travis ne bougeait plus. Il se tenait là, le souffle profond et saccadé, la tête baissée, lançant des regards furieux de sous ses sourcils. Nous avions en quelque sorte la haute main morale à ce moment-là, et nous le savions. Nous avons enfourché nos vélos.

Bonne journée, mon père, a dit Angus.

Le père Travis avait les yeux fixés au loin tandis que nous nous éloignions.

Chiotte de merde, ai-je lancé plus tard à Cappy. Mais à quoi tu pensais ?

Cappy a haussé les épaules.

Tu lui as parlé du sous-sol de l'église, où vous l'avez fait ?

De tout, a répondu Cappy.

Chiotte de merde.

Clemence a froncé les sourcils en entendant mon langage.

Pardon, ma tante. Nous étions allés chez Clemence et Edward dans l'espoir qu'ils soient à table, ce qui n'était pas le cas, mais ce n'était pas grave parce que Clemence, qui savait pourquoi nous venions, a aussitôt réchauffé ses habituels macaronis à la viande hachée, servi son habituel thé des marais, mais, spécialement pour nous, mélangé avec une canette de limonade. Elle a nourri Mooshum parce qu'il mangeait dès que quelqu'un d'autre mangeait, mais son tremblement était devenu si prononcé qu'il ne pouvait pas prendre de soupe.

Pourquoi tu lui as raconté ? ai-je demandé.

J'sais pas, a répondu Cappy, peut-être à cause de ce qu'il a dit sur sa femme. Ou de ce qu'il m'a dit *C'est toi qui vas la remarquer*, tu te rappelles ?

Il a dit remarquer, et pas, bon. J'y allais mollo avec Cappy, même si pour l'instant Clemence n'écoutait pas. Car si Cappy avait baisé, c'était sur un plan plus élevé, je n'ai donc employé aucun mot sexuel. Il se fâchait quand on les associait à quoi que ce soit qui s'était passé entre Zelia et lui.

Tu aurais pu aller voir ton père, aller voir ton grand frère, et leur parler.

Mais je suis content d'être allé voir le père Travis, a dit Cappy, en souriant.

Sa course-poursuite était déjà entrée dans l'histoire, et sa réputation grandirait démesurément. Sans que cela fasse du tort au père Travis, car nous n'avions jamais eu un curé dans une telle forme physique.

La taille des muscles de ses mollets ! s'est écriée Clemence.

Le dernier curé n'aurait pas pu faire dix mètres en courant, a dit Mooshum. Je l'ai vu K.O. un jour dans notre jardin, ivre mort. Ce vieux curé pesait davantage que toi et tes copains maigrichons réunis. Il a gloussé. Mais le nouveau a sa fierté. Il lui faudra bien des prières pour se remettre de la course-poursuite de Cappy.

Dieu vienne en aide aux chiens de prairie, cette semaine, a remarqué oncle Edward, en traversant la pièce.

Clemence a apporté un torchon qu'elle a noué autour du cou de Mooshum. Entre deux bouchées, il a dit : Je vous ai déjà raconté, les garçons, la fois où j'ai distancé Jeremiah Johnson, Le Mangeur de Foie ? Comment cette vieille fripouille traquait et capturait les Indiens, nous tuait, puis nous arrachait et nous mangeait le foie ? C'était un *wiindigoo* blanc, mais quand j'étais jeune et rapide, je l'ai écrasé, taillé au couteau morceau par morceau et lui ai rendu la monnaie de sa pièce. Je lui ai arraché l'oreille d'un coup de dents, et puis le nez. Vous voulez voir son pouce ?

Tu leur as raconté, a dit Clemence, qui était résolue à faire entrer de la nourriture dans le vieux gosier de Mooshum. Mais celui-ci tenait à parler.

Écoutez-moi, les garçons. On racontait que Johnson Le Mangeur de Foie avait soi-disant échappé à des Indiens en mâchant une peau brute qui lui liait les mains. L'histoire disait qu'il avait tué le jeune Indien qui le gardait et coupé une jambe à ce pauvre garçon. Cette fripouille se serait enfuie dans la nature en emportant la jambe, et aurait survécu en la mangeant jusqu'à temps d'arriver en territoire plus hospitalier.

Ouvre grand, a demandé Clemence, qui lui a rempli la bouche.

Mais ça ne s'est pas passé comme ça, a dit Mooshum. Parce que j'étais là. Je chassais en compagnie de quelques guerriers blackfeets quand ils ont capturé Le Mangeur de Foie. Ils projetaient de le livrer aux Indiens Crows, parce qu'il avait tué un si grand nombre des leurs. Je tenais compagnie à ce jeune Blackfeet qui était censé le garder, mais il avait tellement envie de tuer Johnson que ses mains se crispaient nerveusement.

J'ai parlé au Mangeur de Foie dans la langue blackfeet, qu'il comprenait plus ou moins. Mangeur de Foie, ai-je dit, la moitié des Blackfeets te déteste tellement qu'ils vont t'attacher nu comme un ver à un poteau et t'écorcher vivant. Mais ils te couperont d'abord les couilles et les donneront à manger à leurs bonnes femmes sous tes yeux.

Hé là ! s'est écriée Clemence.

Les yeux du Blackfeet ont brillé, a dit Mooshum. J'ai expliqué au Mangeur de Foie que l'autre moitié des Blackfeets voulait le ligoter solidement à leurs deux meilleurs mustangs de guerre et charger ensuite dans des directions opposées. À ces mots, les yeux du jeune Blackfeet ont carrément étincelé comme des bougies. J'ai expliqué à Johnson Le Mangeur de Foie qu'il était censé choisir le sort qu'il préférait, afin que la tribu prenne ses dispositions. Puis nous lui avons tourné le dos pour nous réchauffer les mains au-dessus du feu. Nous l'avons laissé s'acharner sur les lanières en peau brute qui liaient ses poignets. Ses chevilles aussi étaient liées au moyen de grosses cordes. Une autre peau le retenait par la taille à un arbre. Il avait vraiment de quoi faire avec ses dents, qui étaient loin d'être solides, et c'est bien là la question. Vous n'avez jamais vu les dents d'un trappeur blanc, mais ces gens-là n'avaient pas l'habitude que nous avions, nous les Indiens, de nous nettoyer les dents en les frottant à l'aide d'une brindille de bouleau. Ils les laissaient pourrir. On sentait son haleine à plus d'un kilomètre avant de voir apparaître le trappeur. D'ordinaire, son haleine sentait pire que tout le reste de sa personne, ce qui n'était pas peu dire, hein ? Les dents du Mangeur de Foie n'étaient pas différentes de celles de n'importe quel autre trappeur. Et maintenant il tentait de se libérer de ses liens en les mâchant. De temps à autre, on l'entendait jurer et cracher – et hop une dent tombait, une autre se cassait. Nous l'avons affolé et poussé à mâcher jusqu'à ce qu'il n'ait plus que des gencives. Plus jamais il ne pourrait mordre dans un Indien. Mais notre idée c'était de le réduire à l'impuissance. Ce jeune Blackfeet et moi. Il avait une potion qu'il tenait de sa grand-mère et qui faisait loucher. Dès que Le Mangeur de Foie s'est endormi et a ronflé, nous lui en avons tamponné les yeux. Maintenant il ne pouvait plus tirer droit. Il faudrait qu'il devienne shérif. Enfin, si les Crows ne le tuaient pas. En même temps, tu ne laisses pas en vie un serpent à sonnettes pour qu'il te pique la prochaine fois que tu passes par là, ai-je dit au Blackfeet, même s'il n'a plus de crochets.

J'aimerais mieux qu'on ne soit pas obligés de le donner aux Crows, a remarqué le jeune homme.

Il faut bien qu'ils s'amusent, ai-je dit. Mais juste au cas où il se sauverait, on devrait faire en sorte qu'il ne puisse pas presser la détente d'un fusil. On pourrait lui trancher les doigts, mais les Crows diraient qu'on leur en a volé un bout.

Il y a un mille-pattes, s'il pique les mains d'un homme, elles enfleront comme des moufles pour le restant de ses jours, m'a expliqué le Blackfeet. Nous nous sommes donc fabriqué des petites torches et nous sommes partis à la recherche de cette bestiole, mais pendant ce temps-là Le Mangeur de Foie a réussi à se sauver. Quand nous sommes revenus, tout ce que nous avons vu ce sont les lanières mâchées abandonnées par terre et entourées de dents brunes et cassées. Il s'était enfui. Ensuite il a inventé l'histoire de la jambe de l'Indien qu'il avait mangée, sinon, sans une bonne histoire à raconter, qui aurait cru une vieille canaille édentée qui louchait ?

Exactement, a dit Clemence.

Awee, cette Sonja va me manquer, s'est écrié Mooshum, en me faisant un clin d'œil.

Quoi ?

Oh, a expliqué Clemence. Whitey dit qu'elle a filé. Hier

elle a joué à la malade, et quand il est rentré il a trouvé son placard vide et une des chiennes partie avec elle. Elle a décampé dans son vieux tacot qu'il venait de lui réparer pour qu'il roule bien.

Elle va revenir ? ai-je demandé.

Whitey m'a raconté que le mot de Sonja disait jamais. Il a raconté qu'il avait dormi avec l'autre chienne, tellement il était abattu. Elle disait aussi qu'il avait intérêt à s'acheter une conduite. Pour sûr.

La nouvelle m'a donné le tournis et j'ai prévenu Cappy qu'il fallait que nous allions quelque part. Il a dit son habituel et traditionnel merci à Clemence et nous sommes partis ensemble à vélo, lentement. Nous sommes enfin arrivés à la route qui, bien que le trajet fût long, menait à l'arbre aux pendus où Sonja et moi avions enterré les livrets d'épargne. Nous nous sommes arrêtés et j'ai raconté toute l'histoire à Cappy – la poupée que j'avais trouvée, et montrée à Sonja qui m'avait aidé à planquer l'argent dans des comptes bancaires, et puis l'endroit où nous avions mis les livrets dans la boîte en fer. Je lui ai raconté qu'elle avait insisté pour que je ne dise rien à personne pour ne pas qu'il coure de risque. Et puis je lui ai raconté l'histoire des boucles d'oreilles en diamant, et les bottes en lézard et la nuit où Whitey avait battu Sonja, qui avait l'air de prévoir de le quitter, et je lui ai dit quelle somme d'argent j'avais trouvée.

Elle pourrait aller vraiment loin avec ça, a-t-il remarqué. Il a détourné les yeux, vexé.

Ouais, j'aurais dû t'en parler.

Nous n'avons plus rien dit pendant un moment.

On devrait quand même aller déterrer la petite boîte.

Juste pour être sûrs. Elle t'a peut-être laissé un peu d'argent, a suggéré Cappy. Sa voix était neutre.

Assez pour des chaussures comme les tiennes, ai-je dit tout en roulant.

Je t'ai proposé d'échanger.

Ça va. J'aime bien les miennes maintenant. Je parie qu'elle m'a laissé un mot à la con. Voilà ce que je parie.

En fait, nous avions raison tous les deux.

Il y avait deux cents dollars, un livret, et un bout de papier.

Cher Joe,
Le fric c'est pour tes chaussures. Je te laisse aussi 1 cpte d'épargne pour te payer une fac BCBG de la côte Est.

J'ai regardé dans le livret. Il y avait dix mille dollars.

Sois gentil avec ta maman. Un jour tu mériteras peut-être la belle enfance que tu as eue. Je peux me faire une nouvelle vie avec les $. Plus jamais de ce que tu as vu.
Je t'embrasse quand même,
Sonja

Mais putain, ai-je dit à Cappy.

Comment ça, ce que tu as vu ?

J'ai lutté avec moi-même. Je voulais lui raconter toute la danse, chaque hurlement, chaque mouvement ondulant, et lui montrer le pompon. Mais ma langue a été arrêtée par une honte obscure.

Rien, ai-je répondu.

J'ai partagé l'argent avec Cappy et fourré le livret et la

lettre dans ma poche. D'abord il n'a pas voulu prendre l'argent, et puis je lui ai dit que c'était pour se payer le car et aller voir Zelia à Helena. De l'argent pour voyager, donc. Il a plié les billets dans sa main.

Nous avons commencé à rentrer et à mi-chemin nous avons effrayé deux canards qui se sont envolés d'un fossé plein d'eau.

Au bout de quelques kilomètres, Cappy a éclaté de rire. J'en ai une bonne. Qu'est-ce qui fait nioc nioc ? Il n'a pas attendu que je réponde. C'est un canard qui marche à reculons ! Toujours content de son trait d'esprit, il m'a laissé à la porte pour que je dîne avec ma mère et mon père. Je suis entré et même si nous étions silencieux et distraits et encore dans une sorte d'état de choc, nous étions ensemble. Il y a avait des patates douces glacées au sucre, que je n'ai jamais beaucoup aimées mais que j'ai mangées quand même. Et puis du jambon fermier et un saladier de petits pois frais du jardin. Ma mère a récité une courte prière pour bénir le repas et nous avons tous parlé de la course-poursuite de Cappy. Je leur ai même raconté sa blague. Nous avons esquivé l'existence de Lark, ou tout ce qui avait trait à nos véritables pensées.

10

L'Essence du mal

Linda Wishkob est sortie de sa voiture en roulant comme une boule et s'est avancée vers notre porte d'une démarche traînante. J'ai laissé papa ouvrir quand elle a frappé, et j'ai filé par-derrière. J'avais fini par clarifier mes pensées à l'égard de Linda et de son cake à la banane ; ces pensées avaient beau n'avoir aucun sens, je n'arrivais pas à me raisonner. Linda était responsable de l'existence de Linden. Elle avait sauvé son frère, alors qu'elle savait déjà qu'il était l'essence du mal. Maintenant elle me dégoûtait comme elle avait dégoûté son frère et sa mère biologiques, même si mes parents n'éprouvaient pas de sentiments comparables. À vrai dire, pendant que j'étais derrière la maison à cavaler par-ci par-là avec Pearl, à jouer à chat, sans jamais qu'on se touche mais en tournoyant l'un autour de l'autre dans un trot ininterrompu, Linda Wishkob fournissait des renseignements à mon père. Ce qu'elle lui a dit allait le pousser à accompagner ma mère au bureau et à la ramener à la maison les deux jours suivants. Le troisième jour, il lui a demandé de lui faire une liste de courses pour l'épicerie.

Il a insisté pour que nous y allions lui et moi plutôt qu'elle, pour qu'elle ferme la porte à clé derrière nous et garde Pearl à l'intérieur. De tout ceci, j'ai déduit que Linden Lark était revenu dans le coin. Mon esprit refusait d'aller plus loin. Je n'y pensais pas – je ne supportais pas d'y penser. Cela m'était complètement sorti de la tête quand mon père m'a demandé de l'accompagner. J'avais été sur le point de partir retrouver Cappy pour inventer une série de sauts à vélo sur terre battue plus originale et plus rapide. J'étais contrarié d'aller à l'épicerie avec mon père, mais il a dit que nous ne serions pas trop de deux pour déchiffrer la liste et trouver tous les ingrédients particuliers que voulait ma mère – ce qui, lorsque j'ai vu son écriture penchée, et jusqu'aux marques des produits et aux petits conseils pour bien choisir, m'a paru être la vérité.

Que nous ayons une véritable épicerie sur notre réserve n'est pas rien. Autrefois, hormis l'entrepôt de marchandises, la nourriture provenait du minuscule magasin qui l'avait précédé – Puffy's Place. L'ancienne boutique vendait surtout des denrées non périssables – thé, farine, sel, beurre de cacahuètes – ainsi que les surplus des potagers, ou de la venaison. Elle vendait des vêtements brodés de perles, des mocassins, du tabac et du chewing-gum. Pour acheter vraiment à manger, les nôtres avaient fait auparavant trente kilomètres et plus, hors de la réserve, afin de mettre leur argent dans la poche de vendeurs qui nous surveillaient d'un œil soupçonneux et prenaient nos sous d'un air de mépris. Mais à présent que nous avions notre supérette, tenue par des membres de la tribu qui engageaient les nôtres pour mettre les achats des clients dans des sacs et garnir les rayons, nous avions quelque chose de spécial. Même si le distributeur de sodas à l'entrée était cabossé, si les portes magiques se refermaient en sifflant sur les grands-mères lentes, et si les enfants salissaient le distributeur de boules de chewing-gum jusqu'à ce qu'on n'en voie plus les couleurs, c'était notre supérette à nous. Les camions y venaient, comme dans un vrai magasin, l'approvisionnaient, et puis repartaient.

Mon père et moi sommes passés devant le mur d'affiches de powwows déchirées et de petites annonces de voitures à vendre. Nous avons pris un caddy. Papa a déplié la liste.

Des haricots pinto secs.

J'ai fait remarquer que maman nous avait donné pour consigne de secouer et examiner le sac en plastique conte-nant les haricots, et de vérifier qu'il ne contenait pas de petits cailloux. Nous avons repéré les haricots dans l'allée des pâtes.

Un petit caillou tacheté ressemblera comme deux gouttes d'eau à un haricot, ai-je dit à mon père, en tour-nant et retournant le paquet rectangulaire.

On devrait faire des stocks, a-t-il remarqué, en jetant six ou sept paquets dans le caddie. Ceux-là sont bon marché. On peut les étaler dans un plat à four et vérifier s'il y a des cailloux une fois rentrés à la maison.

Concentré de tomates, tomates pelées en conserve – Pulpe de tomates en dés Rotel, celle aux piments verts – 4 boîtes de chaque. Cinq livres de steak haché. Maigre si possible, précisait la liste.

Maigre ? Pourquoi est-ce qu'elle la voudrait maigre ?

Moins de gras, a dit mon père.

J'aime bien le gras.

Moi aussi.

Il a jeté quelques paquets dans le caddie.

DANS LE SILENCE DU VENT

Du cumin, ai-je lu. Dans l'allée des épices nous avons trouvé le cumin.

Elle préparait de la nourriture en plus pour en apporter à Clemence, et la dédommager de tous les dîners.

J'ai lu. Salade, carottes, et puis des oignons et nous sommes censés les renifler pour vérifier qu'ils ne sont pas pourris à l'intérieur.

Fruits. Ce que vous trouverez de bien, a dit mon père, en jetant un coup d'œil à la liste par-dessus mon épaule. Je suppose que nous sommes capables de prendre cette décision, en tout cas pour ce qui est des fruits. Qu'en penses-tu ?

Nous avons jeté un coup d'œil à une pile de melons. Certains étaient tachés. Il y avait du raisin. Tous les grains étaient tachés. Il y avait un seau de baies de la région et des prunes. Papa a choisi un melon, a rempli des sacs en papier de prunes, et une barquette de baies.

Nous avons acheté un poulet, un poulet prêt à cuire à l'allure anémique, découpé, et nous avons recompté tous les morceaux, comme elle l'avait demandé. Nous avons acheté un autre paquet qui ne contenait que des cuisses. Nous avons pris de la sauce barbecue et des chips Old Dutch, pour moi. Deux boîtes de soupe aux champignons ont fini dans le caddie. Et au bas de la liste venaient le lait et le beurre, salé, une boîte d'une livre de bâtonnets emballés séparément, et une livre emballée entière, doux. De la crème fraîche.

Comment ça emballée entière ? Mon père s'est arrêté à côté de moi, en regardant le papier, les sourcils froncés. Il tenait une brique de crème dans une main. Pourquoi doux ? Pourquoi salé ?

Je poussais le caddie devant papa, j'ai donc vu Linden
Lark le premier. Il était penché dans la lumière froide de
l'armoire à viande ouverte. Mon père a dû lever la tête juste
après moi. Il y a eu un moment où nous avons écarquillé les
yeux, rien de plus. Puis du mouvement. Mon père a jeté la
crème fraîche, a bondi en avant et attrapé Lark par les
épaules. Il l'a fait tourner sur lui-même, l'a poussé en
arrière et bloqué, puis de ses deux mains il l'a saisi à la
gorge. Comme je l'ai déjà dit, papa était assez maladroit.
Pourtant il a attaqué mu par une rage si soudaine et si
instinctive que son action a paru aussi adroite qu'une cascade de cinéma. Lark s'est cogné la tête contre les grilles
métalliques du frigo. Une boîte de saindoux s'est écrasée
sur le sol et Lark a dérapé dans la crème fraîche explosée,
s'écorchant l'arrière du crâne sur le bord inférieur de
l'armoire, faisant tinter les clayettes. Les portes vitrées ont
battu contre les bras de mon père au moment où il tombait
avec Lark, sans relâcher son étreinte. Papa a gardé le menton rentré. Ses cheveux pendaient en fines mèches le long
de ses oreilles, et le sang assombrissait son visage. Lark
battait l'air de ses bras, incapable d'avoir le même genre de
prise sur mon père. Et maintenant je m'acharnais sur lui,
moi aussi, avec les boîtes de tomates Rotel.
    Le truc, c'était que Lark semblait sourire. S'il est pos-
sible de sourire pendant qu'on est étranglé et battu à
coups de boîtes de conserve, c'était ce qu'il faisait. Comme
si notre attaque l'excitait. Je lui ai écrasé la boîte sur le
front et j'ai ouvert une entaille juste au-dessus de son œil.
Une joie obscure et sans mélange m'a envahi à la vue de
son sang. Sang et crème. J'ai frappé aussi fort que j'ai pu et
quelque chose – peut-être le choc de voir ma joie, ou la

joie de Lark – a porté mon père à lui lâcher la gorge. Lark a lancé des coups de pied en l'air et poussé de toutes ses forces. Mon père a glissé en arrière. Il a violemment atterri dans l'allée et Lark, ramassé sur lui-même, s'est enfui à quatre pattes.

C'est là que mon père a eu sa première crise cardiaque – une petite, en fait. Pas même une moyenne. Rien qu'une petite. Mais c'était une crise cardiaque. Dans l'allée de la supérette, au milieu de la crème fraîche renversée et des boîtes de conserve qui roulaient, à côté du shampoing Prell, le visage de mon père a viré au jaune terne. Papa faisait des efforts pour respirer. Il a levé les yeux vers moi, l'air perplexe. Et parce qu'il avait une main sur la poitrine, j'ai demandé : Tu veux qu'on appelle une ambulance ?

Quand il a fait signe que oui, je me suis senti complètement vidé. Je suis tombé à genoux, et Puffy a donné le coup de téléphone.

Ils ont cherché à m'expliquer que je ne pouvais pas l'accompagner à l'hôpital, mais je me suis défendu. Je suis resté près de lui. Ils n'ont rien pu faire pour que je le quitte. Je savais ce qui arrivait si on laissait un parent partir trop loin.

Nous sommes restés à Fargo presque une semaine, et nous avons passé nos journées au St. Luke's Hospital. Le premier jour mon père a subi une opération, depuis devenue banale, mais qui à l'époque était une nouveauté. Il s'agissait d'introduire des stents dans trois artères. Papa semblait faible et diminué sur son lit d'hôpital. Les médecins avaient beau affirmer qu'il allait bien, évidemment j'avais peur. Je ne pouvais le voir, au début, que depuis le couloir. Quand on l'a installé dans une chambre particulière, ça s'est amélioré. Nous restions là tous ensemble à parler de rien, et de tout. Cela paraît étrange, mais c'est bientôt devenu un peu comme des vacances d'être là, à l'abri du danger, ensemble, notre conversation incertaine. Nous allions et venions dans les couloirs, faisions semblant d'être choqués par la nourriture sans consistance, parlions encore un peu de rien du tout.

Le soir, ma mère et moi regagnions la chambre que nous partagions à l'hôtel. Nous avions des lits jumeaux. Au cours d'autres voyages, tous les trois nous avions toujours roupillé ensemble, papa et maman dans un grand lit. Et moi, je dormais dans un coin sur un lit d'appoint. C'était la première fois dans mon souvenir que je restais seul quelque part rien qu'avec ma mère. Il y avait comme un malaise ; sa présence physique me perturbait. J'étais content qu'elle ait apporté le vieux peignoir bleu en tissu éponge de papa, alors qu'elle persécutait mon père depuis une éternité pour qu'il s'en débarrasse. Ce peignoir était élimé par endroits, les manches étaient effilochées, l'ourlet du bas râpé. J'avais cru qu'elle l'avait apporté pour lui, mais la première nuit elle l'a enfilé. J'ai pensé qu'elle avait oublié le sien, qui était imprimé de fleurs dorées et de feuilles vertes. Mais le deuxième matin je me suis réveillé tôt et j'ai tourné les yeux vers elle, toujours endormie. Elle portait le peignoir de mon père. J'ai vérifié, ce soir-là, pour voir si elle portait le peignoir de papa exprès, et effectivement elle s'est mise au lit avec. Il ne faisait pas froid dans la chambre. Il m'est venu à l'idée, le lendemain, alors que j'errais dans le jardin autour de l'hôpital, que ce serait agréable si moi aussi je pouvais mettre quelque chose appartenant à papa. Ce serait un lien entre nous, d'une certaine façon.

J'avais tellement besoin de lui. Je ne pouvais pas vraiment l'approfondir, ce besoin, pas plus que ma mère et moi ne pouvions en discuter. Mais qu'elle porte son peignoir était pour moi un signe qu'il lui fallait le réconfort de sa présence, d'une façon élémentaire qu'à présent je comprenais. Ce soir-là, j'ai demandé si elle avait pris une chemise de rechange pour papa, et elle a fait oui de la tête quand j'ai demandé si je pouvais la mettre. Elle me l'a donnée.

J'ai encore beaucoup de ses chemises, et j'ai aussi ses cravates. Il achetait tout ce qu'il portait chez Silverman's, à Grand Forks. On y vendait ce qu'il y avait de mieux en vêtements pour hommes, et papa n'achetait pas grand-chose mais il était exigeant. J'ai porté les cravates de mon père pour réussir mes études de droit à l'université du Minnesota, et ensuite l'examen du barreau. Pendant la période où j'ai été procureur, j'ai mis ses cravates la dernière semaine de chaque procès devant un jury. Je gardais aussi sur moi son stylo plume, mais par la suite j'ai eu peur de le perdre. Je l'ai toujours, quoique je ne m'en serve pas pour signer mes avis du tribunal tribal, comme il le faisait. Les cravates démodées suffisent, le pompon doré dans mon tiroir, et le fait que j'ai toujours eu un chien nommé Pearl.

Je portais la chemise de mon père le jour où il a cessé d'être dans le vague, l'avant-dernier jour où nous étions là-bas. Il a vu sa chemise sur mon dos et a eu un regard interrogateur. Ma mère est partie chercher un café et je suis resté. C'était la première fois que j'étais vraiment seul avec lui. Cela ne m'a pas étonné, alors même que ses incisions cicatrisaient, qu'il ait jugé bon de revenir sur la situation, de s'informer si j'avais la moindre idée de l'endroit où se trouvait Lark. J'avais réfléchi de la même manière, mais évidemment je n'en savais rien. Si Clemence l'avait signalé à ma mère au cours des appels téléphoniques passés depuis la chambre d'hôtel, je n'étais pas au courant. Mais ce soir-là, j'ai fini par recevoir un coup de fil ; pendant que ma mère était sortie s'acheter un journal. C'était Cappy.

Des membres de ta famille ont fait une visite de courtoisie, a-t-il annoncé.

Je ne savais pas de quoi il parlait.

Ici ?

Non, *là-bas*.

Où ?

Ils l'ont convaincu.

Comment ?

Le Holodeck, imbécile. C'était une situation comme lorsque Picard menait l'enquête. Tu te souviens ? La persuasion.

O.K. J'étais submergé, parcouru de picotements de soulagement. O.K. Il est mort ?

Non, simplement convaincu. Ils l'ont bien esquinté, mec. Il ne te tournera pas autour. Préviens ta maman et ton papa.

Après le coup de téléphone, je me demandais comment les prévenir. Comment faire pour les pousser à croire que je ne savais pas que Doe, Randall, Whitey, et même oncle

Edward étaient allés chez Lark, lorsqu'il y a eu un autre appel. Ma mère était revenue. J'ai compris que c'était Opichi quand maman a demandé s'il y avait un problème au bureau. Le débit de la voix, minuscule dans le récepteur, était strident et tendu. Ma mère s'est assise sur le lit. Ce qu'elle a entendu n'était pas une bonne nouvelle. Elle a fini par raccrocher, puis s'est recroquevillée sur le lit, en me tournant le dos.

Maman ?

Elle n'a pas répondu. Je me souviens du grésillement des lampes allumées à la salle de bains. J'ai contourné le lit et me suis mis à genoux à côté. Maman a ouvert les yeux et m'a regardé. Elle a d'abord eu l'air perdu et ses yeux ont scruté mon visage, presque comme si elle me regardait pour la première fois, ou du moins après une longue absence. Puis son regard est devenu net et sa bouche s'est plissée d'un air réprobateur. Elle a murmuré :

Je crois que des gens l'ont tabassé.

Tant mieux, ai-je dit. Ouais.

Et puis, d'après Opichi, il est reparti en voiture comme un dingue et a foncé à la station-service. Il a dit quelque chose à Whitey sur sa riche petite amie. Que la riche petite amie de Whitey était joliment bien installée et qu'il envisageait d'aller la retrouver. Il est passé dans la station-service au volant de sa voiture, en hurlant, en se moquant de Whitey. Il est reparti. Whitey l'a poursuivi en brandissant une clé à molette. Mais qu'est-ce qu'il racontait ? Sonja n'est pas riche.

J'étais assis là, bouche bée.

Joe.

J'ai enfoui ma tête dans mes mains, les coudes posés sur

mes genoux. Au bout d'un moment, je me suis allongé et me suis fourré un oreiller sur la tête.

Il fait chaud dans cette chambre, a remarqué ma mère. On va allumer le ventilateur.

Nous nous sommes rafraîchis et puis nous sommes allés dans un petit restaurant, le 50s Cafe, manger un hamburger, des frites, et boire un milk-shake au chocolat. Nous avons dîné en silence. Et puis tout à coup ma mère a reposé le hamburger. Elle l'a mis sur son assiette et a dit : Non.

Sans cesser de mâcher, je l'ai dévisagée. Sa paupière qui tombait un peu lui donnait une expression critique.

Il a un truc qui ne va pas, ton hamburger, maman ?

Elle a regardé plus loin que moi, subjuguée par une pensée. Le pli aigu est apparu d'un coup entre ses sourcils.

C'est quelque chose que papa m'a raconté. Une histoire de *wiindigoo*. Lark cherche à nous dévorer, Joe. Je ne le laisserai pas faire. C'est moi qui l'en empêcherai.

Sa détermination m'a terrifié. Elle a repris son hamburger et posément, lentement, s'est mise à manger. Elle ne s'est pas arrêtée avant d'avoir tout terminé, ce qui m'a effrayé aussi. C'était la première fois depuis l'agression qu'elle finissait ce qu'elle avait dans son assiette. Ensuite nous sommes rentrés à l'hôtel et mis en pyjama. Ma mère a avalé un comprimé et s'est endormie aussitôt. J'ai fixé des yeux les maigres dalles d'isolation phonique du plafond. Si je les regardais d'un œil assez attentif, je pourrais sentir mon cœur ralentir. Ma poitrine s'est relâchée et mon ventre a cessé de grincer. J'ai compté, sur un rythme lent et régulier, 78 trous placés au hasard dans la dalle juste au-dessus de ma tête, et 81 dans la suivante. Si ma mère s'en prenait à Lark, il la tuerait. Je le savais. J'ai compté et recompté les trous sans m'arrêter.

Le jour où nous avons quitté Fargo, je me suis réveillé tôt. Ma mère était levée, dans la salle de bains elle faisait des bruits de toilette et de brossage de cheveux. J'ai écouté l'eau de la douche crépiter. Les rideaux de l'hôtel étaient si lourds que j'ignorais que dehors aussi il pleuvait à verse. Une de ces rares pluies d'août, qui tassent les tourbillons de poussière sur les routes, venait de démarrer. Une pluie qui lave les feuilles blanches de poussière. Une pluie qui comble les fissures de la terre et revigore l'herbe brunie. Qui fait pousser le maïs d'une bonne tête et rend possible une seconde coupe de foin. Une pluie douce qui dure des jours. Il y avait une fraîcheur dans l'air qui a tenu pendant tout le retour. Ma mère conduisait avec les essuie-glaces en marche. Le plus douillet des sons pour un garçon qui somnole sur le siège arrière. Mon père est resté vigilant à côté de ma mère, abrité sous un édredon. De temps à autre j'ouvrais les yeux, rien que pour les voir. Papa gardait une main en dehors de son siège, posée sur la jambe de maman, au-dessus du genou. Une des mains de maman lâchait parfois le volant pour venir se poser sur celle de papa.

Pendant ce trajet en paix, si semblable à mes tout premiers souvenirs de voyages avec mes parents, m'est venu à l'esprit ce que je devais faire. Une pensée est descendue en moi alors que j'étais couché sous ma vieille courtepointe moelleuse. Je l'ai repoussée. La pensée est retombée en place. Trois fois je l'ai repoussée, chaque fois plus fort. Je me suis fredonné des airs. J'ai essayé de bavarder, mais ma mère a posé un doigt sur ses lèvres et a montré mon père, qui était endormi. La pensée est revenue, plus insistante, et cette fois je l'ai laissée faire et examinée. J'ai pensé cette idée de bout en bout jusqu'à sa conclusion. Je me suis écarté de ma pensée. Je me suis regardé penser.

La fin de la méditation est arrivée.

Quand nous sommes arrivés chez nous, Clemence avait préparé le chili. Puffy avait livré tous les produits que nous avions choisis. Tout ce dont nous avions besoin était rangé dans les placards et le réfrigérateur. J'ai tout de suite aperçu mon paquet de chips, posé sur le plan de travail. J'ai pensé aux boîtes de tomates dont je m'étais servi comme armes. Clemence les avait probablement ouvertes et ajoutées au chili. Chaque jour, depuis l'épicerie, je regrettais de ne pas avoir défoncé le crâne de Lark. Je m'imaginais le tuant, le tuant sans relâche. Mais puisque je ne l'avais pas fait, j'irais voir le père Travis dès le lendemain matin. J'ai décidé que je m'inscrirais à son cours de catéchisme du samedi matin. Je pensais qu'il m'y autoriserait. Et puis j'espérais que si par la suite je me rendais utile à la paroisse, il remarquerait peut-être que les chiens de prairie avaient été chassés de leurs galeries par la pluie et qu'ils s'engraissaient maintenant à l'herbe nouvelle. Il fallait y remédier. J'espérais que le père Travis m'apprendrait à leur tirer dessus, pour que j'acquière ainsi un peu d'entraînement.

Je ne partais pas précisément de zéro pour ce qui était d'être catholique. Curés et religieuses sont ici depuis les débuts de la réserve. Même les Indiens les plus traditionnels, ceux qui en secret avaient gardé vivantes les anciennes cérémonies, s'étaient vus inculquer le catholicisme de force au pensionnat, ou s'étaient liés d'amitié avec certains des curés les plus intéressants, comme c'était arrivé à Mooshum pendant un temps, ou bien ils avaient décidé de miser sur les deux tableaux en rajoutant les saints à leur amour de la pipe sacrée. Tout le monde avait dans sa famille des membres extrêmement pieux ou au moins pratiquants ; j'avais fait l'objet de pressions répétées, de la part de Clemence, entre autres. Elle avait convaincu ma mère (elle ne s'était pas souciée de mon père) de me faire baptiser, et avait mené une campagne pour ma première communion et ma confirmation. Je savais ce qui m'attendait. Le camp de jeunesse catho n'avait pas été théorique, mais mes cours fourmilleraient de listes. Confession : i. Sacramentelle. ii. Annuelle. iii. Sacrilège. iv. Légale. Grâce : i. Actuelle. ii. Baptismale. iii. Efficace. iv. Édifiante. v. Habituelle. vi. Illuminante. vii. Imputée. viii. Incréée. ix. Intérieure. x. Irrésistible. xi. Naturelle. xii. Prévenante. xiii. Sacramentelle. xiv. Sanctifiante. xv. Suffisante. xvi. Aux repas. xvii. Il y avait aussi les péchés Actuels, Formels, Habituels, Matériels, Moraux, Originels et Véniels. Il y avait des genres particuliers de péchés : ceux contre le Saint-Esprit, les Péchés par Omission, les Péchés des Autres, le Péché de Silence, et le Péché de Sodome. Il y avait des Péchés qui Réclament Vengeance devant Dieu.

Il y avait, bien entendu, des définitions de chacune de ces catégories énumérées sur les listes. Le père Travis enseignait comme si Vatican II n'avait jamais eu lieu. Personne ne regardait par-dessus son épaule, dans ce trou perdu. Il disait la messe en latin s'il en avait envie, et pendant plusieurs mois, l'hiver précédent, il avait officié dos à la congrégation et célébré le Mystère de la messe avec de grands gestes de magicien, racontait Angus. Quand il s'agissait d'enseigner le catéchisme, il rajoutait du contenu ou en éliminait. Le samedi matin, il m'a introduit dans le sous-sol de l'église et demandé de m'asseoir à la cafétéria. Ce que j'ai fait, en m'efforçant de ne pas regarder le tapis et de ne pas penser à Cappy. Bugger Pourier, qui s'amendait une fois de plus après des années d'une vie de pochard à Minneapolis, était le seul autre élève dans la pièce obscure. C'était un homme maigre et triste, qui avait le gros nez de clown violet du buveur de longue date. Ses sœurs lui avaient fait mettre des vêtements propres, mais il sentait quand même le renfermé, comme s'il avait dormi dans un recoin moisi. J'ai parcouru les prospectus et écouté le père Travis parler de chacun des membres de la sainte Trinité. Une fois la classe terminée et Bugger parti, je lui ai demandé s'il pourrait me donner des cours particuliers toute la semaine suivante.

As-tu un but précis en tête ?

Je veux être confirmé à la fin de l'été.

Nous recevons une visite de l'évêque au printemps, et tout le monde est confirmé à ce moment-là. Le père Travis m'a regardé de la tête aux pieds. Pourquoi es-tu si pressé ?

Cela ferait avancer les choses.

Quelles choses ?

Les choses à la maison, peut-être, si je pouvais prier.

Tu peux prier sans être confirmé. Il m'a tendu une brochure.

De plus, a-t-il dit, tu peux prier en parlant simplement à Dieu. Tu peux employer tes propres mots, Joe. Tu n'as pas besoin d'être confirmé pour prier.

Mon père, j'ai une question à vous poser.

Il a attendu.

J'avais entendu une expression des années auparavant, que j'avais gardée en mémoire. J'ai demandé : C'est quoi les Péchés qui Réclament Vengeance devant Dieu ?

Il a penché la tête sur le côté comme s'il écoutait un son que je ne pouvais entendre. Puis il a feuilleté son catéchisme et m'a indiqué la définition. Ces péchés-là étaient le meurtre, la sodomie, escroquer un ouvrier, opprimer les pauvres.

J'ai cru savoir ce qu'était la sodomie, et pensé qu'elle incluait le viol. Mes pensées étaient donc couvertes par la doctrine religieuse, une réalité que j'avais découverte le tout premier jour.

Merci, ai-je dit au père Travis. On se verra lundi.

Il a hoché la tête, le regard pensif.

Oui, certainement.

Le dimanche j'ai assisté à la messe avec Angus, et le lundi matin j'étais à l'église tout de suite après le petit-déjeuner. Il pleuvait de nouveau et j'avais mangé un énorme bol du porridge de ma mère. Il m'avait alourdi sur mon vélo et à présent son poids et sa chaleur me lestaient l'estomac. J'avais envie de me rendormir, tout comme, probablement, le père Travis. Il était pâle et n'avait peut-être pas passé une très bonne nuit. Il ne s'était pas encore rasé. La peau sous ses yeux était bleue et dans son haleine le café était corrosif. Sur le comptoir de la cafétéria s'empilait de la nourriture soigneusement mise de côté dans des boîtes, et les poubelles débordaient.

Il y a eu une veillée mortuaire, ici ? ai-je demandé.

La mère de M. Pourier est morte. Du coup, nous ne le reverrons probablement plus. Il espérait se réconcilier avec la paroisse tant qu'elle était encore consciente. À propos, j'ai un livre pour toi. Il m'a tendu une vieille édition de poche de *Dune*, souple, aux pages en éventail. Bon. Si nous commencions par l'Eucharistie ? Je t'ai vu à la messe en compagnie d'Angus. As-tu compris ce qui se passait ?

J'avais appris la brochure par cœur, alors j'ai dit oui.

Peux-tu m'expliquer ?

Il y a eu un partage de l'aliment de nos âmes qui procure la grâce.

Très bien. Autre chose ?

Le corps et le sang du Christ étaient présents dans le vin et les petits biscuits ?

Les hosties consacrées, oui. Autre chose ?

Pendant que je me creusais la tête, la pluie a cessé. Un brusque éclat de soleil a frappé les vitres sales du sous-sol et fait tournoyer des grains de poussière dans l'air. La pièce était traversée en diagonale par de chatoyants voiles de lumière.

Euh, la nourriture spirituelle ?

Exact. Le père Travis a souri aux dansantes balafres d'air autour de nous et aux fenêtres hautes. Vu qu'y a que nous deux, ça te dirait qu'on fasse cours dehors ?

Je l'ai suivi en haut des marches, au-delà de la porte latérale et le long du sentier qui passait sous les pins ruisselants d'eau. Le sentier herbeux décrivait une boucle derrière le gymnase et l'école, passait sous les rangées d'arbres, et retrouvait la route sur laquelle Cappy et le père Travis avaient effectué la partie la plus spectaculaire de leur course-poursuite. Tout en marchant, il m'a expliqué que pour me préparer à l'Eucharistie, au cours de laquelle je deviendrais une part du Corps Mystique du Christ, il faudrait que je me purifie via le sacrement de la confession.

Afin de te purifier, tu dois te comprendre, a poursuivi le père Travis. Tout ce qui est dans le monde est aussi en toi. Le bien, le mal, la perfection, la mort, tout. Nous examinons donc nos âmes.

D'accord, ai-je répondu d'une voix faible. Regardez, mon père ! Un chien de prairie.

Oui. Il s'est arrêté et m'a observé. Comment se porte ton âme ?

J'ai regardé autour de moi comme si mon âme allait apparaître, me permettant de vérifier ce qu'il en était. Mais il n'y avait que le visage trop beau, agencé avec soin, du père Travis, ses yeux pâles et sérieux brillant d'un étrange éclat, ses lèvres sculptées.

Je ne sais pas, ai-je répondu. J'aimerais bien tirer sur des chiens de prairie.

Il s'est remis à marcher, et de temps à autre je lui jetais un coup d'œil, mais il ne parlait pas. Finalement, quand nous avons tourné pour entrer sous les arbres, il a dit : Le mal.

Quoi ?

Nous devons aborder le problème du mal afin de comprendre ton âme, ou n'importe quelle autre âme humaine.

D'accord.

Il y a différentes catégories de mal, le savais-tu ? Il y a le mal matériel, celui qui provoque des souffrances sans rapport avec les humains mais qui les affecte gravement. La maladie et la pauvreté, les calamités naturelles de toutes sortes. Les maux matériels. Contre ceux-ci, nous ne pouvons rien. Nous devons accepter que leur existence soit un mystère pour nous. Le mal moral est différent. Il est causé par des êtres humains. Une personne fait délibérément quelque chose à une autre personne pour provoquer souffrance et tourment. Voilà un mal moral. Tu es monté ici, Joe, pour sonder ton âme dans l'espoir de te rapprocher de Dieu parce que Dieu est toute bonté, toute-puissance, toute guérison, toute miséricorde, et ainsi de suite. Il a marqué un temps.

Oui, ai-je dit.

Tu ne peux donc que te demander pourquoi un être d'une telle immensité et d'une telle puissance autoriserait cette atrocité – qu'un être humain soit autorisé par Dieu à nuire directement à un autre être humain.

Quelque chose m'a fait mal au fond de moi, m'a transpercé de part en part. J'ai continué à marcher, la tête basse.

La seule réponse à cela, et ce n'est pas une réponse complète, a dit le père Travis, c'est que Dieu a fait des êtres humains des agents libres. Nous sommes capables de préférer le bien au mal, mais le contraire aussi. Et afin de protéger notre liberté humaine, Dieu n'intervient pas souvent, du moins pas très souvent. Dieu ne peut agir ainsi sans nous priver de notre liberté morale. Tu vois ?

Non. Mais ouais.

La seule chose que Dieu peut faire, et il le fait tout le temps, c'est de tirer du bien de toute situation néfaste.

Le froid m'a saisi.

Mais oui, a dit le père Travis, d'une voix montant un peu dans l'aigu. Dans tous les cas, Joe. Dans tous les cas qui vous font le cœur gros. En ma qualité de curé d'ici, tu sais bien que j'ai enterré des nouveau-nés, des familles entières tuées dans des accidents de voiture, des jeunes qui avaient fait des choix catastrophiques, et même des gens assez chanceux pour mourir âgés. Oui, je l'ai vu. Chaque fois que le mal sévit, beaucoup de bien en sort – les gens, dans ces circonstances, choisissent de faire d'autant plus de bien, d'exprimer un amour exceptionnel, de devenir plus forts dans leur dévotion pour Jésus, ou leur saint préféré, ou de parvenir à une communion rare dans leur famille. Je l'ai observé chez des personnes qui suivent leur propre route, vos Indiens traditionalistes, et ne viennent jamais à la messe sinon pour les obsèques. Je les admire. Ils assistent aux veillées. Même s'ils sont si pauvres qu'ils n'ont rien, ils donnent tout de ce rien à un autre être humain. Nous ne sommes jamais pauvres au point de ne pouvoir bénir un autre humain, non ? C'est ainsi que tout mal, qu'il soit moral ou matériel, devient un bien. Tu verras.

Je me suis arrêté de marcher. J'ai regardé le champ, pas le père Travis. J'ai fait passer le livre qu'il m'avait donné d'une main dans l'autre. J'avais envie de le jeter. Les chiens de prairie surgissaient et disparaissaient en poussant leurs joyeux sifflements / pépiements.

J'aimerais vraiment bien tirer sur des chiens de prairie, ai-je grommelé.

Nous n'allons pas faire ça, Joe, a répondu le père Travis.

Notre vieille ville de la réserve, poussiéreuse au cœur de l'été, étincelait toute bien lavée tandis que je descendais la colline à vélo, longeais les maisons du Bureau des Affaires indiennes, remontais la route et passais devant le château d'eau en direction du ranch Lafournais. Il y avait trois parcelles Lafournais contiguës, et bien qu'elles aient été divisées de nombreuses fois, elles n'étaient jamais sorties de la famille. Les maisons étaient reliées par des bouts de route et des sentiers, mais celle de Doe était la demeure principale, dans le style ranch, la plus proche de la route, et Cappy était appuyé à la balustrade de la terrasse, chemise ouverte, une série d'haltères posées à ses pieds sur les planches.

Je me suis arrêté, rassis sur la selle de mon vélo.

Pas de filles venues te regarder remuer de la fonte ?

Personne n'est passé, a répondu Cappy. Personne qui mérite ce spectacle.

Il a fait semblant d'ouvrir sa chemise d'un geste brutal et a martelé sa poitrine lisse. Il allait mieux depuis la semaine d'avant – il avait reçu deux lettres de Zelia.

Tiens. Il m'a fait monter sur la terrasse et soulever ses haltères un petit moment.

Tu devrais demander à ton père qu'il t'en achète. Tu peux t'entraîner dans ta chambre jusqu'à ce que tu sois présentable.

Présentable comme tu crois l'être. Il y a de la bière ?

Mieux que ça.

Il a fourré la main dans la poche de son jean et en a sorti un sac en plastique soigneusement roulé autour d'un unique joint.

Hé, mon frère de sang !

Moi allumer, kemo sabe, a dit Cappy.

Nous avons décidé de le fumer au point de vue. Si

nous suivions à pied l'arête d'une petite crête boisée au bout de la route menant chez Cappy, nous pouvions ensuite grimper plus haut à un endroit d'où l'on voyait le terrain de golf de près, tout en étant cachés. Nous avions déjà observé les joueurs sérieux – Indiens et Blancs – qui tortillaient des hanches, lançaient des regards pénétrants, exécutaient des swings excellents ou lamentables. Tout ce qu'ils faisaient était drôle : qu'ils gonflent la poitrine ou donnent de grands coups de club. Nous surveillions toujours l'arc de cercle décrit par la balle au cas où ils ne la retrouveraient pas. Nous avions encore notre seau rempli de balles. Cappy a glissé du pain bannock, deux pommes à la chair molle, du soda, plus une bière solitaire dans un sac en plastique qu'il a noué à son guidon. Nous sommes partis, au virage nous avons tiré nos vélos dans les bois, et puis nous avons escaladé la colline à pied et suivi la crête jusqu'à notre observatoire.

Le sol était presque sec. La pluie avait été aspirée dans les feuilles poreuses et la terre assoiffée. Les tiques avaient pour la plupart disparu. Nous nous sommes adossés à un chêne qui offrait une ombre parfaite. J'ai gardé le joint trop longtemps. Lâche-le un peu, a dit Cappy. J'étais perdu dans mes pensées. L'herbe du pétard était râpeuse et desséchée. Nous avons bu la bière. Un petit groupe d'hommes bedonnants, coiffés de chapeaux blancs et vêtus de chemises jaunes, un genre d'équipe, est apparu et nous avons rigolé de chacun de leurs gestes. Mais c'étaient de bons golfeurs et ils n'ont pas perdu une seule balle. Il y a eu une accalmie après leur passage. On a fini le pétard avec notre déjeuner. Cappy s'est tourné vers moi. Il avait les cheveux tellement longs maintenant, il les rejetait en arrière avec une sorte de hochement de tête. Angus et Zack s'évertuaient déjà à chasser les cheveux qui leur tombaient sur les yeux, mais sans réussir leur imitation. C'était un geste qui à coup sûr rendrait les filles dingues.

Pourquoi tu as été à la messe et au cours de catéchisme de ce con ?

Les nouvelles vont vite.

Ouais, a dit Cappy, ça c'est sûr. Il n'a pas lâché le morceau. Pourquoi ? a-t-il redemandé.

Tu imagines un peu, un gars dont la mère a souffert ce qu'elle a souffert et voilà l'essence du mal qui se pointe.

L'essence du mal, ah ouais, le type en goudron qui a tué Yar. Donc, Lark.

Comme ça. L'essence du mal se pointe dans cette putain de supérette et son papa a une putain de crise cardiaque en essayant de tuer le type. Tu ne crois pas qu'un gamin qui a vu tout ça aurait besoin d'aide spirituelle ?

Cappy m'a regardé de la tête aux pieds. Nooon.

Bon. Morose, j'ai regardé un moment le green tondu de près.

Nooon, a-t-il répété. Il y a autre chose.

O.K. J'avais besoin de m'entraîner au fusil. Parce que je pensais qu'il m'aurait laissé l'aider à tirer sur les chiens de prairie. Mais il m'a refilé un bouquin, c'est tout.

Cappy a éclaté de rire. Ah, t'es nul !

Ouais. J'ai imité le père Travis qui parlait : *Nous n'allons pas faire ça, Joe. Le bien découlera toujours du mal. Tu verras.*

Tu verras ? Il a dit ça ?

Ouais.

L'enfoiré. Si c'était vrai, toutes les bonnes choses

commenceraient par des mauvaises. Si tu voulais tirer, a dit Cappy, t'aurais pu aller voir ton oncle.

Whitey et moi, c'est fini.

Mieux, moi. T'aurais dû venir me voir. Quand tu veux. Quand tu veux, mon frère. Je chasse depuis que j'ai deux ans. J'ai eu mon premier cerf à neuf ans.

Je sais. Mais c'était pas que pour tirer sur des chiens de prairie. Tu sais bien.

Ça se pourrait. Ça se pourrait que je le sache.

Tu sais de quoi il s'agit. De quoi je parle.

Oui. Je crois que oui. Cappy a hoché la tête, en baissant les yeux vers un nouveau groupe de golfeurs, des Indiens cette fois, qui n'étaient pas assortis.

Alors si tu le sais, tu sais aussi que je n'impliquerai personne d'autre.

Impliquer. Grand mot de juriste.

Devrais-je en donner la définition ?

Va te faire voir. Je suis ton meilleur ami. Je suis ton Number One.

Moi aussi je suis ton Number One. Je le fais seul ou je ne le fais pas.

Cappy a ri. Il a brusquement tendu la main vers sa poche revolver et en a sorti un paquet des cigarettes de son frère, tout aplati. Merde, je les avais oubliées.

Elles étaient froissées, mais pas déchirées. Cette fois, j'ai constaté que sur les allumettes il y avait la station-service de Whitey.

Maintenant il a des allumettes, ai-je remarqué.

C'est mon frangin qui les a eues. Moi, j'y suis jamais allé. Mais d'après Randall il tourne la page, il va louer des films. En tout cas, revenons-en au sujet.

Quel sujet ?

Je n'ai pas besoin de savoir. On prendra la carabine de chasse de mon père pour s'entraîner, parce que, Joe, t'es pas capable de toucher le côté d'un camion.

Peut-être bien que non.

Et puis tu ferais quoi si le côté du camion se foutait en rogne et te tombait dessus ? Tu serais mal barré. Je ne peux pas laisser ce truc-là t'arriver.

Sauf que sa carabine... Je ne peux pas me servir de sa carabine.

Seulement pour t'entraîner. Et puis l'arme de Doe est volée pendant qu'on n'est pas là. Pendant que la maison est vide. On planque l'arme, les munitions. Et de toute façon on n'est pas ici pour rigoler en regardant des vieux cons, pas vrai.

Non.

On est en reconnaissance.

Au cas où il viendrait. Je sais qu'il joue au golf, ou qu'il y jouait, en tout cas. Linda me l'a dit.

Tout le monde sait que Lark joue au golf, ce qui est une bonne chose. N'importe qui peut louper un cerf et toucher un golfeur.

Nous sommes retournés à vélo chez Cappy, et partis là où il avait commencé à s'entraîner quand il avait cinq ans.

Papa m'a appris avec une .22, seulement des chiens de prairie ou des écureuils, presque pas de recul, pour ainsi dire. Et puis la première fois qu'on va à la chasse au cerf, il me tend son 30-06. Je lui dis que j'ai peur qu'il recule, mais il me répond pas plus qu'une .22. C'est promis, mon garçon, vas-y doucement, c'est tout. Et moi, j'abats mon premier cerf d'un seul coup. Tu sais pourquoi ?

Pasque t'es un Empereur ?

Non, fils, parce que je n'ai pas senti le recul. Je n'avais pas peur du recul. J'ai tiré tout en douceur. Parfois on apprend avec un 30-06 et on tressaute quand on donne une secousse sur la détente parce qu'on peut pas s'empêcher d'anticiper le recul. J'aimerais bien pouvoir t'apprendre avec une .22 comme papa l'a fait, mais t'es déjà foutu.

Je me sentais foutu, en effet. Je savais que je donnerais une secousse sur la détente, je savais que je tressauterais, je savais avec quelle maladresse je manipulerais le mécanisme, le coincerais probablement, je savais que pour moi loucher ou viser c'était du pareil au même.

Il y avait une clôture en bois sur laquelle nous avons aligné des canettes que nous avons dégommées, et encore aligné des canettes que nous avons dégommées. Cappy a fait tomber la première sans bavure, en me montrant bien comment, mais je n'ai pas réussi à toucher une seule de celles qui restaient. Je devais être l'unique garçon sur toute la réserve qui ne savait pas tirer à la carabine. Mon père ne s'en était pas soucié, mais Whitey avait tenté de m'apprendre. J'étais nul, et voilà. Je ne savais pas viser.

Heureusement que t'es pas un Indien du temps jadis. T'aurais crevé de faim, a remarqué Cappy.

J'ai peut-être besoin de lunettes. J'étais découragé.

Tu devrais peut-être fermer un œil.

C'est ce que je fais.

L'autre œil.

Les deux yeux ?

Ouais, tu t'en sortirais peut-être mieux.

J'en ai touché trois sur dix. J'ai tiré jusqu'à ce que nous ayons utilisé presque toutes les cartouches, qui coûtaient cher, un vrai problème comme l'a souligné Cappy. Nous ne pouvions raconter à personne que je m'entraînais. Il ne pouvait pas demander des munitions à Doe sans expliquer pourquoi. Nous avons aussi décidé que je ne devrais m'entraîner que lorsqu'il n'y aurait personne chez eux. En fait, Cappy a dit qu'il fallait que nous trouvions un endroit plus isolé pour que je m'entraîne – nous pourrions aller deux prés plus loin et être hors de vue, sauf qu'on nous entendrait quand même.

Il faut malgré tout qu'on trouve de l'argent, qu'on fasse du stop pour aller à Hoopdance, ou que quelqu'un nous y emmène. Nous irons à la quincaillerie et j'achèterai les cartouches.

Non, ai-je protesté, c'est moi qui devrais y aller.

Alors nous avons discutaillé jusqu'à ce qu'il soit temps que je parte. J'avais des horaires stricts – ma mère m'avait prévenu qu'elle enverrait la police à ma recherche si je n'étais pas rentré à six heures.

La police ?

Façon de parler, avait-elle reconnu. Peut-être oncle Edward. Tu ne voudrais pas qu'il parte à ta recherche, dis ?

Non, je ne voulais pas qu'oncle Edward parte à ma recherche dans sa grosse voiture, roulant au pas, baissant sa vitre et interrogeant tous ceux qui étaient dehors. Je suis donc rentré à la maison. J'avais l'argent que m'avait laissé Sonja. Cent dollars cachés au fond de mon placard dans le dossier étiqueté DEVOIRS. Penser à Sonja c'était comme se flanquer un coup de poing sur un bleu. En rentrant à vélo, j'ai échafaudé un plan pour que ma mère me conduise à Hoopdance. Elle croyait encore que j'allais au catéchisme. Il me faudrait des cierges, qui sait. Ou des chaussures de ville pour être enfant de chœur.

Les chaussures, c'était bien trouvé. Le lendemain, après le travail, elle m'a emmené les acheter, ce que j'ai regretté à cause de l'argent gaspillé. Mais je suis entré dans le magasin de bricolage et articles de sport sur un simple prétexte, et elle a attendu dehors pendant que j'achetais quarante dollars de munitions pour la carabine de Doe. Le vendeur ne me connaissait pas et a examiné de près le gros billet. Moi, j'ai jeté un coup d'œil aux pots de peinture, aux ballons de basket et aux balles de base-ball, au coin golf, aux casiers de clous et aux rouleaux de fil de fer, au rayon conserves maison, aux pelles, aux râteaux, aux tronçonneuses, et j'ai remarqué des bidons à essence à vendre. Exactement comme celui que j'avais trouvé dans le lac.

Je crois que c'est bon, a dit le vendeur, en me rendant la monnaie.

Quand je suis ressorti, j'ai raconté à ma mère que j'avais acheté une surprise pour papa, qui était censé se la couler douce. En plus des cartouches, j'avais pris des mouches pour perches, le poisson que nous aimions le mieux pêcher. J'alignais les mensonges et tout ça me venait naturellement, comme autrefois l'honnêteté. Dans la voiture, sur le chemin du retour, j'ai compris que mes tricheries ne tiraient pas à conséquence puisque je poursuivais un but auquel dans ma tête je ne donnais pas le nom de vengeance, mais de justice.

Les Péchés qui Réclament Justice Devant Dieu.

Il se peut que je l'aie murmuré. J'étais dans une sorte de transe, les yeux fixés sur la route, imaginant tout l'entraînement qu'il me faudrait.

Qu'est-ce que tu as dit ?

Ma mère avait gardé ce côté tranchant. Elle se montrait protectrice envers mon père, ce qui lui conférait une ferme autorité, mais plus encore, il y avait ce qu'elle m'avait déclaré à Fargo quand elle avait reposé le hamburger. *Ce sera moi.* Non, pas question, ai-je pensé. Mais elle était aussi coupante qu'une lame, comme si pendant tout le temps où elle était restée couchée, abattue, dans sa chambre fermée, elle s'était en fait aiguisée. Et puis à Fargo nous avions parlé de papa, de ce que disaient les médecins. Ensemble nous avions soupesé faits et interrogations. Elle m'avait traité comme quelqu'un de plus vieux que mon âge, et cela aussi était resté. Elle voyait trop de choses, ne me manifestait plus la même patience conciliante. Elle avait cessé de me gâter. Ne riait jamais des trucs que je faisais. C'était comme si elle s'était attendue à ce que je sois devenu adulte pendant ces quelques semaines et n'ait désormais plus besoin d'elle. Si elle s'attendait à ce que j'agisse seul en suivant mon instinct, c'était exactement ce que je faisais. Mais j'avais encore besoin d'elle. J'avais eu besoin d'elle pour me conduire à Hoopdance. Non, j'avais besoin d'elle de façons qui n'étaient plus à ma portée. En revenant de Hoopdance, ce jour-là, après avoir marmonné cette expression sur les Péchés qui Réclament Justice, je lui ai demandé sans détour ce que mon père ne voulait pas demander. C'était puéril, mais adulte, aussi.

Maman, ai-je dit, pourquoi n'aurais-tu pas pu mentir ? Pourquoi n'aurais-tu pas pu raconter que le sac avait glissé ? Que tu as trébuché sur quelque chose, levé la main, retiré le sac, vu le sol ? Que tu savais où c'était arrivé ? Peu importait *où*, si tu avais simplement dit où.

Elle est restée silencieuse si longtemps que j'ai cru qu'elle ne répondrait pas. Je ne sentais pas de colère chez elle, pas d'embarras, rien qu'un moment de concentration.

J'aimerais bien savoir, a-t-elle fini par avouer, pourquoi je n'ai pas pu mentir. La semaine dernière, à l'hôpital, j'étais assise à regarder ton père et soudain j'aurais voulu avoir menti depuis le début. *J'aurais voulu avoir menti, Joe !* Mais je ne savais pas où cela s'était passé. Et ton père savait que je ne le savais pas. Et toi aussi, tu le savais. Je vous l'avais dit à tous les deux. Comment pouvais-je ensuite modifier mon histoire ? Commettre un parjure ? Et souviens-toi, je savais moi aussi que je ne le savais pas. Qu'adviendrait-il du sens que j'ai de mon identité ? Pourtant, si j'avais saisi tout ce qui résulterait du fait que je ne le savais pas, point par point ce qui s'est passé, qu'il serait libéré, qu'il aurait le culot malsain de se montrer, je l'aurais fait.

Je suis content de penser que tu l'aurais fait.

Elle a regardé droit devant elle.

De toute évidence, elle avait fini de parler. J'ai regardé la route devant nous, en pensant : Si tu avais menti, si tu avais modifié ton histoire, et alors. Tu es ma maman. Je t'aimerais. Papa t'aimerait. Tu as bien menti pour sauver Mayla et son bébé. Sans aucune difficulté. Si on pouvait poursuivre Linden Lark en justice, je n'aurais pas à mentir à cause des cartouches, ni à m'entraîner pour faire ce qu'il fallait que quelqu'un fasse. Et vite, avant que ma mère ne trouve sa façon de *l'en empêcher*. Il n'y avait personne d'autre qui puisse le faire. Je le voyais bien. Je n'avais que treize ans, et si jamais j'étais pris je ne serais soumis qu'à la justice des mineurs, sans oublier qu'il y avait visiblement des circonstances atténuantes. Mon avocat pourrait attirer l'attention sur mes bonnes notes et se servir de la réputation de gentil garçon que j'avais apparemment contractée. Pourtant, ce n'était pas que je voulais le faire, ni même que je pensais en être capable. J'étais un mauvais tireur et je le savais. Je risquais de ne pas beaucoup m'améliorer. Et puis, la réalité de la chose. Je ne laissais donc à aucun moment la totalité de l'affaire pénétrer dans ma tête. Je ne laissais qu'un seul élément, puis un autre, se mettre en place. Nous nous sommes tus de nouveau. Au bout d'un moment, j'ai pris conscience de l'élément suivant : Il faudrait que j'aille voir Linda Wishkob. Il faudrait que je sache, pour de bon, si son frère jouait encore au golf, et s'il avait plus ou moins un horaire habituel. Il faudrait que je trouve des bananes molles et tachées, ou que j'achète des bananes fermes et les laisse pourrir stratégiquement.

Trois jours d'entraînement au tir plus tard, j'ai débarqué au bureau de poste avec un sac de bananes que j'avais surveillées de près dans ma chambre. Elles étaient molles et tachées, mais pas noires.

Linda a lorgné par-dessus la balance de son guichet, ses yeux ronds luisaient. Et cet insupportable sourire de toutou. Je lui ai acheté six timbres pour Cappy et donné le sac de bananes. Elle l'a pris dans ses petites pattes potelées, et quand elle l'a ouvert son visage tout entier a rayonné comme si je lui avais offert un objet précieux.

C'est de la part de ta mère ?

Non, de la mienne.

Elle a rougi de plaisir et de surprise.

Elles sont parfaites, a-t-elle remarqué. Je ferai mes gâteaux en rentrant chez moi et les déposerai demain après le travail.

Je suis parti. L'erreur commise avec le père Travis m'avait appris qu'une politesse inhabituelle chez un garçon de mon âge éveillait aussitôt les soupçons. Je devrais garder le cap jusqu'à ce que le moment soit propice. Je devrais avoir plus d'une conversation, peut-être plusieurs conversations, avant d'oser caser une question ou deux sur le frère de Linda. Je me suis donc débrouillé pour être dans les parages, le lendemain à cinq heures, quand Linda a engagé sa voiture dans l'allée. J'ai regardé par la fenêtre et dit à papa : Voilà Linda. Je te parie mon billet qu'elle a du cake à la banane.

Tu as gagné, a-t-il répondu, sans lever les yeux.

Il buvait de l'eau à petites gorgées en lisant le *Fargo Forum* de la veille. Maman est descendue au rez-de-chaussée. Elle portait un pantalon noir et un tee-shirt rose. Sa chevelure était mousseuse et colorée d'un noir luisant. Elle portait des boucles d'oreilles en perles noires et roses et ses pieds étaient nus. J'ai vu qu'elle avait passé du vernis rose sur les ongles de ses orteils. Il y avait les couleurs subtiles du maquillage – ses traits plus impressionnants. Et la délicate lotion au citron, quand elle est passée devant moi. Je me suis approché d'elle. Me suis tenu dans son dos quand elle a ouvert la porte et accepté l'habituelle brique en alu. Elle se mettait sur son trente et un pour papa. Je n'étais pas assez bête pour ne pas m'en apercevoir. Elle était jolie pour qu'il garde le moral. Linda est entrée, s'est assise au salon, et papa a posé son journal.

Joe, voilà un autre cake pour toi. Elle a sorti une autre brique du sac. Elle ne m'a pas remercié devant mes parents pour les bananes, ce qui m'a étonné. La plupart des adultes pensent que tout ce que fait un jeune doit être connu de tous. Ils se vantent du moindre geste d'un garçon. J'avais été prêt à minimiser le fait d'avoir donné les bananes, mais Linda ne m'a pas mis dans cette situation. En revanche, elle a entamé les parlotes sur le temps avec mon père. Tout comme l'autre fois, ils ont ressorti leur éternel sujet bourré de lieux communs. Fatalement, maman s'est repliée à la cuisine pour préparer le thé et découper le cake. J'ai décidé de tenter un stratagème tout à fait différent, et je me suis assis en face d'eux sur le canapé. Tôt ou tard, ils traverseraient pesamment l'atmosphère et diraient un truc important. Ou papa s'en irait et je pourrais parler du golf. Ils discutaient pluie : combien de millimètres et dans quel comté, et si nous verrions tomber la grêle. Ils en étaient arrivés aux averses de grêle qu'ils avaient vues et aux diverses formes de dégâts qu'elles provoquaient, quand j'ai bâillé, je me suis allongé et j'ai fermé les yeux. J'ai fait semblant de tomber dans un sommeil profond et sans faille, en me contractant une fois et puis en respirant avec une régularité si totale que j'étais certain qu'ils seraient convaincus. Je me suis laissé devenir flasque et lourd. Ils parlaient de grêlons gros comme des balles de golf, parfaitement ronds comme des petits pois, de grêlons qui trouaient les bardeaux des toits telle une volée de plombs. Le canapé était large, les coussins mous. Je me suis réveillé une heure plus tard. Maman m'appelait d'une voix douce, assise sur le bord du canapé, en me tapotant le tibia. Comme cela arrive parfois quand on sort lentement d'un sommeil imprévu, je n'ai pas su exactement où j'étais. J'ai gardé les yeux clos. La voix de ma mère et la sensation d'enfance qu'a suscitée sa main me caressant la cheville, c'était toujours ainsi qu'elle m'avait réveillé, m'ont rempli de paix. J'ai laissé ma conscience s'enfoncer vers une cachette encore plus jeune où rien ne pouvait m'atteindre.

Quand j'ai vraiment fini par me réveiller, tout était obscur, la maison silencieuse. Pearl haletait dans son sommeil, lovée sur le tapis tressé ovale, à l'autre bout de la pièce. On avait jeté sur moi une couverture au crochet. Je l'avais repoussée et j'avais froid. J'avais manqué le dîner et j'avais faim, je me suis donc enroulé dans la couverture et suis allé à pas feutrés à la cuisine. Pearl s'est levée et m'a suivi. Une assiette couverte de papier alu miroitait sur la table. C'était de nouveau la pleine lune et la cuisine vibrait d'une pâle énergie. Maintenant que j'ai pas mal vécu, je comprends ce qui m'est arrivé à la cuisine, cette nuit-là, et pourquoi c'est arrivé quand c'est arrivé. Pendant mon sommeil j'avais baissé ma garde. Les pensées qui protégeaient mes pensées s'étaient évanouies. Il ne me restait que mes vraies pensées. La conscience de ce que j'avais prévu de faire. Accompagnant ces pensées est venue la peur. Je n'avais encore jamais eu vraiment peur, pas pour moi. Pour ma mère et mon père, oui, mais cette peur avait été partagée et immédiate, non pas secrète. Et mes pires terreurs de perdre les miens ne s'étaient pas concrétisées. Quoique amochés, mes parents dormaient au premier, dans la même chambre, le même lit. Je comprenais pourtant que leur paix était provisoire. Lark réapparaîtrait. À moins qu'on ne trouve Mayla morte, ou qu'elle débarque vivante et porte plainte pour enlèvement, il était libre d'aller et venir à sa guise.

Je devais faire ce que je devais faire. Cet acte était devant moi. Dans l'étrange lumière, une sensation d'affolement m'a à ce point submergé que les larmes me sont montées aux yeux et qu'un seul son étranglé, un sanglot peut-être, un déchirement de souffrance, a jailli de ma poitrine. J'ai croisé les poings dans les mailles du tricot et les ai pressés contre mon cœur. Je ne voulais pas laisser échapper le son. Je ne voulais pas donner une voix à ce bouillonnement de sensations. Mais j'étais nu et tout petit face à sa puissance. Je n'avais pas le choix. J'ai étouffé les sons que je produisais de sorte que je sois seul à les entendre sortir de mon corps, répugnants et étrangers. Je me suis allongé par terre, j'ai laissé la peur me recouvrir, et essayé de continuer à respirer pendant qu'elle me secouait comme un chien secoue un rat.

Je suis resté sous l'influence de ce sortilège pendant peut-être une demi-heure, puis il s'est dissipé. Je n'avais pas su s'il se dissiperait ou non. J'avais contracté tout mon corps si violemment qu'il a été douloureux de lâcher prise. J'avais mal quand je me suis relevé, comme un vieil homme perclus de rhumatismes. Je suis monté me coucher à petits pas, en traînant les pieds. Pearl ne m'avait pas quitté un seul instant. Elle s'était blottie contre moi. Je l'ai gardée dans ma chambre. En sombrant dans un sommeil plus obscur, j'ai compris que j'avais appris quelque chose. Maintenant que je savais ce qu'était la peur, je savais aussi qu'elle n'était pas permanente. Aussi puissante fût-elle, l'emprise qu'elle avait sur moi se relâcherait. Elle passerait.

Je ne pouvais pas me servir des bananes une seconde fois, j'ai donc décidé de tomber par hasard sur Linda aux alentours de midi. Je savais que le plus souvent elle apportait son déjeuner au travail, mais s'offrait une fois par semaine ce que les femmes trouvaient toujours chez Mighty's – le bar à soupes et à salades. Je jetais tous les jours un coup d'œil à la devanture, ou bien j'entrais boire un soda au raisin. Le troisième jour, j'ai vu Linda s'approcher du café de sa joyeuse démarche de Tonka Chuck le camion parlant. Elle a fait un signe de la main à Bugger, qui était assis sur l'étroite bande d'herbe sale entre les deux bâtisses. Elle s'est arrêtée et lui a offert une cigarette. J'ai été étonné qu'elle fume, mais plus tard j'ai découvert qu'elle avait simplement un paquet sur elle pour filer une clope aux tapeurs. J'ai garé mon vélo là où je pourrais le voir et j'ai suivi Linda à l'intérieur. Évidemment, elle connaissait tout le monde et parlait à tout le monde. Elle ne m'a remarqué qu'une fois assise. J'ai fait semblant de l'apercevoir subitement. Elle a écarquillé les yeux, tout excitée.

Joe !

Je me suis approché et planté là en regardant autour de moi, avec l'air de chercher mes copains, jusqu'à ce qu'elle me demande si j'avais faim.

Un peu.

Alors assieds-toi.

Elle a commandé une corbeille de crevettes. Et puis sans rien me demander, encore une autre. Ce qu'il y avait de plus cher sur la carte. Et puis un café pour elle et un verre de lait pour moi parce que je grandissais à vue d'œil. J'ai haussé les épaules. Je me suis efforcé de paraître piégé, assis là à sa table.

Ne t'inquiète pas, a dit Linda. Quand tes copains s'amèneront tu pourras aller les rejoindre. Cela ne me dérangera pas.

Pfff, ai-je dit. Je ne pensais pas... en tout cas, merci. J'avais juste assez pour un soda. Vous prenez toujours les crevettes ?

Jamais ! Linda m'a lancé un regard pétillant de malice. C'est une sorte de cadeau. C'est un jour pas comme les autres, Joe. C'est mon anniversaire.

Je lui ai souhaité un joyeux anniversaire. Puis il m'est venu à l'idée que c'était aussi l'anniversaire de son frère jumeau. Pouvais-je parler de lui ? Ensuite je me suis souvenu d'un détail concernant sa naissance.

Ce n'était pas plutôt en hiver que vous êtes nés, tous les deux ?

Eh si, tu as bonne mémoire. Mais ce n'est que physiquement que je suis née ce jour-là, vois-tu. De la façon dont m'a vie a tourné, je suis née plusieurs autres fois. J'ai choisi une date parmi ces moments décisifs pour en faire mon anniversaire.

J'ai hoché la tête. Snow Goodchild a apporté nos boissons. J'entendais grésiller nos crevettes et nos frites. Tout à coup, j'ai eu très faim. J'étais content que Linda m'offre à déjeuner. J'ai oublié que je la détestais et me suis souvenu que j'avais bien aimé lui parler, qu'elle avait toujours adoré mes parents et que même maintenant elle cherchait à nous aider. Dans ma gorge le picotement de tension a disparu. Le moment propice viendrait pour les questions. J'ai bu une gorgée de lait froid et puis une gorgée d'eau froide dans les gobelets en plastique ondulé.

Quel jour avez-vous choisi ? Le jour où Betty vous a ramenée de l'hôpital ?

Non, j'ai choisi le jour où l'assistante sociale m'a ramenée à la maison pour la deuxième fois. Il était inscrit sur le calendrier de Betty. Elle ne marquait que ce qui sortait vraiment de l'ordinaire sur son calendrier. Alors, Joe, j'ai su qu'elle m'aimait.

Tant mieux, ai-je remarqué. Et puis je n'ai pas su quoi dire. Nous étions dans une conversation d'adultes et je ne pouvais pas aller plus loin. J'étais bloqué. Je m'attendais à ce que Linda me demande si mon été se passait bien ou si j'attendais impatiemment la rentrée des classes, comme le faisaient les adultes quand ils ne me demandaient pas des nouvelles de papa. Personne ne me demandait des nouvelles de ma mère, à proprement parler. Les gens se bornaient à un commentaire – j'ai vu ta mère se rendre à son bureau, ou j'ai vu ta mère à la station-service. Le conseil tribal avait averti Lark qu'il était exclu de la réserve, mais en réalité il n'y avait aucune façon de faire appliquer l'interdiction. Cela ne marcherait pas mieux que la persuasion. Quand les gens signalaient qu'ils avaient vu ma mère, c'était pour indiquer qu'ils gardaient un œil sur elle. Je pensais que Linda risquait de me faire ce type de commentaire. Mais elle m'a étonné.

Écoute, Joe. Il faut que je te l'avoue. Je regrette d'avoir sauvé la vie de mon frère. Je voudrais qu'il soit mort. Ça y est, je l'ai dit.

Je suis resté silencieux un moment, et puis j'ai lâché :
Moi aussi.

Linda a hoché la tête et regardé ses mains. Elle a de nouveau écarquillé les yeux. Joe, il dit qu'il va devenir riche. Il dit qu'il n'aura plus jamais besoin de travailler. Il dit qu'il est certain qu'il aura de l'argent à la banque, maintenant, et qu'il va réparer la maison et vivre ici pour toujours.

Ah ? J'avais le tournis à la pensée de Sonja.

Tout ça c'était dans un message téléphonique sur mon répondeur. Il a raconté qu'une femme lui donnerait ça en échange de quelque chose, et il a ri.

Non, elle ne lui donnera pas, ai-je assuré. Mes idées se sont éclaircies et j'ai vu la bouteille cassée sur la table de nuit de Sonja. J'ai vu l'expression sur son visage quand elle avait jeté par terre son cabas de Sonja la Rousse. Lark n'aurait pas prise sur elle.

Ce sont des histoires d'adultes, a remarqué Linda. Elles n'ont probablement aucun sens pour toi. Ça n'en a pas pour moi non plus, d'ailleurs.

Nos corbeilles de crevettes sont arrivées et elle a essayé de mettre du ketchup sur le bord. Elle a secoué la bouteille à deux mains comme un môme. Je lui ai pris la bouteille, j'ai donné un coup prudent sur le fond avec la paume, à la manière de mon père, et déposé sur l'assiette une giclure bien nette.

Oh, je n'y arrive jamais, a dit Linda.

C'est comme ça qu'on fait. J'ai mis du ketchup sur mon assiette. Linda a hoché la tête et expérimenté la technique.

On en apprend tous les jours, a-t-elle remarqué, et nous avons commencé à manger, en entassant les petites queues roses qui avaient l'air d'être en plastique autour de nos corbeilles.

Ce qu'elle avait raconté sur son frère était d'une telle complexité d'adultes que ça m'a dérouté. Ce n'était pas ainsi que j'avais prévu de parler de Linden Lark. Je ne savais pas si je pourrais supporter d'en apprendre davantage. Alors j'ai dit le truc le plus infaillible pour la détourner de son élan de sincérité.

Oh là là, ce qu'il fait chaud.

Mais elle n'a pas voulu se lancer sur le temps avec moi. Elle a hoché la tête, fermé les yeux, et fait, Mmmm, en mangeant ses crevettes d'anniversaire.

Vas-y doucement, Linda, s'est-elle recommandé. Elle a ri et s'est tapoté les lèvres avec sa serviette.

Il faut que je le fasse, ai-je songé.

O.K., ai-je dit, je pige pour votre frère. Ouais. Maintenant il pense qu'il sera un riche salopard. Mais, je me demandais, pourriez-vous m'indiquer quand il joue au golf ? S'il joue au golf ? Encore ?

Elle a gardé sa serviette sur ses lèvres et m'a observé en battant des paupières par-dessus le papier blanc.

C'est que, ai-je ajouté, j'ai besoin de le savoir parce que...

Je me suis fourré une poignée de frites dans la bouche, j'ai mâché et réfléchi comme un fou.

...parce que supposons que papa veuille jouer au golf ou un truc dans ce genre ? Je me disais que ça lui ferait du bien. On ne peut pas courir le risque que Lark soit là-bas, lui aussi.

Oh, mince alors, s'est écriée Linda. Elle a eu l'air paniqué. Je n'y avais jamais réfléchi, Joe. Je ne sais pas s'il y va souvent, mais en effet, Linden joue au golf et il aime y aller très tôt, juste après l'ouverture à sept heures du matin. Parce qu'il ne dort pas, ou presque. Ce n'est pas que je connaisse encore ses habitudes. Je devrais en parler à ton...

Non !

Et pourquoi ça ?

Nous étions pétrifiés, le regard fixe au-dessus de nos assiettes. Cette fois j'ai pris deux crevettes et les ai mangées l'une après l'autre, les sourcils froncés, et puis j'ai fait craquer la queue et mangé ce petit morceau-là aussi.

C'est un truc que je veux faire tout seul. Un truc entre un père et son fils. Une surprise. Oncle Edward a des clubs de golf. Je suis sûr qu'il nous laissera nous en servir. Nous irons là-bas. Juste papa et moi. C'est un truc que je veux faire. D'accord ?

Oh, mais certainement. C'est gentil, Joe.

J'ai mangé si vite, sous l'effet du soulagement, que j'ai fini toute l'assiette et même avalé quelques-unes des frites de Linda, et le reste de sa salade, avant de comprendre que j'avais tout ce qu'il me fallait – le renseignement, et un engagement de garder le secret. Qui ont produit en moi à la fois une sensation d'apaisement et le retour de cet affolement tourbillonnant.

Bugger est passé en flottant devant la vitrine. Il roulait sur mon vélo.

Il faut que j'y aille, ai-je annoncé à Linda. Merci, mais Bugger est en train de me voler mon vélo.

Je me suis précipité dehors et j'ai rattrapé Bugger, qui n'avait traversé que la moitié du parking. Il flânait, tranquille, et n'est pas descendu de vélo, il s'est contenté de me regarder de son œil de traviole. J'ai marché à côté de lui. En fait, cela ne me dérangeait pas de marcher parce que je ne me sentais pas très bien. J'avais tellement mangé, tellement vite, peut-être sur un estomac noué comme mon père disait que cela lui arrivait parfois. Et puis, tout compte fait, ces crevettes surgelées avaient parcouru deux ou trois mille kilomètres depuis leur point de départ pour atterrir dans mon assiette. J'avais dû camoufler les queues entassées sous une serviette pendant que Linda attendait l'addition. À présent, la marche semblait plus agréable que les cahots d'un vélo. Et puis je tenais à m'éloigner du monde, au cas où j'aurais besoin de vomir.

En marchant à côté de Bugger sous le soleil brûlant, j'ai commencé à me sentir mieux, et au bout d'un bon kilomètre ça allait bien. Bugger ne semblait pas avoir de destination logique à mes yeux.

Je peux avoir mon vélo, maintenant ?

Faut d'abord que j'aille quelque part.

Où ça ?

Faut que je voye si c'était juste un rêve.

Quoi qui était juste un rêve ?

Ce que j'ai vu était juste un rêve. Faut que je voye.

En tout cas, c'était le cas, ai-je dit. Vous vous êtes tiré en douce. Je peux avoir mon vélo ?

Bugger s'en allait trop loin de la ville, dans la direction opposée de chez Cappy. J'avais peur qu'il finisse par se déporter dans une voiture qui passait. Je l'ai donc convaincu de repartir en sens inverse en lui vantant Grand-mère Ignatia et ses généreux dons en nourriture.

C'est vrai. On finit par avoir faim à pédaler comme ça, a reconnu Bugger.

Nous sommes arrivés à la maison de retraite et il a laissé tomber le vélo devant moi. Il s'est éloigné en titubant comme un homme sous l'emprise d'une force magnétique. J'ai fait demi-tour et je suis reparti chez Cappy. Nous avions prévu de nous entraîner au tir, mais Randall était là, sorti tôt du travail il rafistolait sa parure de danse à la table de la cuisine. Les longues et élégantes plumes d'aigle étaient soigneusement déployées à partir du cercle où elles s'assemblaient, et il rajustait une plume détachée. Randall possédait un beau costume traditionnel de powwow, qu'il avait en grande partie hérité de son père, même si ses tantes avaient brodé sur les brassards et les tabliers de velours des motifs de fleurs en perles. Quand il était équipé de la tête aux pieds, il était magnifique. Toutes sortes d'éléments ordinaires et extraordinaires étaient entrés dans sa tenue de fête. Deux plumes géantes de queue d'aigle royal surmontaient son ornement de chevelure, une crête en piquants de porc-épic et poils de cerf. Stabilisées par des bouts d'une antenne de voiture, les plumes dansaient sur des ressorts de stylos bille. Les jarretelles élastiques de la vieille gaine d'une tante étaient recouvertes de peau de cerf sur laquelle étaient cousues des clochettes de chevilles. Il avait un bâton de danse soi-disant arraché à un guerrier dakota, qui en fait avait été fabriqué en atelier au pensionnat. D'où que proviennent les composants de sa tenue, tous étaient à présent bien adaptés à Randall, chaque plume fixée et consolidée à l'aide d'éclats de bois sculptés et de colle Elmer's, ses mocassins à semelles en peau de cerf ressemelés plusieurs fois. Randall gagnait parfois des prix en espèces, mais il dansait parce que Doe avait dansé, et aussi parce que ces trucs qui remuaient accrochaient drôlement bien le regard des filles. Il se préparait pour notre powwow d'été annuel, qui aurait lieu le week-end suivant. Doe serait comme d'habitude derrière le micro de l'animateur, à lancer des blagues et s'assurer que tout marchait, ainsi qu'il le disait toujours, comme sur des roulettes.

Hé viens, on va chercher des grands-pères pour la loge à sudation de Randall, a dit Cappy. Nous faisions toujours une offrande de tabac pour ces très vieilles pierres. Voilà pourquoi c'étaient des grands-pères. Nous n'étions pas toujours de ramassage de pierres. Nous préférions être les gardiens du feu, mais Randall avait promis que si Cappy arrivait à faire démarrer sa vieille bagnole indienne rouge, il aurait le droit de la conduire.

Il y avait sur leur terrain un endroit effondré, rempli de gravier, qui se remplissait d'eau au printemps et où l'on dénichait les bonnes pierres pourvu qu'on y traîne un peu. Il fallait toujours à Randall un nombre bien précis de pierres, imposé par le type de sudation qu'il donnerait. Nous tirions derrière nous une vieille luge en plastique pour les ramasser. Ça prenait du temps de les trouver. Elles ne devaient pas se fendre trop facilement, ni exploser une fois chauffées au rouge et aspergées d'eau dans la fosse de la loge à sudation. Elles devaient avoir une certaine taille pour permettre à Randall de les attraper sur notre pelle à l'aide de ses bois de cerf. Trouver vingt-huit grands-pères nécessitait un bon après-midi de travail, et la plupart du temps, surtout si Randall était pressé, nous allions sur les tas de pierres dans les champs hors de la réserve et chargions le pick-up de Doe. Mais cette fois nous avions besoin d'être seuls.

J'ai raconté à Cappy ce que Linda m'avait appris sur le golf matinal.

Cappy a donné des coups de pied par-ci par-là dans l'herbe et s'est penché pour déloger une pierre grise et arrondie.

Alors tu dois agir, a-t-il dit, avant que Lark ne change ses habitudes. Tu devrais prendre la carabine de Doe pendant que nous serons au powwow.

Rien qu'à l'idée de voler quelque chose à Doe, j'ai été pris d'un obscur sentiment d'angoisse et dans mon intestin les crevettes ont commencé à retrouver leur entrain. Mais Cappy avait raison.

Il faut que tu nous cambrioles samedi entre vingt et vingt-deux heures. Il se peut que Doe ou Randall aient besoin de revenir chercher quelque chose après la parade des drapeaux. Mais c'est sûr que Randall sera là-bas à marteler le sol de ses mocassins, pendant tout ce temps. Ou en train de brancher une fille. Et c'est certain que papa ne peut pas lâcher son micro. Alors tu entres, Joe. Et en fait je veux dire tu pénètres par effraction. Tu fous le bazar. Il faudra que tu attaques au pied-de-biche le placard où sont rangés les fusils. J'y ai réfléchi. Et vole ou fais semblant de voler deux ou trois autres trucs. Comme la télé.

Je ne peux pas la porter !

Débranche-la, c'est tout, et fais tomber le fourbi qui est posé dessus. Embarque le gros poste de Randall – non, il l'aura avec lui – prends la belle boîte à outils. Mais laisse tout ça éparpillé sur la galerie comme si une voiture qui passait t'avait fait déguerpir.

Ouais.

Et puis le fusil. Surtout prends le bon dans le placard. Je te montrerai.

O.K.

Et puis tu apportes deux ou trois grands sacs-poubelle noirs pour l'emballer, parce que tu vas le planquer.

Je ne peux pas le rapporter chez moi. Il faudra que je le planque ailleurs.

Là-haut, au point de vue, par exemple, dans les broussailles derrière le chêne, a suggéré Cappy.

Après avoir empilé les grands-pères à côté de la fosse où serait allumé le feu, nous avons passé le reste de l'après-midi à baliser le chemin que je prendrais et à décider d'une cachette que je pourrais retrouver dans le noir. La lune serait au dernier quartier, mais évidemment le ciel risquait d'être couvert. Nous voulions vérifier que je réussirais à tout faire sans me servir d'une lampe torche. Et aussi, il faudrait ensuite que je rejoigne le powwow – à cinq kilomètres de là – en passant par les champs et les pistes sans prendre mon vélo, pour que personne ne me voie. Ces deux dernières années, j'avais campé avec la famille de Cappy – un camping-car pour les tantes et une tente pour les hommes. Un feu. Randall qui se faufilait dans un tipi. Qui en ressortait en douce. Le réveil, le matin, à côté de lui, assommé, exhalant la vague odeur du parfum d'une fille. Mes parents s'attendaient à ce que j'y retourne cette année. Et même si cette fois ils disaient non, de toute façon je m'éclipserais. Il le fallait.

Les crevettes, ou un autre truc que j'avais mangé, me sont restées sur l'estomac toute la semaine. J'avais envie de vomir quand je regardais de la nourriture, et la tête me tournait quand je regardais ma mère ou mon père, donc je ne regardais personne et mangeais à peine. La plupart du temps, je roupillais. Je m'endormais comme si on m'avait assommé, et n'arrivais pas à me sortir du lit le matin. Un jour, en me réveillant, j'ai pris le bouquin que le père Travis m'avait donné. *Dune* était un gros livre de poche sur lequel trois silhouettes noires parcouraient un désert sous un rocher gigantesque. Je l'ai ouvert au hasard et j'ai lu un truc sur un garçon terriblement motivé. J'ai balancé le livre à l'autre bout de la pièce et l'y ai laissé. De longs mois après ce matin-là, je lirais ce livre, une fois, et puis une autre et encore une autre. C'est le seul livre que j'aie lu pendant toute une année. Ma mère a dit que ce devait être la puberté. Je l'ai entendue par hasard. Ou écoutée en cachette. Écouter aux portes était maintenant une habitude. Mon comportement venait de ce que j'avais besoin de savoir qu'il n'y avait pas d'autre solution, qu'il fallait que je le fasse. Si Lark déménageait, fichait le camp, était empoisonné comme un chien ou arrêté pour une raison ou pour une autre, je serais libre. Mais je ne comptais pas sur mes parents pour me dire la moindre chose là-dessus, il fallait donc que je me faufile derrière des portes, m'assoie sous des fenêtres ouvertes et écoute, sans jamais entendre ce que je voulais. Et bien sûr, le week-end du powwow est arrivé.

Papa et maman avaient accepté que je campe avec les garçons de Doe, comme ils disaient, et je me suis fait prendre en stop à l'arrière du pick-up de Randall, assis sur mon sac de couchage. Cinq dollars en poche pour manger. Randall roulait si vite sur la route gravillonnée que nos dents claquaient et que nous avons failli être éjectés, mais nous sommes arrivés à temps pour nous installer à notre place habituelle. La famille de Cappy garait toujours son camping-car du côté sud en limite du cercle de campement, tout au bord des prés non fauchés. À cette époque de l'année, le foin était en général bon à être recoupé. Debout à la lisière de l'herbe, je l'ai regardée remonter une pente douce en ondulant délicatement et en se séparant sans cesse telle une chevelure de femme. La famille aimait camper là pour échapper à ce que Suzette et Josey appelaient « les manigances ». Les sœurs de Doe étaient joviales et corpulentes. Elles participaient aux danses traditionnelles des femmes, et quand elles se préparaient dans leur petit camping-car il était secoué par leurs déplacements pesants et leurs éclats de rire. Leurs maris ne dansaient pas, mais aidaient à l'organisation et à la sécurité.

La première chose que nous avons faite en arrivant a été de descendre les chaises pliantes tressées de l'arrière du pick-up. Nous avons décidé où nous creuserions la fosse pour le feu, et avons disposé les chaises autour du trou. C'était important d'avoir un coin où les visiteurs pouvaient venir prendre un thé, ou boire du Kool-Aid sorti d'une des bouteilles thermos en plastique géantes que Suzette et Josey remplissaient avant de venir. Elles avaient aussi des glacières – l'une bourrée de sandwiches, de petits légumes au vinaigre, de bacs de haricots à la tomate et de salade de pommes de terre, de pain bannock, de jelly, de pommes sauvages, de gros blocs de fromage. L'autre glacière était pleine de hot-dogs et de lapin sauté froid. Bientôt, autour du campement les enfants mariés de Suzette et Josey ont commencé à s'arrêter dans leurs vieilles voitures surbaissées. Quand les portières se sont ouvertes, les petits-enfants en sont sortis en bondissant comme des Super-

Balles. Ils ont rassemblé d'autres gamins des campements voisins et sont passés dans l'aire de powwow en une tornade de cheveux tournoyants, de jambes lancées au grand galop et de bras allant et venant comme des pistons. De temps à autre, une annonce tombait du haut-parleur – ce n'étaient encore que des essais. Doe n'interviendrait pour de bon qu'à partir de midi. Il a répété l'accueil plusieurs fois et rappelé aux danseurs que la Grand Entry, le défilé d'ouverture, aurait lieu à treize heures.

Mettez vos chaussures de danse ! Sa voix de présentateur avait la douceur du sirop d'érable chaud. Il adorait dire Ah miséricorde, et puis sapristi, sacré nom d'un chien, et *Howah* ! Il adorait plaisanter. Ses plaisanteries étaient chaleureuses et lamentables.

Pas plus tard qu'hier un Blanc m'a demandé si j'étais un vrai Indien. Non, j'ai répondu, Christophe Colomb s'est planté. Les vrais Indiens sont en Inde. Moi, je suis un vrai Chippewa.

Chipé quoi ? Pourquoi n'avez-vous pas de nattes ?

On me les a chipées, je lui ai dit. Le mot d'autrefois pour nous c'est Anishinaabe, voyez-vous. *Eyyyy*. Des fois, y a un truc qu'on ne peut pas dire à une vraie Anishinaabe. Elle vous lance ce fameux regard et vous, vous devez *tout* lui dire. *Eyyyy*.

Doe passait des annonces pour les enfants égarés. *Papoose on the loose !* Galopin galopant ! Il y a ici un petit garçon qui cherche ses parents. N'aie pas peur, maman, quand tu viendras le récupérer, il n'est pas couvert de peintures de guerre. C'est seulement du ketchup et de la moutarde. Il s'est préparé à affronter le Cinquième de Cavalerie au stand de hot-dogs.

Lorsqu'il présentait les tambours, il passait de l'un à l'autre avec un bon mot pour chacun : Beartail, Enemy Wind, Green River. Les gradins ont commencé à se remplir et Suzette et Josey ont envoyé leurs maris installer des chaises pliantes en bordure de l'aire de danse, côté sud pour éviter le long et aveuglant éclat du soleil qui se coucherait, apparemment sans fin, jusqu'à la pleine nuit. Cappy et moi avons monté notre tente à auvent carré là où Randall pourrait s'habiller et se pomponner. Suzette et Josey adoraient entourer un danseur de prévenances et ne cessaient de nous demander, à Cappy et à moi, quand nous allions nous y mettre. Cappy avait dansé jusqu'à l'âge de dix ans.

Je te prépare un costume neuf pour la danse de l'herbe. Josey lui a agité son index sous le nez.

Cappy s'est contenté de lui sourire. Il ne disait jamais non à personne. Randall et lui avaient coupé de jeunes peupliers sur leur terrain, et nous avons bâti une tonnelle sous laquelle les tantines pourraient prendre le frais. La journée se réchauffait et leurs empiècements brodés de perles, les peaux tannées, les pectoraux en os et les châles en laine, les lourdes ceintures concha en argent, les ornements façonnés et toutes ces longues franges en cuir devaient peser une trentaine de kilos. Suzette et Josey étaient rondes mais d'une force phénoménale, elles pouvaient donc se déplacer avec dignité sous le poids de toute cette tradition, sans s'effondrer. Randall, en revanche, était à peine alourdi, mais il était couvert d'un si grand nombre de plumes que Cappy disait qu'il semblait s'être roulé dans une volée d'aigles. Il avait un caleçon-combinaison rouge agrémenté de tabliers ou de pagnes pendant à l'avant et à l'arrière.

Fais gaffe de placer ton panneau de modestie bien là où il faut, a dit Cappy. Tu voudrais pas que quelqu'un découvre ce que t'as pas.

Ferme-la, courte-queue, lui a répliqué Randall. Et toi, la crevette, ne t'avise même pas de commencer, m'a-t-il lancé.

Il a élevé un miroir devant son visage et a peint deux bandes noires du sommet de son front jusqu'à ses sourcils, puis il a continué sous les yeux et le long de ses joues. Les yeux de Randall sont soudain devenus des yeux impénétrables de guerrier. Il nous a lancé un regard furieux de sous son ornement de chevelure et ses plumes ondulantes.

Fais-nous tes yeux de braise, a demandé Cappy.

C'était ça, a répondu Randall. Observe un peu l'effet.

Il s'est avancé dans le soleil et a fait des étirements à côté de la caravane du vendeur de barbe à papa. Randall soutenait que son caleçon-combinaison rouge était traditionnel, mais Cappy et moi trouvions qu'il abîmait son image.

Une fille en dos nu de cuir a avancé le buste, s'écartant un peu de ses amies. Elle sirotait un soda à l'aide d'une paille et, la bouche en cœur, a regardé Randall répéter ses mouvements. Il a posé son pied sur l'attache de la caravane et forcé pour toucher ses orteils, comme s'il étirait les tendons de ses jarrets. Il l'a fait deux fois, et à la troisième il a lâché un pet. Il a essayé de s'éloigner d'un pas nonchalant, comme si de rien n'était. La fille a ri si fort qu'elle s'est étranglée et a recraché son soda.

Suis donc l'enseignement du maître, a dit Cappy. Quoi que fasse Randall, fais le contraire.

La famille d'Angus était là, se répandant hors d'une voiture et tout autour, nous sommes donc allés le prendre et chercher Zack. Quand nous avons été tous les quatre, il nous a fallu des galettes de pain frit, nous sommes partis nous ravitailler, et nous mangions à l'ombre des stands quand des filles de l'école se sont approchées de nous. Elles commençaient toujours par parler à Angus, puis à Zack, et enfin à moi, avant de se concentrer sur leur véritable cible, Cappy. Les filles de notre année avaient presque toutes pour prénom une variante de Shawn. Il y avait Shawna, Dawna, Shawnee, Dawnali, Shalana, et puis Dawn et Shawn tout court. Il y avait aussi une fille prénommée Margaret, comme sa grand-mère qui travaillait au bureau de poste. Je me suis retrouvé à parler avec Margaret. Dawn, Shawn et les autres avaient le visage dégagé, encadré de cheveux ondulés et laqués à mort, de l'ombre à paupières, du brillant à lèvres, deux paires de boucles à chaque oreille, des jeans moulants, des petits tee-shirts rayés et de scintillants colliers en argent. Encore aujourd'hui je taquine Margaret sur la tenue qu'elle portait à ce powwow – c'est parce que je me souviens du moindre détail, jusqu'au médaillon en argent qui renfermait non pas une photo de son amoureux, mais un portrait de son petit frère.

Ce que faisait Cappy pour attirer les filles, c'était simplement être Cappy. Il ne lançait pas de regards de braise comme Randall, il ne portait pas une seule plume. Il était vêtu comme d'habitude d'un tee-shirt délavé et d'un jean. Ses cheveux retombaient naturellement sur un œil, et il ne prenait pas la peine de les coincer derrière son oreille mais usait de ce fameux mouvement de tête. Autrement, il parlait, voilà tout, et nous faisait tous participer. Ce que j'ai remarqué, c'était qu'il posait aux filles des questions sur elles, plus ou moins à la manière d'un prof. Comment se passait leur été, ce que faisait leur famille. La conversation nous a mis à l'aise et nous avons marché autour de l'aire de danse, derrière les stands, les filles produisant leur petit effet, et nous ayant conscience qu'elles produisaient leur petit effet. Nous avons tourné plusieurs fois. Les filles ont acheté des barbes à papa. Elles en ont détaché pour nous de longues bandes pelucheuses. Nous avons bu des sodas et tenté d'écraser les canettes dans notre poing. Les festivités ont commencé. Les vétérans des forces armées sont arrivés portant le drapeau américain, le drapeau MIA-POW[1], le drapeau des Premières Nations, notre tradition-nel Eagle Staff, le bâton de commandement décoré de plumes d'aigle. Les premiers danseurs suivaient, et puis tous se sont mis en rang et ont pénétré sur l'aire de danse par catégories, jusqu'aux plus jeunes enfants, les *Tiny Tots*. Nous sommes restés perchés sur le gradin supérieur pour tout observer : les tambours, la synchronisation entraî-nante des cloches, les hochets, les sabots de cerf attachés aux chevilles et la musique scintillante des danseuses à clochettes. La Grand Entry me coupait toujours le souffle et me poussait à me trémousser avec les danseurs. C'était formidable, contagieux, provocateur, joyeux. Mais ce soir-là tout ce à quoi je pouvais penser, c'était comment attra-per mon sac à dos et m'éclipser.

Je suis parti en ligne droite, j'ai pris les sentiers dans les bois, traversé deux ou trois prés, coupé par les petites routes. Quand j'ai atteint la maison, il faisait encore jour. Le chien qui restait dehors a aboyé en me voyant, et m'a

---

1. MIA : *Missing In Action*, portés disparus. POW : *Prisoners Of War*, prisonniers de guerre (*N.d.T.*).

reconnu. Salut Fleck, ai-je dit, et il m'a léché la main. Nous avons attendu une demi-heure, derrière la remise, jusqu'au crépuscule. Ensuite j'ai attendu un moment, jusqu'à ce qu'il fasse vraiment sombre, et puis j'ai enfilé une paire de gants en cuir de ma mère, des gants bien ajustés, et je me suis approché de la porte de derrière armé du pied-de-biche que Cappy avait laissé dehors.

Lorsque j'ai forcé la porte, la chienne qui restait à l'intérieur a aboyé, mais elle a remué la queue au moment où je suis entré et m'a suivi jusqu'à la vitrine à fusils. Le verre qui a volé en éclats l'a surprise, pourtant elle a poussé un gémissement excité quand j'ai saisi l'arme. Elle a cru que nous partions à la chasse. Au lieu de ça, j'ai glissé les cartouches dans mon sac à dos, flanqué la pagaille sur la télé, éparpillé le contenu de la boîte à outils, et dit au revoir aux chiens. J'ai traversé la route et trouvé le chemin que Cappy et moi avions balisé. J'ai dû me servir de ma lampe torche, mais je l'ai éteinte quand une voiture a franchi la crête sur la route gravillonnée. En haut, près du point de vue, nous avions déjà creusé le trou. J'ai enveloppé la carabine et les cartouches bien serrées dans les sacs poubelle et j'ai enterré le tout, par-dessus j'ai éparpillé des feuilles, des broussailles, des branchages. Du moins à la lumière d'un dernier quartier de lune, l'endroit paraissait intact. J'ai bu un peu d'eau et je me suis remis en route vers le lieu du powwow. J'ai repris les mêmes sentiers, contourné les mêmes marais, emprunté les anciens chemins de terre, les pistes dans la forêt que quelques rares personnes nettoyaient encore pour aller faire leur bois. J'ai traversé un pré à chevaux d'où j'ai entendu les tambours, qui battaient toujours, accompagnant à cette heure le jeu des mocassins.

Les gens restaient debout toute la nuit à jouer et parier sous certaines tentes. Je suis retourné à la nôtre et j'ai tiré sur la fermeture Éclair de la moustiquaire. Cappy était réveillé. Randall parti. Cappy m'a demandé comment ça s'était passé.

En douceur, ai-je répondu. Je crois que ça s'est passé en douceur.

Bon, a-t-il dit. Nous étions allongés sur le dos, sans dormir. Doe devait maintenant être rentré chez lui et avoir découvert qu'on avait forcé sa porte, que sa carabine avait disparu. Il devait avoir appelé la police tribale du Bureau des Affaires indiennes. Il n'y avait aucun moyen qu'il sache que c'était moi. N'empêche, je ne savais pas comment je pourrais le regarder en face.

Les matins c'était toujours les meilleurs moments – se réveiller quand l'air frais passait sur les parois de toile. Sentir le café, le pain bannock, les œufs et les saucisses. Dehors, soleil et luzerne fraîchement coupée pour les chevaux. Suzette et Josey organisaient leur journée et nourrissaient leurs petits-enfants sur de minces assiettes en carton qui pliaient toujours ou se désintégraient sous le poids de la nourriture.

Ey ! Tiens. Mets une autre assiette en dessous, toi.

Les enfants partaient en arrondissant le dos au bord du pré et mangeaient au ras du sol. Chaque bouchée était bonne. Les sœurs avaient une cuisinière à gaz Coleman et une bouteille de propane. Elles passaient le bacon à la poêle et cuisaient le pain bannock dans la graisse. Leurs œufs brouillés étaient légers, mousseux, jamais brûlés. Le pain était grillé sur la plaque en fonte. Il y avait un bocal de confiture de baies d'amélanchier ouvert. Un autre de prunes sauvages. Elles savaient comment nourrir des garçons. Deux ou trois heures après le petit-déjeuner chaud, il y avait le petit-déjeuner froid – pastèque, céréales, pain bannock froid, beurre tendre et viande. Elles possédaient une magnifique cafetière en émail bleu moucheté, et une autre en inox, rien que pour le thé. Au campement, les chaises pliantes étaient toujours occupées par des hommes qui bavardaient, et le camping-car commençait à grouiller d'enfants jusqu'à ce que l'une des sœurs mette le holà et leur ferme la porte. Après le petit-déjeuner froid, les sœurs préparaient des piles de sandwiches, qu'elles cachaient dans la glacière sous la garde de leurs filles. Elles se retiraient dans le camping-car afin de se préparer à La Grand Entry du jour. Rien ne pouvait les déranger. Ni les supplications pour utiliser leurs toilettes, ni les hurlements de vengeance de garçons en train de se battre, ni la panique simulée de leurs filles. Le parfum de l'herbe douce qui brûlait s'échappait par les petites fenêtres battantes doublées de moustiquaires. Suzette et Josey prenaient leur costume de fête très au sérieux et veillaient à ce que tous les regards mauvais lancés par d'autres femmes, les pensées rancunières ou les coups d'œil critiques, soient chassés de l'étoffe et des perles grâce à la fumée. Et aussi leurs propres pensées, peut-être, car on savait que les yeux de leurs maris étaient baladeurs, bien qu'elles n'en aient eu aucune preuve. L'intérieur du véhicule, si astucieusement équipé de meubles de rangement et de lits pliants, de tiroirs, de placards, de coffres cachés, d'un W.C. minuscule, était mis en ordre et porté à la perfection. Quand elles sortaient, l'une d'elles cadenassait la porte fermée de l'extérieur et planquait la clé dans le sac à percuteur brodé de perles ou le fourreau à couteau suspendu à sa ceinture. Elles s'éloignaient de concert, leur chevelure arrangée en longues nattes entrelacées de peaux de vison, grise uniquement aux tempes. D'un pas majestueux, gracieux, elles entraient dans le flot des danseurs. Leurs franges en peau de daim se balançaient avec une précision de rêve. Tout le monde aimait les regarder, voir si elles seraient rejetées par le tourbillon de l'Intertribale, quand tout un chacun pénétrait sur l'aire de danse. Des petits garçons vêtus d'un demi-costume de danse de l'herbe singeaient les mouvements des grands garçons et venaient se cogner contre elles. Des petites filles, les yeux embués à force de concentration, bondissant en robe à clochettes derrière leurs sœurs très glamour, leur coupaient la route en sautillant. Suzette et Josey ne vacillaient pas. Elles se parlaient, éclataient de rire, ne rataient jamais une mesure ni ne rompaient le balancement régulier des franges qui pendaient à leurs manches, à leurs châles et à leurs empiècements.

Deux peaux par robe, a précisé Cappy. Et probablement une de plus rien que pour les franges. S'il arrivait qu'elles tombent l'une sur l'autre, elles se retrouveraient enchevêtrées sans jamais plus pouvoir se dégager.

Descendez donc de là, les spectateurs, a crié Doe, c'est l'Intertribale ! Posez les pieds par terre dans ce que vous portez – bottes, mocassins, et même sandales de hippies. C'est quoi, là ? Des Birkenstocks, me dit-on. Nous avons trouvé une Birkenstock devant la tente de Randall, hier soir. Ohhhh, oui. *Howah.*

Doe se moquait toujours de Randall et de ses copains à cause de leurs efforts continuels pour brancher des femmes.

Putain, s'est écrié Randall, dans notre dos. Hier soir des salauds nous ont cambriolés, et ils ont volé une des carabines de chasse de papa.

Ils ont embarqué autre chose ? a demandé Cappy. Il ne s'est pas retourné pour regarder Randall, mais a observé la danse d'un air sévère.

Nooon. Cette carabine refait surface, et moi j'assomme quelqu'un.

Comment prend-il ça, Doe ?

Il est furieux, Randall a haussé les épaules, mais pas tant que ça. Il dit que c'est bizarre qu'ils aient emporté rien que cette carabine. Y se peut bien qu'ils aient cherché à embarquer la télé, et fichu la boîte à outils par terre. Des amateurs. Pas trouvé une seule trace ni rien. Des camés.

Ouais, a dit Cappy.

Ouais, ai-je dit.

Ou bien les chiens faisaient pas leur boulot, ou bien ils connaissaient les coupables.

Ou p'têt que quelqu'un leur a balancé un bout de viande, a suggéré Cappy.

Randall a fait un bruit dégoûté. C'était pas sa carabine préférée, de toute façon. S'ils lui avaient pris sa préférée, il serait furieux.

Tant mieux, ai-je remarqué.

Je me sentais tellement déprimé, je voulais me faufiler sous les gradins et me terrer parmi les vieux mégots, les emballages fondus de cônes glacés, les couches sales roulées en boule et les mollards de tabac à chiquer.

À partir d'aujourd'hui on fermera mieux la maison, a dit Cappy.

Je rentre chez nous ce soir, a annoncé Randall. Dormir

sur le canapé avec mon fusil jusqu'à ce qu'on répare la porte.

Te fais pas sauter les roustons, a recommandé Cappy.

T'inquiète, roustons plats. Que les salopards débarquent pour finir le boulot, et ils vont le regretter.

L'homme, c'est toi, a reconnu Cappy. Il a flanqué une bourrade sur l'épaule de son frère et nous sommes partis en flânant. Nous avons tourné je ne sais combien de fois autour de l'aire de danse. Au bout d'un moment, il m'a aussi flanqué une bourrade sur l'épaule.

Tu as fait ça en douceur.

Je m'en veux quand même.

Mon frère, tu dois oublier, a dit Cappy. Il ne le saura jamais, et même s'il le savait, Doe comprendrait.

D'accord, ai-je dit au bout d'un moment, mais quand je le ferai, quand je ferai le reste, ce sera seul.

Cappy a soupiré.

Écoute, Cappy, ai-je repris, la voix rauque, presque dans un murmure. Je vais appeler ça par son nom. Un meurtre, en bonne justice peut-être. Mais un meurtre tout de même. Il a fallu que je me le répète dans ma tête un millier de fois avant de le dire à haute voix. Mais c'est ça. Et je peux me charger de ce type.

Cappy s'est arrêté. O.K., tu l'as dit. Mais ce n'est pas tout. Si jamais tu touchais cinq, non, trois canettes à la suite, rien qu'une fois, je dirais peut-être. Mais Joe...

Je m'approcherai de lui.

Il te verra. Pire, tu le verras. Tu as une seule chance, Joe. Je ne serai là que pour stabiliser ton esprit, ta ligne de visée. Je ne serai pas impliqué, Joe.

D'accord, ai-je répondu tout haut. Pas question, ai-je

pensé tout bas. J'avais décidé de ne pas dire à Cappy quel matin j'irais au point de vue. J'irais là-bas et je le ferais, voilà tout.

On prévoyait pour la première partie de cette semaine-là un temps clair et chaud. Linda avait précisé que son frère jouait tôt le matin, avant que personne d'autre ne soit dehors. Je me suis donc levé juste avant le point du jour et je suis descendu sans bruit au rez-de-chaussée. J'avais prévenu mes parents que je me remettais en forme pour le cross de l'automne – et effectivement, j'ai couru. J'ai couru sur les sentiers dans les bois où l'on ne me verrait pas. Je commençais à être doué pour longer les jardins et me servir des brise-vent pour me cacher. J'ai pris un bocal à cornichons rincé et rempli d'eau dans une main, et glissé une barre chocolatée dans la poche de ma chemise. J'ai vérifié que le caillou que m'avait donné Cappy était bien dans la poche de mon jean. Je portais une chemise écossaise marron sur un tee-shirt vert. Ce que je pouvais faire de mieux en manière de camouflage. Quand je suis arrivé au point de vue, j'ai raclé les branchages et les feuilles et les ai mis sur le côté. Ensuite j'ai ôté la terre de l'arme toujours enveloppée dans les sacs, et j'ai mis ça aussi sur le côté. J'ai déballé la carabine et je l'ai chargée. Mes doigts tremblaient. J'ai essayé les grandes respirations. Je me suis tordu les mains et j'ai apporté la carabine au pied du chêne, je me suis assis, et je l'ai tenue. J'ai posé le bocal d'eau à côté de moi. Et puis j'ai attendu. Je verrais n'importe quel golfeur sur le cinquième tee bien avant qu'il n'arrive à l'endroit où j'avais l'intention de tirer. Ensuite, pendant que Lark s'engagerait sur le fairway derrière un rideau de jeunes sapins, je descendrais de la colline avec la carabine et me cacherais derrière une ligne ondulante de taillis de merisiers et de négondos. De là, je viserais et attendrais qu'il arrive suffisamment près. Ce serait plus ou moins près suivant l'endroit où il frapperait la balle, le côté où elle roulerait, où il se placerait pour putter, et d'autres trucs. Il y avait de nombreuses variables. Tellement que je soupesais encore les possibilités quand, le soleil étant monté si haut dans le ciel, j'ai su que j'étais resté assis là pendant des heures. Lorsque le flot régulier des golfeurs a commencé, je me suis levé et j'ai déchargé la carabine. Je l'ai enveloppée dans son sac, j'ai roulé l'autre sac autour, je l'ai de nouveau enterrée et j'ai éparpillé les feuilles et les brindilles sur le sol. En rentrant chez moi, j'ai mangé la barre chocolatée et fourré le papier dans ma poche. Mon ventre avait cessé d'avoir des soubresauts. Ma tâche terminée pour la journée, je me sentais presque euphorique. J'ai fini l'eau et emporté le bocal vide sans penser à rien. J'ai regardé chaque arbre devant lequel je passais, et je me suis émerveillé de ses particularités et de sa vie. Je me suis arrêté pour observer deux chevaux qui broutaient dans le pré envahi de mauvaises herbes. Nés élégants. Quand je suis arrivé à la maison, j'étais si joyeux que ma mère m'a demandé ce qui me prenait. Je l'ai fait rire. J'ai mangé, mangé, mangé. Et puis je suis monté à l'étage, j'ai dormi pendant une heure et je me suis réveillé pris dans le même remous de terreur qui m'emportait à chaque réveil. Il faudrait que je recommence le lendemain matin. Et j'ai recommencé. Assis le dos contre le chêne, il y a eu des moments où j'ai oublié pourquoi j'étais là. Je me suis levé plusieurs fois pour partir, en me disant que j'étais fou. Et puis j'ai repensé à ma mère, sonnée et perdant son sang sur la banquette arrière de la voiture. À ma main sur ses cheveux. Ou à la façon dont sous sa couverture elle regardait fixement, comme du fond d'une grotte obscure. J'ai pensé à mon père, étendu impuissant sur le lino de la supérette. J'ai pensé au bidon d'essence au fond du lac, dans le rayon de la quincaillerie. J'ai pensé à d'autres trucs. Et j'ai été prêt. Mais il ne s'est pas montré ce mardi-là. Il ne s'est pas montré non plus le mercredi. Le jeudi on annonçait de la pluie, et j'ai pensé que je resterais peut-être à la maison.

J'y suis allé quand même. Une fois arrivé au point de vue, j'ai accompli tous les gestes qui étaient maintenant devenus routiniers. Je me suis assis sous le chêne, la carabine à la main, la sécurité engagée. L'eau à côté de moi. Le ciel était bas et couvert, et l'air sentait la pluie. J'étais là depuis peut-être une heure, à attendre que les nuages s'écartent, quand Lark s'est avancé sur le tee en tirant ses clubs derrière lui dans un vieux sac-chariot en toile couvert de taches. Il a disparu derrière la haie de sapins. La carabine calée au creux de mon bras comme me l'avait enseigné Cappy, j'ai descendu la colline. Je m'étais si souvent répété exactement quoi faire que j'ai d'abord cru que je m'en sortirais bien. J'ai trouvé l'endroit délimité en bordure des buissons où je pourrais me placer, presque caché. De là, je pourrais prendre ma mire et viser à peu près n'importe quel endroit où Lark risquait de se trouver sur le green. Du pouce, j'ai fait sauter la sécurité. J'ai avalé une goulée d'air et l'ai relâchée dans une forte expiration. J'ai tenu la carabine délicatement, comme je m'étais entraîné à le faire, et me suis efforcé de contrôler mon souffle. Pourtant chaque respiration se bloquait. Et voilà que Lark arrivait. Il a frappé la balle depuis une petite hauteur proche des sapins. Elle a décrit un arc de cercle et atterri à la lisière du cercle tondu, avec un rebond qui l'a encore rapprochée du trou d'environ un mètre. Lark est descendu d'un pas vif. L'odeur de minéraux commençait à sourdre de la terre. J'ai épaulé et je l'ai suivi du bout du canon. Il se tenait de profil, les yeux fixés sur sa balle, plissant les paupières, les ouvrant, les plissant de nouveau, parfaitement concentré. Il portait un pantalon beige foncé, des chaussures de golf, une casquette grise et un tee-shirt marron à manches courtes. Il était si près que j'arrivais à déchiffrer le logo de son épicerie disparue. Vinland. La balle a roulé et s'est arrêtée à une quinzaine de centimètres du trou. Lark allait la tapoter pour finir le trou, ai-je songé. Il se pencherait pour la récupérer. Quand il se redresserait, je tirerais.

Lark s'est avancé, et avant qu'il puisse tapoter la balle pour finir le trou, j'ai tiré sur le logo qui couvrait son cœur. Je l'ai touché autre part, peut-être au ventre, et il s'est effondré. Il y a eu un silence assourdissant. J'ai abaissé la carabine. Lark a roulé sur lui-même et s'est mis à genoux, s'est relevé en titubant, a retrouvé son équilibre et s'est mis à hurler. Le son était un cri aigu comme je n'en avais jamais entendu. J'ai ramené la carabine contre mon épaule, rechargé. Je tremblais si fort que j'ai posé le canon sur une branche, j'ai retenu mon souffle et tiré de nouveau. Impossible de dire où a fini ce coup-là. J'ai une fois de plus actionné la culasse, rechargé, visé, mais mon doigt a dérapé sur la détente – je n'ai pas pu tirer. Lark est tombé en avant. Il y a eu un autre silence. Mon visage ruisselait. Je me suis essuyé les yeux sur ma manche. Lark a recommencé à faire du bruit.

Non, pitié, non, pitié. J'ai cru entendre ces mots, d'ailleurs il se peut que je les aie prononcés. Lark cherchait à se relever une fois de plus. Il a agité un pied en l'air, a roulé sur le côté, s'est mis à genoux, puis accroupi. Il a plongé ses yeux dans les miens. Leur noirceur m'a violemment repoussé en arrière. On m'a ôté la carabine des bras. Cappy est passé devant moi. Je n'ai pas entendu le coup de feu. Tout bruit, tout mouvement, s'était immobilisé dans l'air lugubre. Mon cerveau tintait. Cappy a ramassé les douilles éjectées autour de mes pieds et les a fourrées dans les poches de son jean.

Allez, a-t-il dit, en me touchant le bras. En me faisant pivoter. On s'en va.

Je l'ai suivi en haut de la colline sous les premières gouttes de pluie.

11

L'Enfant

Arrivés au chêne, nous nous sommes retournés et nous avons regardé. En bas, Lark était étendu sur le dos, les clubs de golf attendant sagement d'être rangés dans leur chariot. Son putter jeté à ses pieds. Il n'avait pas bougé. À côté de moi, Cappy est tombé à genoux. Il s'est penché en avant jusqu'à ce que son front touche terre et a posé ses bras sur sa tête comme un enfant dans un exercice d'alerte à la tornade. Au bout d'un moment, il a relevé et secoué la tête. Nous avons remballé la carabine dans son sac et l'avons posée sur le côté pendant que nous tâchions de remettre en état le terrain où elle avait été enfouie. Cappy s'est servi d'une branche pour redresser l'herbe que j'avais piétinée.

Chez moi il n'y a personne, a-t-il dit. Faut qu'on cache ça. Il tenait la carabine.

Nous avons attendu qu'une voiture qui passait soit hors de vue avant de traverser la route. La pluie tombait à présent en fines gouttelettes. En arrivant chez Cappy, nous sommes allés droit au robinet de la cuisine. Nous nous sommes lavé les mains, aspergé la figure, et nous avons bu verre d'eau sur verre d'eau.

J'aurais dû réfléchir où la cacher, ai-je remarqué. Je ne sais pas pourquoi je n'y ai pas pensé.

Je ne sais pas pourquoi je n'y ai pas pensé non plus, a reconnu Cappy.

Il est allé fouiller sur la table basse encombrée jusqu'à ce qu'il trouve un trousseau de clés. Doe avait pris sa voiture pour aller travailler et Randall était parti dans son pick-up, mais il avait aussi la vieille Oldsmobile rouge délabrée que Cappy bricolait. Elle avait une portière noire côté conducteur et un pare-brise fendu. Nous sommes sortis, nous avons mis la carabine dans le coffre, et nous sommes montés à l'avant.

Le démarreur est nase, a prévenu Cappy.

Le truc a grincé la première fois qu'il a mis le contact. Il lui a envoyé une giclée d'essence. Le moteur a calé.

Il faut la prendre par surprise, a dit Cappy. Pendant que j'essaie de comprendre cette bagnole, toi réfléchis à où nous allons.

Je sais où nous allons.

Il a réessayé. Le moteur a failli démarrer.

Où est-ce qu'on va ?

Chez Linda. Dans la vieille ferme des Wishkob.

Nous nous sommes carrés sur les sièges, en regardant la remise par les deux moitiés du pare-brise.

C'est curieusement logique, a reconnu Cappy. Tout à coup il s'est penché en avant, a tourné la clé d'un geste brusque et appuyé plusieurs fois sur l'accélérateur.

Embraye, a-t-il dit. Le moteur a vrombi.

Il pleuvait des cordes, à présent. Cappy a ouvert sa vitre et tendu le cou pour regarder dehors tout en roulant.

L'essuie-glace fonctionnait du côté passager, mais pas du côté conducteur. Cappy conduisait au pas, sans se presser, comme un vieux bonhomme. La propriété des Wishkob se trouvait à l'autre bout de la réserve, dans les collines brunes couvertes d'herbe qui avaient l'air de dunes et n'étaient à peu près bonnes que pour le pâturage. C'était une vieille maison charmante entourée de lilas et de quelques chênes tordus, d'arbustes malmenés capables de supporter le grand vent. Sur la route nous avions peut-être croisé deux voitures, et il n'y avait eu personne pour nous voir tourner dans l'allée de Linda – l'endroit était isolé. Cappy a enclenché la position Parking et a laissé le moteur tourner parce qu'il ne savait pas s'il redémarrerait. Nous sommes descendus de voiture et nous avons contourné la maison pour décider où. À l'intérieur, le vieux chien de Linda s'est mis à lancer des aboiements asthmatiques. Nous avons fini par arracher un bout du treillis brun clair barrant le dessous de la galerie de devant. Je me suis faufilé par là et j'ai glissé l'arme aussi loin que j'ai pu. Nous nous sommes servis d'un démonte-pneu pour reclouer le treillis, et ensuite nous avons remarqué qu'il avait entièrement disparu de l'autre côté, là où le chien aimait dormir. Nous sommes remontés dans la voiture et repartis. Nous n'avons pas parlé. Cappy s'est arrêté pour me laisser descendre sur la route qui menait chez moi. Sur celle du haut qui sortait de la ville, nous avons vu la voiture de la police tribale rouler vers l'est, en direction du terrain de golf, la rampe lumineuse allumée. Pas de sirène.

Il est mort pour de bon, a dit Cappy.

Sinon, ils fonceraient.

Ils auraient branché la sirène.

Nous sommes restés dans la voiture, le moteur tournant au ralenti. Il crachinait à peine, maintenant.

Tu as sauvé ma peau, mon frère.

Mais non. Tu aurais descendu ce...

Cappy s'est arrêté. Par ici on ne dit pas de mal des morts, et Cappy s'est rattrapé.

Il serait mort de toute façon, ai-je assuré. Tu ne l'as pas tué. Tu n'y es pour rien.

Ouais. O.K.

Nous parlions sans émotion. Comme si nous discutions d'autres gens. Ou si ce que nous avions fait s'était simplement passé à la télévision. Mais j'avais la gorge nouée. Du bas de la main, Cappy s'est essuyé le visage.

Nous ne pouvons plus en parler après ça, a-t-il dit.

Affirmatif.

Est-ce que d'après ton père ce n'est pas de cette façon que les gens se font prendre ? En se vantant devant leurs copains ?

Ils se soûlent, ça ou autre chose.

Je me soûlerais volontiers, a reconnu Cappy.

À quoi ?

Le ralenti de la voiture a faibli et Cappy a appuyé tendrement sur l'accélérateur.

J'en sais rien. Randall a arrêté de picoler.

Je pourrais me raccommoder avec Whitey.

Ouais ? Cappy m'a jeté un coup d'œil.

J'ai hoché la tête et détourné les yeux.

Quand tu auras ramené la voiture...

Ouais.

Retrouve-moi à la station-service. Je vais aller lui parler.

Je suis descendu. Je me suis écarté, et puis j'ai tendu le

bras et de la paume j'ai donné une claque sur la vitre. Cappy a redémarré et je suis parti à pied sans me presser vers la station-service, j'ai laissé derrière moi la vieille école du Bureau des Affaires indiennes et le foyer municipal, l'unique panneau de stop et la maison de Clemence et Edward. Je suis passé sur la grand-route, descendu dans le fossé envahi de mauvaises herbes, et remonté. Le temps que j'arrive, la pluie avait complètement séché à part çà et là quelques taches sombres sur le gravier ou le ciment. Whitey, sur le seuil du garage, s'essuyait les mains dans le vieux chiffon graisseux. Il m'a observé un instant et puis a disparu dans l'ombre. Il est ressorti en balançant à bout de bras deux bouteilles de soda au raisin, fraîches et ouvertes. Je me suis approché et j'en ai pris une. Sa radio diffusait en grésillant des messages de la police. J'ai bu une gorgée de soda, qui a failli remonter.

Tu dois avoir l'estomac retourné, a remarqué Whitey. Il te faut un bout de pain.

Il est allé me chercher du pain de mie dans la glacière, et après en avoir mangé une tranche je me suis senti mieux. Nous nous sommes assis sur les chaises pliantes dans l'ombre du garage, là où Sonja et LaRose s'étaient assises il y avait, semblait-il, très longtemps.

Tu te rappelles, quand j'étais petit tu me faisais boire un coup de temps en temps ?

Et ce que ta mère pouvait détester ça. T'as faim ? T'as envie d'un steak spécial réserve ?

Pas encore, ai-je répondu. J'ai bu mon soda à petites gorgées.

Cette fois, il est bien descendu, a dit Whitey. Il

m'observait avec attention. Il a ouvert la bouche deux ou trois fois avant de parler.

Quelqu'un a buté Lark, a-t-il dit. Sur le terrain de golf. L'a bousillé comme un gamin qui tire dans une botte de foin. Et puis une balle dans la tête, sans bavure.

J'ai tenté de rester assis absolument immobile, mais je n'ai pas pu. Je me suis levé d'un bond et précipité derrière le garage. Je suis arrivé juste à temps. Whitey ne m'a pas suivi. Il servait un client quand je suis revenu. J'avais les genoux en coton et il me fallait la chaise pliante.

Je te mets au soda au gingembre, mon gars. Whitey est entré dans le magasin et en est ressorti une canette tiède à la main.

Celle-là était pas dans la glacière et elle devrait pas te faire mal au bide.

Je crois que j'ai la grippe d'été.

La grippe d'été. Elle circule. Tes copains aussi, ils l'ont attrapée ?

Je sais pas. J'les ai pas vus.

Whitey a hoché la tête et s'est assis à côté de moi.

J'ai écouté radio-flics. Celui qui a fait ça n'a pas laissé de traces, disait le type. Il n'y a rien sur quoi avancer. Personne a vu le truc. Personne n'a rien vu. Et puis il a tellement plu. Tu vas te remettre en vitesse de cette grippe. Mais tu devrais peut-être quand même t'allonger un peu, Joe. Il y a un petit lit de camp dans le bureau. Sonja y faisait la sieste, et elle recommencera. Elle rentre au bercail, Joe. Je te l'ai dit ?

Elle t'a appelé ? ai-je demandé, en le détestant.

Un peu ouais, qu'elle m'a appelé. Ça sera plus pareil, elle a dit, elle mènera la partie. Mais je m'en fous. Je m'en fous. Quoi que tu puisses en penser – il a détourné les yeux avec prudence – je suis fou amoureux de cette bonne femme. Tu comprends ? Elle va revenir avec moi, Joe.

Je suis entré dans le bureau et me suis allongé une bonne demi-heure sur le lit de camp. Il ne sentait pas Sonja. J'étais content car je ne l'aurais pas supporté. Quand je me suis levé et que je suis ressorti, Cappy n'avait toujours pas débarqué.

Maintenant je pourrais peut-être manger, mon oncle.

Whitey est allé à la glacière et en a sorti la mortadelle, du fromage et du pain. Il y avait une laitue iceberg là-dedans, et il a délicatement arraché trois feuilles vert clair qu'il a posées sur la viande avant de refermer le sandwich.

De la salade ? ai-je demandé.

Je suis dans un trip santé, moi.

Il m'a tendu le sandwich et s'en est préparé un. Et puis celui-là aussi, il me l'a donné.

Ton copain est là.

Cappy a passé la porte et je lui ai tendu le sandwich.

Nous sommes ressortis tous les trois et nous avons mangé assis sur les chaises pliantes.

Mon oncle, ai-je dit, on boirait bien un petit coup.

Il a fait disparaître tout son sandwich. Pas étonnant, a-t-il lancé, quand il n'y a plus rien eu. Mais si vous le dites à Geraldine ou à Doe, c'est le bougre de vieux con d'Indien que je suis qui va morfler. Plus toute future fourniture de bibine pour vous. Et faut me boire ça là-bas, sous les arbres derrière la station-service où je peux vous avoir à l'œil, vous deux.

Nous nous soumettrons à vos conditions, a lancé Cappy d'un ton solennel. Il avait le visage impassible.

Occupez-vous de la clientèle, a demandé Whitey. Il n'y avait personne en vue. Il est reparti ouvrir le coffre-fort où il gardait son whisky. Il a rapporté un demi-litre de Four Roses et l'a pointé vers les arbres. Cappy a pris la bouteille et l'a glissée sous sa chemise. Un client s'est arrêté. Whitey a fait un signe de la main et s'est avancé vers la voiture.

Est-ce qu'il sait ?

Je crois que oui. J'ai dégueulé quand il m'a parlé de Lark.

J'ai dégueulé en venant ici à vélo.

C'est la grippe d'été.

C'est un avis médical, Joe ?

Nous nous sommes regardés et avons tenté de sourire, mais en fait notre bouche s'est ouverte en grand. Notre visage a repris sa véritable expression.

Qu'est-ce qu'on est ? a demandé Cappy. Qu'est-ce qu'on est, maintenant ?

Je ne sais pas, mec. Je ne sais pas.

Viens, on va se désinfecter les boyaux.

C'est ça.

Sous les arbres il y avait quatre ou cinq parpaings, un fouillis de canettes écrasées, un rond de cendres. Nous nous sommes assis sur les parpaings et avons ouvert la bouteille. Cappy a avalé une gorgée prudente, puis me l'a passée. J'ai ingurgité une lampée cuisante que j'ai laissé descendre goutte à goutte. La brûlure s'est adoucie au fur et à mesure que l'alcool se propageait en moi, décoinçant ma poitrine par l'effet d'une chaleur lente, et relaxant mon ventre. Après la petite gorgée suivante, je me suis senti mieux. Tout paraissait ambré. J'ai pris ma première grande respiration.

Oh, ai-je fait, en inclinant la tête et repassant la bouteille à Cappy. Oh, oh, oh.

Oui ? a demandé Cappy.

Oh.

Il a bu plus longuement. J'ai ramassé une branche et raclé le sol pour écarter de la cendre les bouts de bois carbonisés et les gravillons tachetés, détruisant ainsi le cercle. Cappy a regardé bouger ma branche, et j'ai continué ainsi jusqu'à ce que nous ayons fini la bouteille. Ensuite nous nous sommes allongés dans les mauvaises herbes.

Mon frère, ai-je demandé, qu'est-ce qui t'a poussé à monter là-haut ?

J'y étais tout le temps, a répondu Cappy. Tous les matins. J'étais toujours là pour te prêter main-forte.

C'est bien ce que je pensais, ai-je dit. Et puis nous avons dormi.

Quand nous nous sommes réveillés, Whitey nous a forcés à nous rincer la bouche, à faire des gargarismes, et à avaler un autre sandwich.

File-moi ta chemise, Joe, a-t-il demandé. Laisse-la ici. Touche encore la bouteille. Toi aussi, Cappy.

Je lui ai donné ma chemise et je suis rentré à pied à la maison. Cappy avançait en roue libre à côté de moi. Nous ne nous sentions pas particulièrement soûls. Nous ne sentions rien. Mais nous zigzaguions d'un bord à l'autre de la route, incapables d'aller droit. Nous pensions que Zack et Angus devaient être en train de nous chercher.

On devrait rester tout le temps tous les quatre, maintenant, a dit Cappy.

On va continuer à s'entraîner au cross, le matin.

T'as raison.

Pearl est sortie de sous son buisson et m'a accompagné jusqu'à la maison. Avant de passer la porte, j'ai joué avec elle et me suis forcé à rire. Je l'ai fait entrer parce que je craignais que mes parents soient assis à la table de la cuisine à m'attendre, ce qui d'ailleurs était le cas. Quand j'ai ouvert la porte et que je les ai vus, je me suis penché, j'ai frotté le cou de Pearl et lui ai parlé. Je me suis redressé pour leur dire bonjour et j'ai laissé le sourire se détacher de mon visage.

Quoi ? ai-je demandé.

L'alcool de Whitey s'était installé en moi entre-temps, me séparant de celui que j'étais, disons, quand j'avais arraché ces jeunes plants d'arbres des fondations, quand j'avais pleuré devant la chambre de ma mère, quand j'avais regardé l'ange, mon *doodem*, passer sur mes murs qu'effleurait le soleil. Je me suis mis à genoux, le bras passé autour du cou de Pearl, sans tenir compte de l'interminable regard appuyé de mes parents. Je suis resté à l'autre bout de la pièce en espérant qu'ils ne sentiraient pas mon odeur, mais j'ai eu l'impression que ma mère jetait un coup d'œil à mon père.

Où étais-tu ? a-t-elle demandé.

Parti courir.

Toute la journée ?

Chez Whitey, aussi.

Un petit truc s'est détendu entre eux.

Tu faisais quoi ?

Je traînais dans le coin. Whitey nous a donné à déjeuner. À Cappy et à moi.

Ils voulaient tellement me croire que j'ai vu qu'ils étaient prêts à tout pour croire. Je n'avais qu'à rester convaincant. Ne pas craquer. Ne pas dégueuler.

Assieds-toi, fiston, a dit mon père. Pourtant, même si je me suis approché, je n'ai pas pris de chaise. Il m'a annoncé que Lark était mort. J'ai laissé tous mes sentiments passer sur mon visage.

Tant mieux, ai-je fini par dire.

Joe, a repris mon père, la main sur le menton, ses yeux fixés sur moi, un poids intolérable. Joe, sais-tu quelque chose, même la moindre petite chose, à ce sujet ?

Ce sujet ? Quel sujet ?

Il a été assassiné, Joe. Mais j'avais déjà employé ce mot-là. Je m'étais endurci. Je l'avais employé avec Cappy et je l'avais employé dans ma tête. Je m'étais préparé à répondre à cette question et à y répondre comme l'ancien Joe d'avant cet été y répondrait. J'ai parlé sur un ton puéril, dans un brusque emportement qui n'était pas simulé.

Mort ? Je voulais qu'il meure, O.K. ? Dans mes pensées. Si vous me dites qu'on l'a assassiné, alors je suis content. Il le méritait. Maman est libre, maintenant. Vous êtes libres. Le type qui l'a tué devrait avoir droit à une médaille.

D'accord, a dit mon père. Ça suffit. Il a repoussé sa chaise. Les yeux de ma mère n'ont pas quitté mon visage. Elle était déterminée à croire tout ce que je pourrais dire. Mais elle a tremblé des pieds à la tête, tout à coup. Une onde est passée sur son corps. Et le choc m'a atteint.

Elle voit l'assassin en moi, ai-je songé.

Pris de vertige, j'ai tendu la main vers Pearl, mais elle s'était glissée contre la jambe de mon père.

Je ne vais pas mentir. Je suis content qu'il soit mort. Je peux m'en aller, maintenant ?

Je suis passé devant eux et j'ai continué jusqu'à ce que j'arrive au pied de l'escalier. J'ai gravi prudemment les marches. Tout en montant, tiré au cœur de ma lassitude comme par une corde, j'ai senti leurs yeux posés sur moi. Je me suis souvenu que c'était déjà arrivé à un certain moment, et que c'était moi qui regardais. Je n'étais plus qu'à mi-chemin de ma chambre quand j'ai revu ma mère montant vers ce lieu de solitude d'où nous avions craint qu'elle ne redescende jamais.

Non, ai-je songé, en me fourrant au lit. J'ai Cappy et les autres. J'ai fait ce que j'avais à faire. Impossible de revenir en arrière. Et quoi qu'il arrive, je peux le supporter.

J'étais déprimé. J'étais malade pour de bon, à présent, j'avais la grippe d'été, exactement comme je l'avais prétendu. Whitey a répondu de nous. Quand d'abord Vince Madwesin, puis un autre policier tribal, et finalement l'agent Bjerke l'ont relancé, Whitey a lâché que nous avions tapé dans sa cache d'alcool et fini ivres morts derrière la station-service. Il leur a montré notre planque dans les mauvaises herbes, la bouteille qui portait des empreintes digitales, et ma chemise. Ma mère l'a identifiée comme étant celle qu'elle m'avait lavée pour que je la mette ce jour-là. Mais la carabine, la 30.06 de Doe... J'avais la fièvre, je passais des suées aux frissons et mes draps étaient trempés. Pendant que j'étais malade, j'ai regardé la lumière dorée passer sur mes murs. Je ne ressentais rien, pourtant mes pensées s'emballaient. Tout le temps, je ne cessais de revenir au jour où j'avais arraché les arbres des fondations de notre maison. Avec quelle force ces racines s'étaient accrochées. Elles avaient peut-être déchaussé les parpaings qui maintenaient notre maison debout. Et comme c'était drôle, curieux, qu'un truc puisse devenir tellement fort même quand il n'est pas planté là où il faut. Des idées aussi, je marmonnais. Des idées. La jurisprudence de papa, le Cohen, et puis ce plat brûlant. Je repensais aux nouilles noires. Les nouilles sont devenues une carcasse – l'humain, le bison, le corps soumis à la loi. Je me demandais comment ma mère avait contraint son esprit à réintégrer son corps, s'il l'avait bien réintégré, et si le mien s'enfuyait à présent à cause de ce que j'avais fait. Allais-je devenir un *wiindigoo* ? Contaminé par Lark ? Et il m'est passé par la tête qu'en arrachant ces arbres ce jour-là, des mois auparavant, j'étais malgré tout au paradis. Sans m'en rendre compte. Je n'avais rien su alors même que le mal se produisait. Je n'avais pas encore été touché. Penser a fini par m'épuiser. Je me suis retourné, le dos à la lumière, et j'ai dormi.

Papa, ai-je demandé, à un moment, quand il est entré dans la chambre. Est-ce que Linda est au courant ? Est-ce qu'elle va bien ?

Il m'avait apporté un verre du remède de Whitey – du soda au gingembre tiède.

Je ne sais pas, a-t-il répondu. Elle ne décroche pas le téléphone. Elle n'est pas au travail.

Il faut que je la voie, ai-je songé. Et puis j'ai de nouveau dormi comme une souche jusque tard le lendemain matin. Quand j'ai émergé de ce sommeil tout était clair. Je n'avais pas de fièvre, pas de nausée du tout. J'avais faim. Je me suis levé et j'ai pris une douche. J'ai enfilé des vêtements propres et puis je suis descendu. Les arbres au bout du jardin se balançaient et les feuilles présentaient leur revers argenté et terne. Je me suis fait couler un verre d'eau au robinet de l'évier et planté devant la fenêtre de la cuisine. Ma mère était dehors, à genoux dans la terre du jardin, une passoire à la main, elle cueillait les haricots verts que mon père et moi avions plantés tard dans la saison. Elle se laissait tomber et avançait parfois le long du rang à quatre pattes. Se rasseyait sur ses talons. Elle secouait un peu la passoire, pour tasser les haricots. C'est pour ça que je l'ai fait, ai-je songé. Et j'étais convaincu, à ce moment-là. Pour qu'elle puisse donner une petite secousse à sa passoire. Elle n'avait pas besoin de regarder derrière elle, ni de craindre qu'il s'approche d'elle par surprise. Elle pouvait ramasser ses haricots verts toute la journée, et personne n'allait l'embêter.

Je me suis servi un bol de céréales et j'y ai ajouté du lait. J'ai mangé lentement. C'était bon de sentir descendre les céréales. J'ai rincé mon bol et je suis sorti.

Ma mère s'est relevée et avancée vers moi. Elle a posé sa paume salie sur mon front.

Ta fièvre a disparu.

Je vais bien maintenant !

Tu devrais te détendre, rester à la maison et lire ou...

Je ne vais pas faire grand-chose. C'est juste que l'école reprend dans deux semaines. Je ne veux pas perdre un seul de mes derniers jours.

Je suppose qu'ils seraient vraiment perdus si tu restais ici avec moi. Elle n'était pas en colère, mais elle ne souriait pas.

Ce n'est pas ce que j'ai voulu dire. Je rentrerai tôt.

Ses yeux, l'un un peu plus triste que l'autre à cause de sa loucherie plongeante, sont passés gentiment sur moi. Elle a repoussé mes cheveux en arrière. J'ai regardé par-dessus son épaule et vu un bocal à cornichons vide posé sur la marche de la cuisine. Je me suis figé sur place. Le bocal. J'avais laissé le bocal sur la colline.

C'est quoi, ça ?

Elle a pivoté sur ses talons. Vince Madwesin est passé. Il m'a donné le bocal et m'a dit de le laver. Il a dit qu'il aimait mes cornichons au vinaigre. Je suppose que c'est un appel du pied. Elle s'est retournée vers moi et m'a regardé, d'un œil attentif, mais je n'ai pas changé d'expression.

Je me fais du souci pour toi, Joe.

C'est un moment sur lequel je m'attarde encore dans mes pensées. Elle, debout devant moi dans la débauche de végétation. La chaude odeur de terre de ses mains, une traînée de transpiration dans son cou, ses yeux inquisiteurs.

Whitey raconte que vous vous êtes soûlés, les garçons.

C'était une expérience, ai-je affirmé, et les résultats n'ont pas été concluants. J'ai perdu de bonnes journées de vacances à être malade, maman. Je crois que j'en ai fini de boire.

Elle a eu un rire de soulagement, qui s'est bloqué dans sa gorge. Elle a dit qu'elle m'aimait et je lui ai répondu en parlant dans ma barbe. J'ai regardé mes pieds.

Ça va, toi, maintenant ? ai-je demandé, à voix basse.

Mais oui, mon garçon. Je me sens en forme ; je suis rétablie. Tout va bien à présent, tout à fait bien. Elle s'est efforcée de me convaincre.

Au moins il est mort, maman. Il a payé, quoi qu'il en soit.

J'avais envie d'ajouter qu'il n'avait pas eu une mort facile, qu'il avait su pourquoi on le tuait, qu'il avait vu qui le tuait. Mais alors il aurait fallu que j'avoue que c'était moi.

Je n'ai pas pu la regarder en face et j'ai enfourché mon vélo. Je suis parti, son regard silencieux pesant lourd sur mon dos.

D'abord, j'ai pédalé jusqu'au bureau de poste. Il y avait un risque que je tombe sur papa si c'était l'heure du déjeuner, je voulais donc arriver discrètement avant midi et voir si Linda travaillait. Mais non. Margaret Nanapush, la grand-mère de la Margaret qui était dans ma classe, la fille du powwow que j'ai fini par épouser, m'a indiqué que Linda était en congé de maladie. À sa connaissance, Linda était chez elle. J'y suis donc allé.

J'étais suffisamment faible pour trouver le trajet interminable. De ce côté-là, en lisière de la réserve, le vent est vraiment cinglant. J'ai pédalé contre son souffle puissant pendant une bonne heure avant d'arriver à la route de Linda, et de virer finalement d'un grand coup de guidon dans son allée. La voiture de Linda était garée sous un auvent en bois. Elle conduisait, c'est surprenant à dire, une ravissante Mustang bleue. Je me suis souvenu qu'elle avait avoué adorer faire de la route. J'ai posé mon vélo contre sa galerie. Je suis *à bout de souffle*, ai-je remarqué tout haut, et j'aurais voulu que Cappy soit là pour rire de ma mauvaise astuce. Je me suis traîné jusqu'à la porte et j'ai frappé, en faisant trembler la moustiquaire mal fixée dans son cadre d'aluminium. Linda est apparue derrière.

Joe ! Tu es arrivé sans crier gare !

Elle a effleuré la moustiquaire et l'a regardée de travers. L'a secouée.

Faut que je répare ça. Entre, Joe.

Son chien s'est mis à aboyer, trop tard. Il a grimpé la colline ventre à terre en partant d'un champ situé sous la saillie inclinée tenant lieu de jardin sur laquelle se dressait la maison. Quand il est arrivé, il était pantelant – un vieux chien noir courtaud à la tête blanchie.

Buster, souris, a demandé Linda. Il a laissé pendre sa langue, en découvrant ses dents et en haletant de façon comique. J'ai repensé à ce qu'on m'avait dit, que les chiens ressemblent à leurs maîtres. C'était vrai. Linda l'a fait entrer en même temps que moi.

Je suppose que nous ne devrions pas rire, vu ce qui s'est passé, a-t-elle remarqué, en m'emmenant dans sa cuisine. Assieds-toi, Joe. Qu'est-ce que je peux t'offrir ? Elle a énuméré tout ce qu'elle avait. Toutes les combinaisons possibles en matière de boissons et de sandwiches. Je ne l'ai pas arrêtée. Finalement, Linda a reconnu qu'elle aimait beaucoup le sandwich à l'œuf au plat avec de la mayonnaise au raifort, et que si je choisissais celui-là, elle en préparerait pour nous deux. J'ai dit que ça avait l'air bon. Pendant qu'elle cuisait les œufs à la poêle, elle m'a proposé de jeter un coup d'œil et je suis donc allé faire un tour au salon où j'ai observé l'ordre étrange de sa maison. Chez nous, même si c'était assez bien rangé, il y avait toujours des piles de journaux et d'autres trucs intéressants ici et là. Ou des livres descendus des étagères. Tout n'était pas aussitôt débarrassé. Il pouvait y avoir une veste pendue au dossier d'une chaise. Nos chaussures n'étaient pas alignées près de la porte. La maison de Linda était dans un ordre

parfait d'une façon banale, mais aussi d'une façon qui m'a
dérouté jusqu'à ce que je comprenne pourquoi. Tout avait
un double, quoique pas identique. Sur son étagère étaient
disposés deux livres de chaque auteur, pas le même titre,
ou parfois un volume relié et son compagnon en édition de
poche. C'étaient surtout des romans sentimentaux historiques. Elle avait choisi des collections de bibelots allant
eux aussi deux par deux. Des figurines en verre des per-
sonnages de Disney, posées sur les tables basses de part et
d'autre du canapé et assorties par paires de différentes
couleurs, entouraient les lampes sur lesquelles elle avait
collé·des feuilles artificielles accordées selon le même principe. Il y avait des paniers d'osier suspendus au mur derrière la télévision. Chacun contenait à peu près le même
arrangement de graminées sèches et de graines décora-
tives. Elle avait aussi une maison de poupée victorienne à
pignons qui ne pouvait appartenir qu'à un adulte. J'avais
peur de regarder dedans mais je l'ai fait, et bien entendu
chaque pièce était entièrement meublée, jusqu'aux bougies minces comme des cure-dents et, à la salle de bains,
les deux brosses à dents et les deux tubes de dentifrice
microscopiques. J'en avais froid dans le dos, et nous
n'avions même pas encore parlé. Elle m'a rappelé à la cuisine et je suis entré, muet comme une carpe. Nous nous
sommes assis à sa table, qui était vieille et en bois balafré.
Au moins, c'était la seule table. Il n'y en avait pas d'autre
qui lui ressemble un peu. Elle l'avait recouverte d'une
nappe éclatante et avait sorti des assiettes et des verres.
Elle a servi du thé glacé. Le pain était grillé et crous-
tillant. Il y avait une assiette en plus. Je l'ai montrée du
doigt.

C'est pour quoi ?

Doe m'a dit, dans la loge à sudation, Joe, que puisque j'avais un esprit double auprès de moi, je devrais tout simplement lui faire bon accueil. J'ai installé ma maison pour deux personnes, vois-tu, et même pour les petits êtres des forêts. Quand je mange je mets toujours une assiette de plus, et je pose dessus un peu de ma nourriture.

Il y avait une croûte de pain sur l'assiette.

Les esprits ne mangent pas beaucoup ?

Pas celui-ci, a répondu Linda, très à l'aise.

Et soudain tout m'a paru fort bien ainsi. J'avais l'estomac dans les talons, comme cela arrive après une maladie. Une brusque faim de loup.

Linda a dévoré à belles dents, en levant un visage rayonnant vers moi, puis vers le sandwich. Elle a posé le pain barbouillé d'œuf d'un geste presque tendre, et s'est adressée à lui.

Est-ce un péché de me régaler de toi alors que mon jumeau gît dans une morgue ? Je ne sais pas, mais ce que tu peux être bon.

Ma gorge s'est serrée. L'autre sandwich a fait une boule dans ma gorge.

Tu l'aides à descendre avec du thé ?

Elle a reversé dans mon verre un peu du contenu d'une carafe en plastique dans laquelle dansaient des citrons coupés en morceaux et des glaçons.

Je n'ai pas pris un congé pour pleurer sa perte, comme tu t'en doutes, a-t-elle déclaré. Je l'ai pris pour d'autres raisons. J'avais encore droit à un congé de maladie alors j'ai pensé, hé, je vais employer ce temps-là pour remettre certains trucs en ordre.

Quels trucs ? J'ai songé à sa salle de séjour dupliquée avec soin, et puis j'ai compris qu'elle parlait de ses pensées.

Je te le dirai, a répondu Linda, si tu m'expliques pourquoi tu es venu.

J'ai posé mon sandwich, en regrettant de ne pas l'avoir englouti avant que nous en arrivions là.

Attends, s'est écriée Linda. Comme si elle avait lu dans mes pensées, elle a décrété que nous devrions manger d'abord et parler ensuite. Elle s'est excusée d'avoir été une piètre hôtesse. Puis elle a attrapé sa nourriture dans ses petites mains potelées aux ongles pointus fraîchement vernis, et m'a lancé un tel regard – c'était un joyeux pétillement, pourtant en même temps il évoquait la folie. J'ai mangé lentement, mais pour finir il a bien fallu que j'avale la dernière bouchée.

Linda s'est tapoté les lèvres avec sa serviette en papier et l'a pliée en carré.

Le terrain de golf, a-t-elle lancé. Tu m'as cuisinée pour avoir des renseignements. Elle a agité son index sous mon nez. Deux plus deux égale trois. Pourtant, j'ai décidé que tu es trop jeune pour ça. Peut-être que non, mais c'est ce que j'ai décidé. Ma théorie, c'est que tu as fourni le renseignement sur Linden qui jouait au golf à quelqu'un de plus âgé. Quelqu'un qui a la vue basse, pas ton père. Ton père est un très bon tireur.

Ah oui ?

C'était évidemment une grosse surprise pour moi.

Tout le monde le sait. Il abattait tout ce qu'il visait quand il était jeune. Les gamins ne connaissent pas le passé de leurs parents. Pour quelle raison es-tu venu ici ?

Est-ce que je peux vous faire confiance ?

Si tu as besoin de me le demander ? Non.

J'étais coincé. Cette étincelle de folie a réapparu et éclairé ses minuscules yeux ronds. Elle a paru sur le point d'éclater de rire. Au lieu de cela, elle s'est penchée vers moi et a jeté un regard autour d'elle comme si les murs cachaient des micros, puis elle a murmuré :

Je ferais absolument n'importe quoi pour ta famille. Je vous suis entièrement dévouée, les amis. Même si tu t'es servi de moi, Joe, et que tu veux quelque chose de moi maintenant. De quoi s'agit-il ?

À ce moment précis, j'ai cru que j'allais parler de la carabine. Mais je me suis entendu poser la question dont je savais qu'elle était sans réponse.

Pourquoi, Linda ? Pourquoi a-t-il fait ça ?

Je l'ai prise au dépourvu. Ses yeux lui sont sortis de la tête et se sont emplis de larmes. Mais elle a répondu. Elle a répondu avec l'air de penser que c'était d'une telle évidence que je ne devrais pas avoir besoin de poser la question.

Il détestait ta famille, enfin, surtout ton père. Mais Whitey et Sonja aussi. Son esprit était très tortueux, Joe. Il détestait ton père, mais il avait peur de lui. Il ne s'en serait pourtant pas pris à Geraldine, sauf qu'il est devenu un véritable monstre quand il s'est agi de Mayla. Lorsqu'elle a rempli ce formulaire dans le bureau de Geraldine, Mayla a désigné le vieux Yeltow comme étant le père de son enfant – à savoir qu'elle était tombée enceinte pendant qu'elle travaillait pour lui. Une lycéenne. De ce vieux coureur de jupons, pardonne-moi, elle a reçu une voiture pour rentrer chez elle, et un pot-de-vin pour se taire, pourtant elle a quand même insisté pour inscrire son bébé sur les registres tribaux. Linden travaillait pour le gouverneur, mais il était toujours jaloux, toujours possessif, malade, amoureux fou de Mayla. Il voulait s'enfuir avec elle grâce à cet argent, et là elle refuse de partager. Refuse de partir avec lui. Le déteste probablement, a peur de lui. Elle tente de demander son aide à Geraldine – donc maintenant toutes les deux connaissent la vérité. Tout cela le ronge. Il idolâtrait Yeltow. Il a peut-être cru que s'il récupérait ce dossier, il sauverait Yeltow. Ou peut-être ferait chanter Yeltow. Je l'imaginais capable de l'un comme de l'autre. Et bien sûr ta mère refusait de lui donner ce dossier. Pourtant s'il a fait cela à ta mère, c'est davantage une histoire d'homme qui a lâché la bride à son monstre. Tout le monde n'a pas de monstre, et la plupart de ceux qui en ont un le gardent sous clé. Mais j'ai vu le monstre qui était en mon frère il y a bien longtemps, à l'hôpital, et il m'a rendu malade à en mourir. Je savais qu'un jour il lui lâcherait la bride. Il rôderait avec une part de moi à l'intérieur. Oui. Je faisais moi aussi partie du monstre. J'ai donné, donné, mais tu sais ? Il avait toujours faim. Tu sais pourquoi ? Parce qu'il avait beau manger, il n'avait jamais ce qu'il voulait. Il avait toujours besoin de quelque chose. Quelque chose qui manquait aussi chez sa mère. Je vais te dire ce que c'était : moi. Mon esprit fort. Moi ! Sa mère ne pouvait regarder en face ce qu'elle avait fait à son bébé, mais plus encore : l'idée que ce qu'elle avait fait n'avait pu me détruire. Pourtant, a continué de ressasser Linda, elle a été capable de m'appeler après avoir demandé au médecin de me laisser mourir. Après toutes ces années. M'appeler et dire : *Bonjour, c'est ta mère.*

J'étais silencieux.

Et il n'arrivait pas à lâcher prise, a-t-elle fini par ajouter. Parce qu'il ne cessait de revenir, et de revenir encore, comme s'il *voulait* que son monstre soit tué, bien qu'une autre raison me soit apparue.

Laquelle ?

Il était inquiet pour Mayla. Je sais simplement qu'elle est quelque part sur la réserve. Il fallait tout le temps qu'il passe y jeter un coup d'œil, qu'il veille à ce qu'on ne la trouve pas.

Vous croyez qu'elle est vivante ?

Non.

Au bout d'un moment, l'effroi s'est insinué en moi. J'ai demandé : Est-ce que je suis comme lui ?

Non. Cette histoire te marquera. Ou, je veux dire, je ne sais trop qui. Cette histoire pourrait te briser. Ne la laisse pas te briser, Joe. Que pouvais-tu faire ? Ou que pouvait faire je ne sais trop qui ?

Elle a haussé les épaules. Moi, par contre, c'est autre chose. C'est moi qui ne suis pas si différente, Joe. C'est moi qui aurait dû l'abattre avec le vieux calibre 12 d'Albert. Encore que si cela n'avait tenu qu'à Linden, je crois qu'il aurait préféré être abattu à la carabine de chasse.

Ouais, c'est à propos de cette carabine, ai-je dit.

La carabine.

Elle est sous votre galerie. Pouvez-vous la cacher ? La sortir de la réserve ?

Elle m'a souri, à deux doigts de l'explosion, *folle*, ai-je pensé, mais alors elle s'est pudiquement mordu la lèvre et a battu des paupières.

Buster l'a déjà trouvée, Joe. Il sait quand quelque chose de nouveau entre sur son territoire. J'ai cru qu'il s'intéressait à une mouffette. Et puis j'ai regardé là-dessous et j'ai aperçu le bord de ce grand sac-poubelle noir.

Elle a vu mon saisissement.

Ne t'en fais pas, Joe. Tu veux savoir où j'ai été pendant mon congé de maladie ? À Pierre, chez mon frère Cedric. Il a suivi l'instruction militaire dans le Sud, à Fort Benning en Géorgie, et je te jure qu'il savait comment démonter cette carabine. Nous en avons jeté quelques morceaux dans les eaux du Missouri. Je suis revenue ici en faisant des zigzags dont je n'arrive même pas à me souvenir, par des petites routes, et j'ai balancé le reste dans des marais. Elle a levé ses paumes vides et déclaré : Dis à celui qui l'a fait de dormir sur ses deux oreilles. Ses yeux se sont voilés, sa mine s'est attendrie.

Ta maman ? Comment va-t-elle ?

Elle était dans le jardin, à cueillir des haricots verts. Elle a dit que ça allait bien, mais bon, elle n'a pas arrêté de le répéter pour que je la croie.

J'irai la voir. Je veux que tu lui donnes ça.

Linda a sorti quelque chose de sa poche et a tenu son poing au-dessus de ma main. Quand elle l'a ouvert, une petite vis noire en est tombée.

Dis-lui qu elle peut la garder dans sa boîte à bijoux. Ou l'enterrer. Comme elle voudra.

J'ai mis la vis dans ma poche.

À mi-chemin de la maison, poussé tout du long par le vent, l'habituelle brique congelée de cake à la banane enveloppée dans du papier alu m'engourdissant l'aisselle, j'ai évidemment compris que cette vis faisait partie de la carabine. Stabilisé par le vent, je n'ai pas eu besoin de m'arrêter ni de me servir du guidon. Je l'ai extirpée de ma poche et flanquée dans le fossé.

✵

Cette fois c'était la bouteille de Captain Jack's d'Angus volée au petit ami de sa mère avec une poignée de comprimés de Valium et un sac en plastique à moitié rempli de canettes de Blatz glacée.

Nous buvions en bordure du chantier. Après que les bulldozers paresseux et les Bobcats avaient arrêté de transbahuter d'un côté à l'autre toujours les mêmes tas de terre, la place était à nous. Certains jours ils ne touchaient pas à notre terrain de cross, et d'autres ils détruisaient notre travail. Nous n'avions pas la moindre idée de ce qui serait construit là. Il y avait toujours autant de terre.

Des grands travaux à l'échelle fédérale, a suggéré Zack.

Cappy a avalé la bière accompagnée d'un comprimé, s'est allongé sur le dos et a contemplé les feuilles. La lumière devenait dorée.

Ça, c'est le moment de la journée que je préfère, a-t-il remarqué. Il a sorti de la poche de sa chemise western une petite photo scolaire de Zelia format identité, et l'a portée à son front.

Chuuuut, ils sont en train de communiquer, a dit Angus.

Toi aussi, tu me manques, ma douce, a murmuré Cappy, au bout d'un petit moment. Il a remis la photo dans sa poche, a poussé sur les boutons-pression en nacre, et s'est tapoté le cœur.

C'est un bel amour, ai-je reconnu. Je me suis tourné sur le côté, j'ai pris appui sur la terre et j'ai un peu vomi. J'ai enterré le dégueulis. Personne n'a rien remarqué. J'ai marmonné : Un bel amour, ça ne me déplairait pas.

Cappy m'a tendu une brochure. Sa dernière lettre, mec. Elle parlait du Ravissement. C'était dedans. Cappy a souri vers le ciel.

J'ai regardé la brochure sans détourner les yeux, en lisant les mots plusieurs fois pour comprendre leur sens.

Ravissement, ouais mec, a fait Zack.

Pas ce genre de ravissement, a dit Cappy. C'est un décollage de masse. Il n'y a qu'un certain nombre de gens qui peuvent y aller. Il semblerait qu'ils ne prennent pas les catholiques, Zelia et sa famille envisagent donc de se convertir avant la Tribulation. Elle veut que je me convertisse en même temps qu'eux pour que nous soyons ravis ensemble.

Stairway to Heaven, L'Escalier du paradis de Led Zeppelin, a dit Zack en rigolant.

Ravis en bloc, ai-je dit. En bloc. Mon cerveau s'était mis à fonctionner en boucle, et je devais forcer ma bouche à cesser de répéter tout ce que je pensais cinquante fois de suite.

Je ne crois pas que vous y arriverez, vous deux, a remarqué Angus, d'un ton rêveur. Vous, les gars, vous ne pouvez plus entrer à cause de cette souillure mortelle.

J'ai eu l'impression d'une chandelle de glace plantée dans mes pensées. Le sujet n'avait pas été abordé entre nous. Nous n'avions pas parlé tous les quatre de la mort de Lark. Le froid s'est propagé. J'avais l'esprit clair, mais le reste de mon corps se sentait simplement trop à l'aise. Cappy a géré la situation et dissipé ma peur, comme d'habitude.

Starboy, a-t-il dit, en tendant la main. Angus la lui a serrée fraternellement. La vérité c'est qu'aucun de nous ne sera admis. On n'est accepté que si on ne boit pas.

Toute sa vie ? a demandé Angus.

Toute sa vie, Starboy, a répondu Cappy. On ne peut pas faillir, même une seule fois.

Ah, a dit Angus, on est baisés. Toute ma famille est baisée. Pas de ravissement.

On n'a pas besoin de ravissement, a assuré Zack. On a la confession. Dis tes péchés au père et tu es lavé.

C'est ce que j'ai fait, a répondu Cappy. Le père a cherché à m'assommer.

Nous avons tous rigolé et parlé un moment de la course-poursuite de Cappy. Et puis le silence est revenu et nous avons regardé les feuilles qui dansaient.

Zelia s'est probablement confessée chez elle, a dit Cappy, au bout d'un moment. Zelia a probablement été lavée.

À moins qu'elle ne soit enceinte. Je n'avais pas eu l'intention de lâcher ce genre de truc, mais je n'ai pas pu stopper la citation de *Star Wars* : Luke, à cette vitesse tu crois que tu pourras sortir de là à temps ?

Si seulement je m'en étais gardé, a répondu Cappy. Si seulement elle l'était, enceinte. Alors il faudrait qu'on se marie.

Tu as treize ans, lui ai-je rappelé.

Zelia a dit que Roméo et Juliette aussi.

J'ai horreur de ce film, a dit Zack.

Angus dormait, son souffle stridulait sur un rythme régulier, à la manière d'une cigale.

Manger. Ma voix de nouveau. Mais les autres dormaient. Je me suis levé au bout d'un moment parce que quelqu'un geignait. C'était Cappy. Il pleurait, le cœur brisé, puis rempli d'effroi, en criant je vous en prie, non, dans son sommeil. Je lui ai secoué le bras et il est passé à un autre rêve.

J'ai veillé sur lui jusqu'à ce qu'il semble plus paisible. Je les ai laissés endormis et je suis rentré chez moi à vélo en tanguant, mais lorsque je suis arrivé dans la cour la place sous le buisson de Pearl paraissait tellement confortable que je me suis faufilé à côté d'elle parmi les feuilles sombres, et j'ai dormi jusqu'à ce que le soleil décline. Je me suis réveillé, l'esprit clair, et j'ai passé la porte de la cuisine.

Joe ? Où t'étais ? a crié maman depuis l'autre pièce. J'ai senti qu'elle m'avait attendu pendant tout ce temps.

J'ai attrapé un verre et je me suis versé du lait que j'ai avalé d'un trait.

Je faisais du vélo dans le coin.

Tu as raté le dîner. Je peux te faire réchauffer des spaghettis.

Mais j'étais déjà en train de les manger froids, directement dans le frigo. Maman est entrée et m'a poussé sur le côté.

Peux-tu au moins les mettre dans une assiette ? Joe, est-ce que tu as fumé ? Tu empestes la cigarette.

Les autres, pas moi.

La même vieille excuse que je donnais à mes parents.

J'aime les spaghettis froids.

Elle m'a préparé une assiette et m'a supplié de ne pas fumer.

Je ne le ferai plus, c'est promis.

Elle s'est assise et m'a regardé manger.

Il y a quelque chose que je voulais te dire ce matin, Joe. Tu as crié dans ton sommeil la nuit dernière. Tu as hurlé.

Ah bon ?

Je me suis levée et je suis venue à ta porte. Tu parlais à Cappy.

Qu'est-ce que j'ai dit ?

Je n'ai pas saisi ce que tu disais. Mais tu as crié le nom de Cappy deux fois.

J'ai continué à manger. C'est mon meilleur copain, maman. Il est comme un frère pour moi.

J'ai pensé à lui qui pleurait en dormant sur le chantier, et j'ai posé ma fourchette. Je voulais quitter notre maison, aller le retrouver. J'ai eu le sentiment que je n'aurais pas dû le laisser endormi. Le rai de lumière sous la porte de mon père s'est élargi, papa est sorti et s'est assis à la table avec nous. Il avait cessé de boire du café de l'aube au crépuscule, et encore jusqu'au beau milieu de la nuit. Ma mère lui a donné un verre d'eau. Il était bien rasé, plus jamais en robe de chambre. Il continuait à travailler mais à un rythme réduit.

J'ai commencé aujourd'hui, Joe.

Commencé quoi ? J'étais encore distrait. Si je téléphonais chez Cappy, il pourrait peut-être se faire accompagner ici en voiture et rester dormir. Nous serions ensemble dans le noir. Mon père a continué à parler.

J'ai commencé ma cure de marche, sur la piste du lycée. Ça fera un petit kilomètre. J'irai tous les jours. Et toi aussi tu seras là en train de courir. Je suppose que tu prendras quelques tours d'avance sur moi.

Ma mère a tendu le bras et lui a pris la main. Il l'a posée à plat sur les doigts de maman et a effleuré son alliance.

Elle refuse de me laisser y aller seul, a-t-il dit, en la regardant. Oh Geraldine !

Ils étaient tous les deux plus maigres, et les rides aux coins de leur bouche s'étaient creusées. Mais le pli aigu entre les sourcils de ma mère avait disparu, à présent. Je leur avais évité de vivre sous le voile de la peur. J'aurais dû être heureux de les voir ainsi de l'autre côté de la table, mais non, j'étais exaspéré par leur ignorance. Comme si j'étais l'adulte et eux deux qui se tenaient par la main, les enfants insouciants. Ils n'avaient pas idée de ce que j'avais enduré pour eux. Ou Cappy. Cappy et moi. Je frappais du pied contre la table, en boudant.

Joe, un débat intérieur m'agite, a avoué mon père.

Mon pied s'est arrêté de taper.

Tu comprendras peut-être si je t'en parle ?

D'accord, ai-je accepté, alors que cela me faisait sauter au plafond. Je n'avais pas envie d'écouter.

Je me sens soulagé par la mort de Lark, a reconnu mon père. Exactement comme tu l'as dit quand tu l'as appris, je ressens la même chose. Il n'est plus un danger pour ta mère, il ne se montrera pas à l'épicerie ni chez Whitey. Nous pouvons continuer à vivre maintenant, non ?

Ouais. J'ai voulu me lever, mais il a parlé.

Pourtant la question de qui a tué Lark doit être posée. Il n'y avait pas de justice pour ta mère, sa victime, ni pour Mayla, et pourtant la justice existe.

Rendue de façon inéquitable, papa. Mais il a eu ce qu'il méritait. Ma voix était neutre. Mon cœur battait comme un fou.

Ma mère avait lâché la main de mon père. Elle ne voulait pas nous écouter nous disputer.

Je ressens la même chose que toi, a dit mon père. Bjerke nous interrogera demain – simple routine. Mais il n'y a pas de simple routine. Il voudra savoir où chacun de nous se trouvait quand Lark a été tué. Joe, voici le débat qui m'agite. Dans ce cas je me demande, étant de ceux qui ont prêté serment d'appliquer la loi en toutes circons-

DANS LE SILENCE DU VENT

tances, ce que je ferais si je détenais des informations pouvant mener à l'identité du tueur. La dernière fois que j'en ai parlé à ta mère, je ne savais pas trop.

J'ai regardé maman, ses lèvres serrées dessinaient un trait sombre et rectiligne.

Mais j'ai décidé que je ne ferais rien. Je ne fournirais aucun renseignement. N'importe quel juge sait qu'il y a toutes sortes de justice – par exemple, la justice idéale par opposition à la justice la-meilleure-possible, qui est celle que nous finissons par rendre dans la plupart de nos jugements. Ce n'était pas un lynchage. Sa culpabilité n'était pas mise en doute. Il se peut même qu'il ait voulu être pris et puni. Nous ne pouvons pas connaître ses pensées. Le meurtre de Lark est une mauvaise chose qui sert une justice idéale. Il règle une énigme juridique. Il se faufile dans l'inéquitable labyrinthe de la loi sur la propriété de la terre, en fonction de laquelle Lark ne pouvait être poursuivi. Sa mort a été l'issue. Je ne dirais rien, ne ferais rien, pour troubler le dénouement. Pourtant...

Mon père s'est arrêté et a voulu me lancer ce fameux regard qu'il avait l'habitude de fixer sur moi, et d'autres, au tribunal. Je l'ai senti, mais je n'ai pas laissé mes yeux croiser les siens.

.. pourtant, a-t-il repris d'une voix douce, c'est aussi une abdication de ma responsabilité. La personne qui a tué Lark vivra en endurant les retombées humaines de son acte parce qu'elle a pris une vie. Comme je n'ai pas tué Lark, mais que je voulais le tuer, je dois tout au moins protéger la personne qui s'est chargée de cette tâche. Et c'est ce que je ferais, au point même de tenter d'invoquer un précédent jurisprudentiel.

Quoi ?

Précédent traditionnel. On pourrait soutenir que Lark répondait à la définition d'un *wiindigoo* et que, sans autre recours, son assassinat satisfaisait aux conditions nécessaires d'une loi très ancienne.

J'ai senti l'attention de ma mère intensément fixée sur moi.

Je tenais à ce que tu le saches, c'est tout, a dit mon père, en tâtant le terrain.

Des tas de gens voulaient s'en prendre à Lark, ai-je remarqué.

J'ai regardé mes parents chacun à leur tour. Derrière eux, dans la pièce voisine, les rayonnages de vieux livres prenaient une belle patine dans le bain d'ombre du crépuscule. Le cuir brun éraflé. *Les Méditations*. Platon. *L'Iliade*. Shakespeare en rouge foncé sobre, et *Les Essais* de Montaigne. Puis en dessous une collection assortie des Grands Auteurs à laquelle ils avaient souscrit pas correspondance. Il y avait un exemplaire gratuit du Livre des Mormons, don d'un missionnaire de l'Église des Saints des Derniers Jours qui était passé par là. Il y avait William Warren, Basil Johnston, *Récit de la captivité et des aventures de John Tanner*, et toute l'œuvre de Vine Deloria Jr. Il y avait les romans qu'ils lisaient ensemble – de gros exemplaires de poche écornés et empilés. J'ai regardé les livres comme s'ils pouvaient nous aider. Mais nous avions largement dépassé les livres à présent, et nous étions au cœur des histoires que Mooshum racontait dans son sommeil. Il n'y avait pas de citations dans le répertoire de mon père correspondant au point où nous en étions arrivés, et à l'époque j'étais loin de voir dans les discours de somnam-

bule de Mooshum une interprétation du droit jurisprudentiel traditionnel.

Donc si tu entends parler de quoi que ce soit, Joe, a dit
mon père.

Si j'entends parler de quoi que ce soit, ouais, papa. Il
avait attiré mon attention. Je trouvais même un certain
soulagement dans ce qu'il disait. Mais mon père se trom-
pait aussi, et sur un point en particulier. Il avait affirmé
que j'étais maintenant à l'abri du danger, mais pas précisément du danger que représentait Lark. Et Cappy pas
davantage. Toutes les nuits, il nous poursuivait en rêve.

Nous sommes de retour sur le terrain de golf au moment
où j'ai plongé mes yeux dans ceux de Lark. Ce contact
effrayant. Puis le coup de feu. À ce moment-là, nos moi
permutent. Lark est dans mon corps, et il observe la scène.
Je suis dans son corps, et je meurs. Cappy remonte à toutes
jambes au sommet de la colline avec Joe et le fusil, mais il
ne sait pas que Joe contient l'âme de Lark. Tandis que je
meurs sur le terrain de golf, je sais que Lark va tuer Cappy
lorsqu'ils atteindront le point de vue. J'essaie de crier et de
prévenir Cappy, mais je sens ma vie qui s'écoule hors de
moi dans l'herbe rase.

Soit je fais ce rêve, soit un autre où je revois le fantôme
dans le jardin derrière la maison. Le même fantôme que
Randall a vu dans la loge à sudation – son regard mauvais
et sa bouche dure. Sauf que cette fois, comme avec Randall, le fantôme est penché sur moi, il me parle à travers un

voile d'obscurité, éclairé par-derrière, des cheveux blancs luisants. Et je sais que c'est un policier.

Comme toujours, je me suis réveillé en hurlant le nom de Cappy. Pour étouffer le son, j'avais colmaté le bas de ma porte à l'aide d'une serviette. J'ai jeté un coup d'œil autour de moi dans la lumière toute neuve, en espérant que personne ne m'ait entendu. J'ai écouté. On aurait dit que papa et maman étaient déjà descendus, ou sortis. Je me suis rallongé sous les couvertures. L'air était frais mais j'étais en sueur et toujours gonflé d'adrénaline. Mon cœur bondissait. J'ai frotté ma main sur ma poitrine pour le calmer, et tenté de ralentir ma respiration. Les rêves étaient plus réels à chaque fois qu'ils se produisaient, comme si à force ils creusaient une piste dans mon cerveau.

J'ai besoin de la médecine, ai-je dit tout haut, en pensant à la médecine ojibwé. Les personnes-médecine d'autrefois savaient comment traiter les rêves, c'était ce qu'avait affirmé Mooshum. Mais son esprit était loin maintenant, cherchant à se défaire du corps allongé sur le petit lit près de la fenêtre. La seule autre personne-médecine que je connaissais était Grand-mère Thunder. Nous pourrions peut-être lui demander conseil. Ne pas lui donner de détails, bien sûr, ni révéler ce qui s'était passé. Simplement la consulter à propos de ces rêves. Bugger Pourier, lui entre tous, est alors entré dans mes pensées à ce moment précis. Probablement parce que la dernière fois que j'avais songé à Grand-mère Thunder, je l'avais envoyé chez elle, et que juste avant Bugger m'avait volé mon vélo. Une histoire de rêve.

Je me suis redressé. Il avait voulu vérifier si quelque chose qu'il avait vu était un rêve. La réalité de mon propre rêve, qui s'accrochait à moi en permanence, et l'intense fixation d'ivrogne de Bugger ont fusionné. Qu'avait-il vu ? J'avais exploité sa faim et lui avait fait rebrousser chemin dans le but de récupérer mon vélo. Mais je ne lui avais jamais demandé ce qu'il avait vu. Je me suis levé et habillé, j'ai pris un petit-déjeuner et je suis sorti. Pour trouver Bugger il fallait regarder à l'arrière des bâtiments, en commençant par le Dead Custer. J'ai cherché toute la matinée et interrogé tous ceux que je croisais, mais personne ne savait rien. J'ai fini par aller au bureau de poste. En fait, c'était par là que j'aurais dû commencer. Je n'y avais pas pensé, le pauvre Bugger n'ayant pas d'adresse.

Il est à l'hôpital, a dit Linda. C'est bien ça ? a-t-elle crié à Mme Nanapush, qui triait des lettres dans le fond.

Il s'est ouvert le pied en volant une caisse de bière. Se l'est lâchée dessus. Le voilà donc au lit et ses sœurs disent qu'à quelque chose malheur est bon — ça pourrait le désintoxiquer.

Je suis parti à vélo à l'hôpital voir Bugger. Il partageait une chambre avec trois autres bonshommes. Son pied était plâtré et suspendu, encore que je me sois demandé si c'était nécessaire pour que son pied guérisse, ou si c'était destiné à l'attacher au lit.

Mon gars ! Il était content de me voir. Tu m'as apporté un coup à boire ?

Non.

Sa mine passionnée s'est transformée en une grimace boudeuse.

Je suis venu vous demander quelque chose.

Même pas une petite corbeille de fleurs, a-t-il ronchonné. Ou une crêpe.

Vous voulez une crêpe ?

J'vois des crêpes depuis un moment. Du whisky. Des araignées. Des crêpes. Des lézards. Les crêpes, c'est tout ce que je vois de bien. Mais à un vieux bonhomme on ne donne que cette fichue bouillie d'avoine. Café et bouillie d'avoine. C'est un petit-déjeuner ordinaire.

Même pas de tartines grillées ?

J'aurais pu en avoir si j'avais voulu, mais je n'arrête pas de réclamer des crêpes. Bugger m'a lancé un regard féroce. Je m'obstine à réclamer des crêpes !

Il faut que je vous demande quelque chose.

Vas-y, demande. Je te donnerai la réponse contre une crêpe.

D'accord.

Et du whisky. Il s'est penché en avant, le visage impénétrable. Apporte-moi un coup à boire, mais débrouille-toi pour que les autres, là, n'en sachent rien. Garde la bouteille sous ta chemise.

Bon.

Bugger s'est assis dans son lit, prêt, le visage plein d'espoir.

Vous vous souvenez quand vous avez pris mon vélo ?

Son visage est devenu inexpressif. J'ai parlé lentement, en m'arrêtant après chaque phrase pour qu'il hoche la tête.

Vous étiez assis devant chez Mighty Al. Vous avez vu mon vélo. Vous êtes monté dessus et vous avez commencé à pédaler. Je suis sorti et je vous ai demandé où vous alliez. Vous avez dit que vous vouliez vérifier si quelque chose était un rêve.

Le visage de Bugger s'est éclairé.

Ça vous revient ?

Non.

J'ai repassé la scène cinq ou six fois avant que l'esprit de Bugger finisse par faire marche arrière et parcoure le passé récent. Il se tenait parfaitement immobile et se concentrait, si fort que c'était tout juste si je n'entendais pas grincer les engrenages. Au fur et à mesure que ses pensées se rassemblaient, son expression a changé, mais de façon si progressive que ce n'est qu'après avoir regardé ailleurs avec impatience et puis m'être à nouveau tourné vers lui que j'ai remarqué qu'il était pétrifié. Il contemplait quelque chose entre nous, sur le couvre-lit. J'ai cru qu'il avait une hallucination, qu'il voyait non pas des crêpes, ce qui l'aurait rempli de joie, mais plutôt un genre de reptile ou d'insecte. Ses yeux se sont alors remplis de pitié et il a soufflé : Pauvre fille !

Quelle fille ?

Pauvre fille.

Il s'est mis à sangloter avec des contorsions sans larmes. Il n'arrêtait pas de pleurer sur le sort de cette fille. Il a marmonné une histoire de chantier et j'ai su. Elle était sur le chantier de construction, la terre amoncelée sur elle. Je ne pouvais pas empêcher l'image de se former. Nous, bondissant sur nos vélos, passant et repassant dans les airs, et elle en dessous. Je me suis levé, sous le choc. Je savais, dans le tréfonds de mon être, qu'il avait vu Mayla Wolf-skin. Il avait vu son cadavre. Si nous n'avions pas tué Lark, il aurait de toute façon fini en prison pour la vie. J'ai fait volte-face en pensant que je devrais aller voir la police, et puis je me suis arrêté. Il ne fallait même pas que la police sache ce que je pensais là. Il fallait que j'échappe à son radar, avec Cappy, que je disparaisse. Je ne pouvais le dire à personne. Même moi je ne voulais pas savoir ce que je savais. Ce que j'avais de mieux à faire, c'était oublier. Et puis pour le restant de mes jours m'évertuer à ne pas penser que la situation aurait tourné autrement si, pour commencer, j'avais simplement suivi le rêve de Bugger.

Il fallait que je trouve Cappy. Pas pour le lui dire. Je ne le lui dirais jamais. Je ne le dirais jamais à personne. Il y avait en moi, tandis que je filais sur mon vélo chez les Lafournais, une déconnexion si profonde que je ne pouvais penser à rien sinon à l'effacement. Je trouverais bien une façon de me soûler. Le monde prendrait cette teinte ambrée. Les choses s'adouciraient et vireraient au brun, comme sur les photographies anciennes. Je serais à l'abri du danger.

Zack et Angus traînaient sur le parking de la supérette. Il y avait leurs vélos, et aussi celui de Cappy, mais ils étaient assis dans la voiture du grand cousin de Zack. Ils sont descendus lorsqu'ils m'ont vu, et m'ont expliqué que Cappy était entré au bureau de poste voir s'il y avait une lettre.

Il devrait déjà être ressorti, a remarqué Zack.

Je suis allé chercher Cappy et j'ai fini par le trouver derrière le bâtiment, assis sur une chaise déglinguée là où en été les employés de la poste faisaient leur pause cigarette. Ses cheveux étaient rabattus sur son visage. Il fumait et ne m'a pas regardé quand je me suis planté à côté de lui. Il m'a simplement tendu un bout de papier.

Vous cesserez et romprez toute relation avec notre fille. Mon épouse a trouvé le paquet de lettres que Zelia avait caché. Vous devriez prendre en considération que dans cette affaire nous pourrions engager des pro-c'est-dur contre vous avec toute la vigueur de la loi.

Et d'ailleurs à présent Zelia est en punition et d'ailleurs sous peu nous allons changer de domicile. Vous avez volé l'innocence de notre fille et saccagé notre vie.

Les bras et les jambes de Cappy étaient écartés, ballants et désespérés. Son visage était couleur de cendre et un nuage de fumée flottait autour de sa tête. Je me suis assis à côté de lui sur un carton. Il n'y avait rien à dire à propos de quoi que ce soit. J'ai pris ma tête dans mes mains.

Ouais, a lancé Cappy, avec violence. Ouais, putain. En punition ? Je parie qu'ils la gardent enfermée jusqu'à ce qu'ils déménagent. Pour l'empêcher d'aller à la poste. Saccager leur vie ! Je vais saccager leur vie ? En aimant leur fille d'un amour véritable ?

Regarde-moi, mon frère, a-t-il supplié.

Ce que j'ai fait.

Regarde-moi. Il a rejeté ses cheveux en arrière, s'est tapoté la poitrine du bout des doigts. Je saccagerais sa vie, moi ? Le Créateur nous a faits l'un pour l'autre. Moi, ici. Zelia, là-bas. C'est une erreur humaine qui a mis de la distance entre nous. Mais nos cœurs ont écouté la volonté divine. Nos corps aussi. Alors quoi, putain ? Tout, absolument tout ce que nous avons fait a été créé au paradis. Dieu est bon, mon frère. Dans sa miséricorde impénétrable, il m'a donné Zelia. Le cadeau de notre amour – je ne peux quand même pas le renvoyer à la face du Créateur ?

Non.

C'est ce que ses parents me demandent de faire. Mais pas question. Je ne renverrai pas notre amour à la face de Dieu. Il existera pour toujours, que ses parents le veuillent ou non. Ils auront beau faire, rien ne pourra nous séparer.

D'accord.

Ouais, a dit Cappy. Ses cheveux sont retombés sur son front. Il a mis le feu à la lettre avec le bout incandescent de sa cigarette. L'a regardée prendre, s'enflammer, brûler et atteindre le bout de ses doigts. Il a lâché le fragment, et les minces pellicules de papier brûlé sont tombées en flottant autour de ses pieds.

Je rentre à la maison chercher l'argent du car, a-t-il annoncé. Et puis je fais le plein de la bagnole de Randall. Je passerai te prendre chez toi.

Où est-ce qu'on va ?

Je ne peux pas attendre sans rien faire, Joe. Je ne peux pas rester là. Et je sais que je n'aurai pas de répit tant que je ne l'aurai pas revue.

Nous avons laissé Zack et Angus buvant un soda dans la voiture du cousin de Zack, et nous sommes repartis chez nous. Ma maison était vide. J'ai mis dans un sac à dos des vêtements de rechange et tout l'argent que j'avais, à savoir 78 $. Il m'en restait de Sonja, et je n'avais rien dépensé de ce que m'avait payé Whitey pour la semaine où j'avais travaillé – il m'avait surpayé, peut-être pour tenter de me

faire taire. J'ai pris une veste. Comme j'attendais toujours
Cappy, et que malgré ce que j'avais fait j'étais toujours le
genre de gars qui prévoyait et préparait à déjeuner, j'ai
confectionné une douzaine de sandwiches au beurre de
cacahuètes et cornichons. J'en ai mangé un et j'ai bu du
lait. Cappy n'était toujours pas arrivé. J'ai repensé combien
la voiture de Randall était difficile à faire démarrer.
Embraye, me suis-je dit. Pearl me suivait partout. Je suis
entré dans le bureau de mon père. J'ai essayé d'ouvrir le
tiroir qu'il fermait maintenant à clé depuis un moment, et
il s'est coincé, mais papa n'avait pas tourné la clé à fond et
en le secouant un peu je l'ai ouvert. À l'intérieur, il y avait
un dossier en papier kraft. Plein de photocopies grais-
seuses. Il y avait le double d'un formulaire d'enregistrement tribal. Sur le formulaire, on lisait Mayla Wolfskin.
Âgée de dix-sept ans, et mère d'une enfant prénommée
Tanya. Curtis W. Yeltow était inscrit en tant que père, tout
comme Linda l'avait dit. J'ai refermé le dossier que j'ai
remis dans le tiroir. Je me suis débrouillé pour manœuvrer
le mécanisme à l'aide d'un trombone pour que le tiroir ne
semble pas avoir été ouvert ; mais quelle importance, je
n'en sais rien. Je me réjouissais de ne pas avoir à parler à
Bjerke. J'ai pris une feuille de papier à lettres dans une
boîte en cuir. Mon père avait sur son bureau un gobelet
plein de crayons taillés. J'en ai pris un et j'ai écrit à mes
parents que je partais camper. Qu'ils ne s'inquiètent pas, je
serais avec Cappy, et j'étais désolé de les prévenir à la
dernière minute. J'ai dit que nous serions absents trois ou
quatre jours. Que je leur téléphonerais. Je me suis imaginé
écrivant : demandez à Bugger Pourier de vous raconter
son rêve. Mais je ne l'ai pas fait. Il y a eu du bruit dehors.

Pearl a aboyé. C'était Angus et Zack. Ils voulaient savoir pourquoi nous les avions largués, je leur ai donc parlé de la lettre et j'ai expliqué que Cappy était allé chercher la voiture de Randall.

J'ai un truc, a dit Angus.

Il m'a montré des papiers d'identité. C'était un permis de conduire, que son cousin avait fait semblant de perdre pour en obtenir un autre. Il l'avait vendu à Angus alors que la photo ne lui ressemblait pas du tout.

Mais tu ne trouves pas que ça ressemble à Cappy ? Il pourrait acheter à notre place.

Ça lui ressemble assez, ai-je reconnu. Pile au même moment Cappy est arrivé, et nous sommes tous montés dans la voiture dont le moteur tournait au ralenti. Je me suis assis devant et Zack et Angus ont occupé l'arrière.

Où est-ce qu'on va ? a demandé Zack.

Dans le Montana, a dit Cappy.

Les deux à l'arrière ont rigolé, mais moi j'ai regardé par la vitre, regardé Pearl. Elle ne me quittait pas des yeux.

Je sais que le monde est loin de s'arrêter à la Route 5, mais quand on roule dessus – quatre garçons dans une voiture et que c'est tellement paisible, tellement vide à perte de vue, quand les stations de radio ne passent plus et qu'il n'y a que des parasites et le son de nos voix, et du vent quand on sort le bras pour le poser sur la carrosserie – on a l'impression d'être en équilibre. De frôler le bord de l'univers. Nous avions un demi-réservoir d'essence au moment de partir, et nous avons refait le plein deux fois avant de traverser la frontière de l'État en direction de Plentywood. Là nous avons piqué au sud et filé en longeant le bas de la réserve de Fort Peck jusqu'à Wolf Point. Cappy m'a passé le volant et nous avons laissé tourner le moteur devant la boutique d'un caviste pendant qu'il achetait une bouteille d'alcool, une caisse de bières, et encore une bouteille d'alcool. Zack avait apporté sa guitare. Il a chanté des chansons country mélos à en chialer, les unes après les autres, et nous a fait rigoler à chaque fois. Et nous avons continué à rouler, la discussion passant d'un sujet à l'autre, devenant drôle et puis ridicule tandis que Cappy échafaudait son plan pour aider Zelia à se tirer de chez elle, à l'adresse où il lui écrivait à Helena – qui était encore loin.

Zack et Angus ont été pris d'agitation dans une station-service et ont téléphoné chez eux. C'est là que Zack s'est fait chauffer les oreilles. Il est revenu à la voiture à pas de loup, m'a regardé, a dit : Oups ! Nous avons mangé les sandwiches. Nous avons mangé de la viande séchée, des saucisses pimentées, des paquets de chips et des boîtes de fruits secs achetés dans les stations-service. Nous avons sifflé des litres d'eau sur une aire de repos, et la voiture a calé. Nous avons dû la pousser jusqu'à une descente, la mettre au point mort et sauter dedans en marche. Le moteur a tourné et nous avons poussé des cris de guerre, exultants et triomphants. Zack et Angus se sont écroulés ivres morts à l'arrière, en ronflant, tassés l'un contre l'autre. Nous nous sommes mis à parler, Cappy et moi, et nous avons continué à rouler vers l'ouest durant tout le long crépuscule. Le soleil n'en finissait pas de briller et il est resté posé en équilibre sur l'horizon pendant un temps fou, puis il s'est embrasé et a rougeoyé sous cette ligne sombre pendant une autre éternité. Du coup, le temps paraissait s'être arrêté. Nous avons roulé sans effort, dans un rêve.

J'ai parlé à Cappy du dossier que j'avais trouvé dans le tiroir du bureau de mon père. Je lui ai parlé de tout ce qu'il y avait sur le formulaire d'enregistrement tribal. Je lui ai parlé du gouverneur du Dakota du Sud.

C'est donc de là que venait l'argent, a-t-il remarqué.

Certainement. C'était une de ces brillantes lycéennes qui sont choisies pour apporter le café et les dossiers. Leur photo passe dans le journal, surtout une jolie Indienne, le bras du gouverneur passé sur ses épaules. LaRose me l'a raconté. Linda le savait aussi. C'est là que Yeltow s'en est pris à elle. Et Lark, il a gardé le secret, mais il était jaloux. Il croyait qu'elle était sa chose.

Le gouverneur lui a donné de l'argent pour qu'elle se taise. Pour recommencer à zéro ?

Elle a fourré l'argent dans la poupée de sa petite fille pour qu'il soit à l'abri.

À l'abri de Lark.

J'ai raconté à Cappy que j'avais vu les vêtements de cette poupée dans la voiture quand elle avait émergé du lac, que la poupée avait dû flotter et passer par la vitre ouverte, venir s'échouer sur la rive opposée.

Après ça, a dit Cappy, je pense que toute l'affaire va éclater. Le dossier avec son nom dedans est toujours là. Alors pourquoi pas ? Elle était mineure, Mayla.

Yeltow va tomber, c'est certain, ai-je affirmé.

Mais Yeltow n'est jamais tombé.

Le silence du vent autour de nous, la voiture fendant

la nuit le long de la Milk River, où Mooshum avait chassé autrefois, entraîné de plus en plus loin à l'ouest, où Nana-push avait vu des bisons jusqu'à l'horizon, et puis l'année suivante plus un seul. Et ensuite la famille de Mooshum était revenue et avait pris des terres sur la réserve. Là, il avait rencontré Nanapush et ensemble ils avaient bâti la maison-ronde, la femme endormie, la mère impossible à tuer, la vieille femme bison. Ils avaient bâti ce lieu pour préserver l'union de leur peuple et implorer la clémence du Créateur, vu que sur la terre la justice était rendue de façon tellement sommaire.

Nous avons passé Hinsdale. Sleeping Buffalo, aussi. Malta. Nous prendrions vers le sud beaucoup plus loin, à Havre. Nous avions établi notre itinéraire sur la carte de la station-service.

Allez, on continue, a dit Cappy. Je me sens en forme. Allez, on roule toute la nuit.

Qu'il en soit ainsi.

Nous avons ri, et Cappy a ralenti et laissé le moteur tourner pendant que je passais devant le capot à fond de train, sautais à l'intérieur et commençais à rouler. L'air était frais et vert de sauge. Les phares venaient frapper les yeux des coyotes qui se faufilaient le long des fossés, allaient et venaient de part et d'autre des clôtures. Cappy a mis ma veste en boule sous sa tête, s'est appuyé contre la vitre et a dormi. J'ai continué à rouler jusqu'à ce que je finisse par être fatigué et lui redonne le volant. Cette fois Zack et Angus ont grimpé à l'avant pour le maintenir éveillé. Je me suis glissé à l'arrière. Il y avait une vieille couverture de cheval qui sentait la poussière. J'ai posé la tête dessus et attaché la ceinture de sécurité parce que la boucle me rentrait dans la hanche. Alors que je somnolais à l'arrière, en écoutant les trois devant discuter et rigoler, j'ai eu la même sensation de paix, flottante, que j'avais ressentie dans la voiture de mes parents. Les gars ont passé la bouteille à l'arrière et j'ai bu à longs traits, pour m'anesthésier. Je me suis éclipsé sans difficulté. J'ai dormi sans rêver alors même que la voiture sortait en trombe de la route, se retournait, roulait sur elle-même, ouvrait grand ses portières et finissait par s'arrêter dans un champ non labouré.

J'ai eu la sensation d'un mouvement immense et violent. Avant que j'aie pu en saisir la signification, tout était immobile. J'ai failli me rendormir en pensant que nous nous étions arrêtés. J'ai pourtant ouvert les yeux pour voir simplement où nous étions, et l'air était noir. J'ai appelé Cappy, mais il n'y a pas eu de réponse. Il y avait le son lointain de l'angoisse, non pas des pleurs, mais un halètement laborieux. Je me suis détaché et coulé par la portière ouverte. Les sons venaient de Zack et Angus, entremêlés, qui remuaient par terre, puis se relevaient en titubant, et retombaient. Mon cerveau s'est remis en marche. J'ai fouillé l'habitacle – vide. Un phare clignotait. Je suis redescendu et j'ai décrit un cercle qui allait s'élargissant autour de la voiture, mais Cappy semblait s'être volatilisé. Il est parti chercher du secours, ai-je songé avec soulagement, en avançant à petits pas. Il n'y avait que la lueur des étoiles et de l'unique faisceau lumineux de la voiture ; certaines parties du sol étaient si noires qu'on aurait cru des fosses plongeant au cœur de la terre. Pendant un instant d'égarement, je me suis cru à l'entrée d'un puits de mine et j'ai eu peur que Cappy n'ait été précipité au fond. Mais ce n'était que l'ombre. L'ombre la plus profonde que j'aie jamais vue. Je me suis mis à quatre pattes et j'ai pénétré dans l'ombre. Je me suis glissé à tâtons dans l'herbe invisible. Le vent s'est levé et a emporté loin de moi les cris de mes amis. Les sons que j'ai produits, moi aussi, quand j'ai trouvé Cappy, ont été emportés dans le mugissement de l'air.

J'étais au poste de police, attaché à la chaise sur laquelle j'étais assis. Zack et Angus étaient à l'hôpital de Havre. On avait emmené Cappy quelque part pour le remettre en état à l'intention de Doe et Randall. Le fantôme m'avait conduit ici. Je l'avais vu dans le champ quand je tenais Cappy dans mes bras – mon fantôme s'était penché sur moi, rétroéclairé par la lampe torche qu'il tenait inclinée sur son épaule, cerné d'un halo argenté, me regardant avec un mépris plein d'aigreur. Il m'a secoué doucement. Ses lèvres avaient remué mais les seuls mots que j'avais compris étaient *Allons-y* et je ne voulais pas. J'ai dormi et je me suis réveillé sur la chaise. J'ai dû manger, boire de l'eau, aussi. Je ne me souviens de rien de tout cela. Sauf que je ne cessais de regarder la pierre ronde et noire que Cappy m'avait donnée, l'œuf d'oiseau-tonnerre. Et il y a eu le moment où mon père et ma mère ont passé la porte déguisés en vieillards. J'ai cru que le long trajet en voiture les avait voûtés, avait terni leur regard, et même fait virer leur chevelure au gris et au blanc, avait provoqué les tremblements de leurs mains et de leur voix. Au même instant j'ai découvert, en quittant la chaise, que j'étais devenu vieux avec eux. J'étais brisé et fragile. Mes chaussures avaient disparu dans l'accident. J'ai marché entre eux deux, j'ai trébuché. Ma mère m'a pris la main. Quand nous sommes arrivés à la voiture, elle a ouvert la portière arrière et s'est glissée à l'intérieur. Il y avait un oreiller et la même vieille courtepointe. Je me suis assis devant avec mon père. Il a mis le moteur en marche. Nous avons tout simplement démarré et pris le chemin de la maison.

Au fil de tous ces kilomètres, au fil de toutes ces heures, au fil de tout cet air qui déferlait et de ce ciel qui s'avançait vers nous, se mêlant à l'horizon d'après, puis encore au suivant, au fil de tout ce temps il n'y avait rien à dire. Je ne me souviens pas d'avoir parlé et je n'arrive pas à me souvenir de mon père ou de ma mère en train de parler. Je savais qu'ils savaient tout. La condamnation était de prendre sur soi. Personne n'a versé de larmes et il n'y a pas eu de colère. Mon père ou ma mère conduisaient, agrippés au volant avec une froide concentration. Je ne me souviens pas qu'ils m'aient regardé ou que je les aie regardés après le choc de ce premier moment, quand nous avons tous compris que nous étions vieux. Je me souviens pourtant du spectacle familier du café au bord de la route, juste avant de franchir les limites de la réserve. À chacun des voyages de mon enfance nous nous y arrêtions toujours pour prendre une glace, un café et un journal, une part de gâteau. C'était toujours ce que mon père appelait la dernière étape. Mais cette fois nous ne nous sommes pas arrêtés. Nous sommes passés dans un grand flot de chagrin qui persisterait dans notre brève éternité. Nous avons continué à rouler, c'est tout.

Postface

L'action de ce livre se déroule en 1988, mais l'enchevêtrement de lois qui dans les affaires de viol fait obstacle aux poursuites judiciaires sur de nombreuses réserves existe toujours. « Le Labyrinthe de l'injustice », un rapport publié en 2009 par Amnesty International, présentait les statistiques suivantes : une femme amérindienne sur trois sera violée au cours de sa vie (et ce chiffre est certainement supérieur car souvent les femmes amérindiennes ne signalent pas les viols) ; 86 pour cent des viols et des violences sexuelles dont sont victimes les femmes amérindiennes sont commis par des hommes non-amérindiens ; peu d'entre eux sont poursuivis en justice. En 2010, Byron Dorgan, alors sénateur du Dakota du Nord, a soutenu le *Tribal Law and Order Act*. En entérinant cette loi, le président Barack Obama a qualifié la situation d'« agression de notre conscience nationale ». Les organisations qui ci-dessous apparaissent en italiques travaillent à rétablir la justice souveraine et garantir la sécurité des femmes amérindiennes.

Merci aux nombreuses personnes qui m'ont conseillée pendant que j'écrivais ce livre : Betty Laverdure, ancien juge tribal, réserve de Turtle Mountain ; Paul Day, Gitchi Makwa, ancien juge tribal, réserve de Mille Lacs, et directeur exécutif des *Anishinabe Legal Services* ; Betty Day, gardienne de la sagesse et doula[1] ; Peter Meyer, docteur en psychologie, expert en psychologie légale. Terri Yellowhammer, ancienne conseillère à la protection de l'enfance de l'État du Minnesota, spécialiste en conseil technique et juge assesseur pour la réserve de White Earth ; N. Bruce Duthu, Dartmouth College, auteur de *American Indians and the Law* ; les membres du cours Lois et Littérature amérindiennes du professeur Duthu ; le Montgomery Fellow Program de Dartmouth College, et Richard Stammelman ; Philomena Kebec, avocate-conseil de la Bad River Band of Lake Superior Chippewa Indians ; Tore Mowatt Larssen, avocat ; Lucy Rain Simpson, *Indian Resource Center* ; Ralph David Erdrich, infirmier diplômé, Indian Health Service, Sisseton, Dakota du Sud ; Angela Erdrich, médecin, Indian Health Board, Minneapolis ; Sandeep Patel, médecin, Indian Health Service, Belcourt, Dakota du Nord ; Walter R. Echo-hawk, auteur de *In the Courts of the Conqueror : The Ten Worst Indian Law Cases Ever Decided* ; Suzanne Koepplinger, directrice exécutive du *Minnesota Indian Women's Resource Center*, qui m'a confié le rapport qu'elle a co-écrit avec Alexandra « Sandi » Pierce, « Shattered Hearts : The Commercial and Sexual Exploitation of American Indian Women and Girls in Minnesota » ; Darrell Emmel, conseiller pour La Nouvelle Génération ; ma secrétaire d'édition Trent Duffy ;

---

1. Accompagnante non médicale à la naissance et en périnatalité. (*N.d.T.*)

460

Terry Karten, mon éditrice chez HarperCollins ; Brenda J. Child, historienne et présidente du Département des Études autochtones à l'université du Minnesota ; Lisa Brunner, directrice exécutive de la *Sacred Spirits First Nation Coalition* ; et Carly Bad Heart Bull, avocat. Je dois encore des remerciements à Memegwesi ; *chi-miigwech* au professeur John Borrows, dont le dernier ouvrage *Drawing Out Law : A Spirit's Guide*, m'a énormément aidée à comprendre le processus de la loi *wiindigoo*, tout comme la thèse de 2010 de Hadley Louise Friedland « The Wetiko (*Wiindigoog*) Legal Principles : Responding to Harmful People in Cree, Anishinabek et Saulteaux Societies. »

Mon cousin Darrell Gourneau, mort en 2011, a donné sa plume d'aigle, ses chants et ses récits de chasse. Sa mère, ma tante Dolores Gourneau, m'a offert la courtepointe en patchwork de mon cousin pour le fauteuil sur lequel j'écris.

Enfin, merci à tous ceux qui m'ont aidée à traverser les années 2010-2011 : tout d'abord à ma fille Persia pour ses nombreuses et consciencieuses lectures de ce manuscrit, ses suggestions sincères et précieuses, et les tendres soins dont elle m'a entourée pendant les semaines d'incertitude au cours desquelles a été diagnostiquée ma maladie. Tous se sont merveilleusement rassemblés pendant mon traitement contre le cancer du sein : merci aux Drs. Margit M. Bretzke, Patsa Sullivan, Stuart Bloom, et Judith Walker de m'avoir, l'air de rien, sauvé la vie. Ma fille Pallas a été mon porte-parole, m'a emmenée en voiture suivre mes traitements, et a administré son traitement personnel – *Battlestar Galactica*, musique, et aliments aux mystérieux pouvoirs reconstituants. Elle a maintenu la cohésion de la famille. Aza était engagée dans son propre et difficile combat, qu'elle a gagné pour nous tous grâce à son art. Elle a aussi joué le rôle de conseillère sur le manuscrit, et a été une lectrice minutieuse et perspicace. Nenaa'ikiizhikok a apporté rire et courage. Dan est resté pour nous tous le centre de gravité, grâce à sa patience et à sa générosité.

Les événements de cet ouvrage s'inspirent librement de tant d'affaires, de rapports et de récits, que le résultat est pure fiction. Ce livre ne tend à représenter personne en particulier, vivant ou mort, et, comme toujours, toute erreur dans la langue ojibwé est de mon fait et ne doit pas rejaillir sur mes professeurs à la patience irréprochable.

DU MÊME AUTEUR

Aux Éditions Albin Michel

L'ÉPOUSE ANTILOPE, 2002.

DERNIER RAPPORT SUR LES MIRACLES À LITTLE NO HORSE, 2003.

LA CHORALE DES MAÎTRES BOUCHERS, 2005.

CE QUI A DÉVORÉ NOS CŒURS, 2007.

LOVE MEDICINE, 2008.

LA MALÉDICTION DES COLOMBES, 2010.

LE JEU DES OMBRES, 2012.

LA DÉCAPOTABLE ROUGE, 2012.

« **Terres d'Amérique** »

Collection dirigée par Francis Geffard

CHRIS ADRIAN
Un ange meilleur, nouvelles

SHERMAN ALEXIE
Indian Blues, roman
Indian Killer, roman
Phoenix, Arizona, nouvelles
La Vie aux trousses, nouvelles
Dix Petits Indiens, nouvelles
Red Blues, poèmes
Flight, roman
Danses de guerre, nouvelles

GAIL ANDERSON-DARGATZ
Remède à la mort par la foudre, roman
Une recette pour les abeilles, roman

DAVID BERGEN
Une année dans la vie de Johnny Fehr, roman
Juste avant l'aube, roman
Un passé envahi d'ombres, roman
Loin du monde, roman

JON BILLMAN
Quand nous étions loups, nouvelles

TOM BISSELL
Dieu vit à Saint-Pétersbourg, nouvelles

DONALD RAY POLLOCK
Le Diable, tout le temps, roman

SUSAN POWER
Danseur d'herbe, roman

ERIC PUCHNER
La Musique des autres, nouvelles
Famille modèle, roman

JON RAYMOND
Wendy & Lucy, nouvelles

ELWOOD REID
Ce que savent les saumons, nouvelles
Midnight Sun, roman
La Seconde Vie de D.B. Cooper, roman

EDEN ROBINSON
Les Esprits de l'océan, roman

KAREN RUSSEL
Swamplandia, roman

GREG SARRIS
Les Enfants d'Elba, roman

NATHAN SELLYN
Les Caractéristiques de l'espèce, nouvelles

GERALD SHAPIRO
Les Mauvais Juifs, nouvelles
Un schmok à Babylone, nouvelles

Composition IGS-CP
Impression CPI Bussière en juin 2013
à Saint-Amand-Montrond (Cher)
Éditions Albin Michel
22, rue Huyghens, 75014 Paris
www.albin-michel.fr

ISBN : 978-2-226-24974-6
ISSN : 1272-1085
N° d'édition : 20507/01. – N° d'impression : 2003390.
Dépôt légal : août 2013.
Imprimé en France.